JN117854

再エネ乱開発

環境破壊と住民のたたかい

傘木宏夫

自治体研究社

はじめに

再生可能エネルギーは、自然エネルギーとも言われるように、自然環境そのものを資源として開発するものです。

そのため、再生可能エネルギーを短期間かつ大規模に開発することは、自然環境の破壊と、それを管理する地域社会とのあつれきとをもたらします。「自然エネルギーだから環境にやさしい」というのは一面的な見方です。

本書は、再生可能エネルギー開発によって引き起こされている地域でのトラブルと住民運動を紹介しながら、持続可能な社会に向けた開発のあり方について私なりの課題提起を試みるものです。

今、日本各地で再生可能エネルギー開発に伴う地域的なトラブルが起きています。

その背景には、政府が掲げる「2050年カーボンニュートラル」の目標に向けて、再生可能エネルギーの普及を飛躍的に進めるための政策誘導と、そのことにビジネスチャンスを見出す産業界の動きがあります。

また、多くの国民も、「再生可能エネルギーを普及することは善いことである」という認識があり、こうした問題に気付かずにいる状況もみられます。さらに、再生可能エネルギー開発に対する反対運動などは「地域エゴ」として否定的に見ている人もあるようです。

私が代表を務めるNPO地域づくり工房は、2002年の発足以来、再生可能エネルギーを活用した地域おこしの活動と参加型アセス推進を両輪として活動してきました。参加型アセスとしては、中小規模の再生可能エネルギー開発における事業者による自主簡易アセスへの支援と、開発に対峙する住民アセスへの支援とを両輪として、様々な事案に関わってきました。

そうした中で個々の事案においては住民の側の誤解や偏見などがあることを承知しています。しかし、全体としては、NIMBY（Not In My Backyard）

のような「施設の必要性は認めるが、自分たちの居住地域には建てないでくれ」といった主張とは異なります。それらは、地域社会のあり方に根本的な変化をもたらす自然環境や生活環境を改変することへの異議であり、再生可能エネルギー開発の現状が抱える構造的な問題を提起しています。

私の前著『再生可能エネルギーと環境問題～ためされる地域の力～』（自治体研究社、2021年）では、上記の思いから問題提起をしたつもりでした。しかし、その後の政策や産業界の動向、出版を機にさらに広がった各地の住民運動とのつながりなどから、事態がより深刻な方向に展開していることを痛感し、もっと地域の現状に寄り添った問題提起が必要だと反省させられました。

そこで、全国各地のさまざまな再生可能エネルギー種による開発に立ち向かう住民団体を訪問し、現地で学ばせていただきました。また、これらの団体の方々に発表者となっていただき、オンライン交流会「再生可能エネルギー開発とたたかう」（2023年12月）を開催しました。こうした取り組みを通じて、各地が抱える問題とともに、住民運動の側にさまざまな工夫や教訓が蓄積されていることを実感しました。

本書は以下の構成となっています。再生可能エネルギーに関心のあるすべての方に手にしてほしいとの思いで、なるべく平易に書く努力をしました。

第1部では、再生可能エネルギー開発の動向を概観します。

第2部では、私が巡った各地の住民運動の取り組みを紹介しながら、再生可能エネルギー開発の問題点を紹介します。

第3部では、再生可能エネルギーの適正な開発のあり方について私の提案を紹介します。

わかりにくいことや説明不足、事実誤認などがありましたら、ぜひご指摘をお願いいたします。本書が持続可能な社会に向けた再生可能エネルギーの普及のあり方の議論に何らかの貢献ができれば幸いです。

目　次

コラム

第1部

開発の動向

「われわれ人間が自然にたいしてかちえた勝利にあまり得意になりすぎないようにしよう。そうした勝利のたびごとに、自然はわれわれに復讐するのである。なるほど、どの勝利も、最初はわれわれの見込んだとおりの諸結果をもたらしはする。しかし、二次的また三次的には、まったく違った・予想もしなかった効果を生み、これが往々にしてあの最初の諸結果を帳消しにしてしまうことさえあるのである。」

エンゲルス『猿が人間になるにあたっての労働の役割』(新日本出版社『自然の弁証法〈抄〉』63頁)

第1章　再生可能エネルギーの普及状況

この章では、国内外での再生可能エネルギーの普及状況をみながら、日本政府のエネルギー戦略などを概観します。

気候変動対策として、再生可能エネルギーの普及は世界共通の重要課題となっています。日本は、再生可能エネルギーの普及に関して、他の先進諸国に大きく後れを取っていましたが、東日本大震災での福島第一原発事故とそれに伴う大規模停電の危機を経て、FIT（固定価格買取制度）の導入により急速に再生可能エネルギーを拡大させています。そして、2030年までに一気に倍増させる目標を掲げています。

「追いつけ・追い越せ」で進むことで、本書で問題視する再生可能エネルギーの「短期間かつ大規模な」開発が必然となっています。

1. 再生可能エネルギーの定義と種類

(1) 定　　義

再生可能エネルギー（Renewable Energy）とは、太陽光や風力、水力、地熱などの自然界に常に存在するエネルギーのことです。そのため「自然エネルギー」もほぼ同じ意味で使われています。

これに対して、埋蔵量に限りのある石油、石炭、天然ガスなどの化石燃料、ウランを使用する原子力などのエネルギーは枯渇性エネルギー（Exhaustible Energy）と言われます。

エネルギー供給構造高度化法（エネルギー供給事業者による非化石エネルギー源の利用および化石エネルギー原料の有効な利用の促進に関する法律、2009年8月施行）では、「非化石エネルギー源のうちエネルギー源として永続的に利用できると認められるもの」（法第２条第３項）と規定しています。

(2) 種　　類

エネルギー供給構造高度化法は、再生可能エネルギーの種類を、①太陽光、②風力、③水力、④地熱、⑤太陽熱、⑥大気中の熱その他の自然界に存在する熱、⑦バイオマス（動植物に由来する有機物）の７つに整理しています（施行令第４条)。

このうち、再生可能エネルギーの固定価格買取制度（電気事業者による再生可能エネルギー電気の調達に関する特別措置法、通称：FIT）では、買取対象とする発電種類を、①太陽光、②風力、③水力、④地熱、⑤バイオマスの５種類に限定しています。

また、島国であることから海洋発電分野や、人口密集地では振動発電などといった新技術を使った分野への関心も高まっています。

それぞれの特徴などを表１−１に示します。

2. 世界における普及状況

資源エネルギー庁「国内外の再生可能エネルギーの現状と今年度の調達価格等算定委員会の論点案」（2022年10月）によれば、世界の再生可能エネルギー発電設備容量（ストック）は、2020年までに約2,989GW（ギガワット）に達していると推計されています。2014年比では＋1,154GW（約1.6倍）で、前年比でも＋279GW（約1.1倍）と増加傾向にあります。すでに再生可能エネルギーは、他（石炭・天然ガス・石油・原子力）と比べて、最も容量の大きい電源となっています（図１−１)。

主要国における再生可能エネルギー（水力を含む）の導入状況をみると、米国と日本が２割弱であるのに対して、西欧諸国では４割台に到達しています。大小300万の湖があるカナダでは水力が６割を占めて、他国から群を抜いて再生可能エネルギー比率が高くなっています。水力を除いた場合、風力を主力とする国が最も多く、太陽光の割合が多いのは日本とイタリアの２カ国です。

表1－1　再生可能エネルギーの種類と特徴

<table>
<tr><th>区分</th><th>種類</th><th colspan="3">特徴</th><th>立地傾向</th></tr>
<tr><td rowspan="16">自然
エネルギー</td><td rowspan="2">太陽光発電</td><td colspan="3">光電効果（化学反応）による発電
昼間に限定（天気まかせ）※1
発電効率※2：15～20％</td><td>屋根や中山間地等の土地が安いところ</td></tr>
<tr><td colspan="4">屋根置き式と野立て式がある</td></tr>
<tr><td rowspan="2">風力発電</td><td colspan="3">風の力でタービンを回して発電
風の有無に左右される（風まかせ）
発電効率：20～40％</td><td>安定した風が吹く稜線部や海岸、洋上など</td></tr>
<tr><td colspan="4">陸上型と洋上型（着床式、浮体式）がある</td></tr>
<tr><td rowspan="2">水力発電</td><td colspan="3">位置エネルギーでタービンを回す
豊富な水量または落差を必要とする
発電効率：約80％</td><td>山間地または水量が得られる都市部の下水施設等</td></tr>
<tr><td colspan="4">ダム式と水路式があり、FIT対象は30,000kW未満</td></tr>
<tr><td rowspan="2">地熱発電</td><td colspan="3">マグマの熱で発生させた蒸気でタービンを回して発電
発電効率：10～20％</td><td>火山地帯（温泉地）</td></tr>
<tr><td colspan="4">フラッシュ式（熱水の貯留層より蒸気を取り出す）
バイナリー式（熱水で低沸点の冷媒を温めて蒸気を発生）</td></tr>
<tr><td rowspan="6">バイオマス</td><td rowspan="4">種類</td><td>廃棄物系</td><td colspan="2">家畜系排泄物、食品廃棄物、廃食油、建設廃材、製材工場残材、下水汚泥、し尿汚泥など</td></tr>
<tr><td>未利用</td><td colspan="2">稲わら、麦わら、もみ殻、林材残材</td></tr>
<tr><td rowspan="2">資源作物</td><td colspan="2">でんぷん・糖質系作物（さとうきび、イモ等）</td></tr>
<tr><td colspan="2">油脂作物（なたね、大豆、アブラヤシ等）</td></tr>
<tr><td>発電</td><td colspan="2">直接燃焼やガス化燃焼でタービンを回す
発電効率（木質）：約20％</td><td rowspan="2">当該資源が豊富に得られる地域で行われることが多いが、広範囲から収集される傾向がある</td></tr>
<tr><td>燃料</td><td colspan="2">燃料として直接利用するもの（エタノールやバイオ軽油など）</td></tr>
<tr><td rowspan="2">太陽熱</td><td colspan="3">直接太陽の熱を利用（天気まかせ）</td><td>事業所や住宅の屋根</td></tr>
<tr><td colspan="4">太陽熱温水器やソーラーヒートポンプ（低沸点の冷媒を蒸発させてヒートポンプ※3を駆動させる）など</td></tr>
</table>

	他の熱利用	空気熱	ヒートポンプを利用して冷暖房や給湯に利用
		温度差熱利用	地下水や下水などの水温や地中熱と外気温の差を利用してヒートポンプで熱供給
		雪氷熱利用	冬期の雪や氷を保管し、冷熱が必要となる時季に利用するもの
		風穴利用	地すべりで岩が積みあがった斜面（岩垂）から吹き出す冷風を囲い込んで冷蔵倉庫利用
代替エネルギー	振動発電	振動や衝撃等から電気エネルギーを取出す。圧電式、電磁誘導式、静電式などがあり、実用化されているものもある	自動車や鉄道、機械、人など多くの移動があるところ
	音力発電	振動発電の一種。音（空気の振動）を圧電式で電気エネルギーを取出す	幹線道路や飛行場等の騒音発生源の近く

※1：夜間も発電できる紫外線発電や赤外線発電の研究が進められている
※2：発電効率とは、発電するための熱や光などのエネルギーが電気エネルギーになる割合
※3：ヒートポンプとは、気体を圧縮すると温度が上がり、膨張させると温度が下がる性質を利用して、空気中の熱をポンプのように吸引して必要な場所に移動させる技術
傘木作成

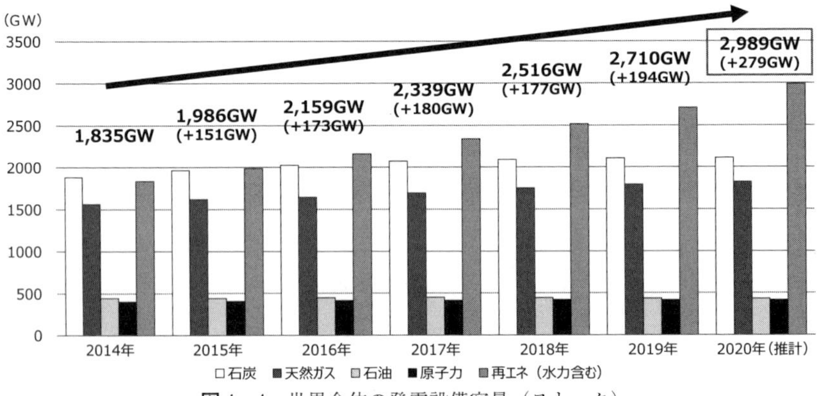

図1－1　世界全体の発電設備容量（ストック）
資源エネルギー庁資料

一方、枯渇性エネルギーでみると、温室化効果ガス発生型発電の代表格である石炭火力は、中国の比率（64.3%）が最も高く、次いで日本（31.0%）、ドイツ（25.7%）、アメリカ（20.1%）となっています。日本は、天然ガスや石油を含める温室効果ガス発生型発電に67.7%も依存しています（図1－2）。

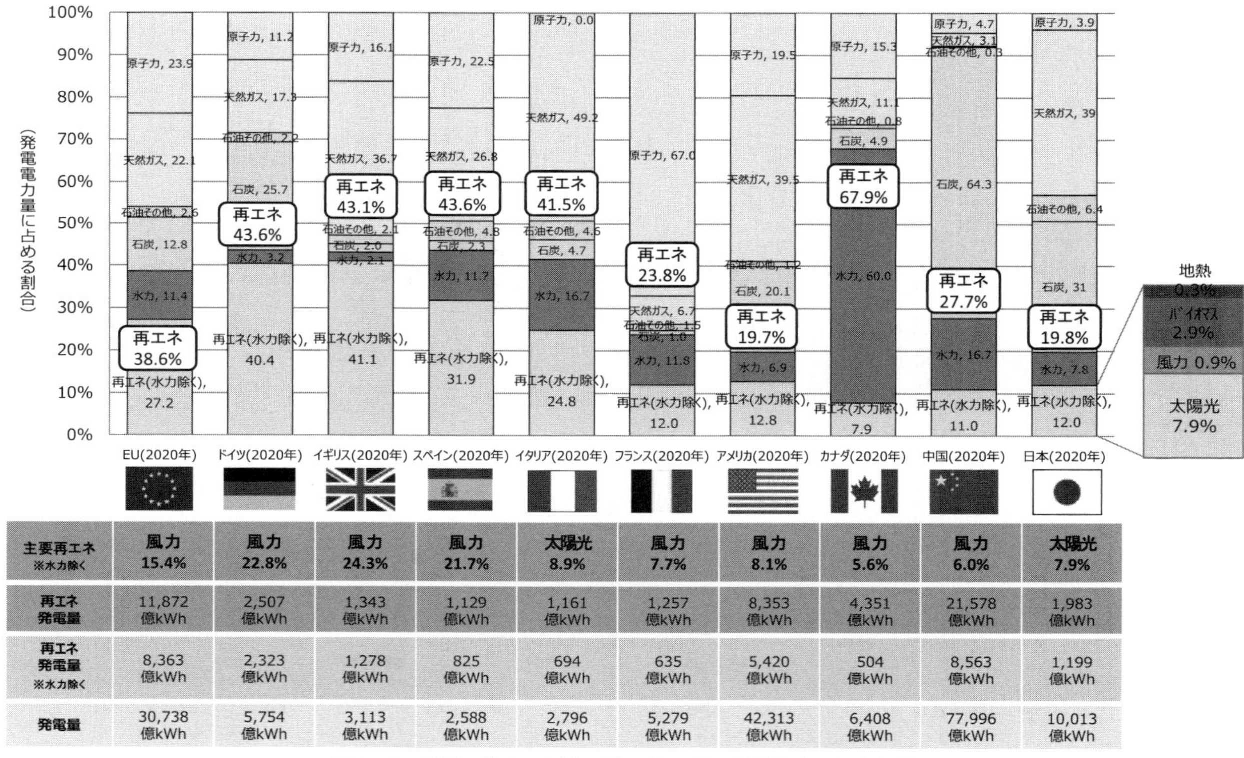

	EU(2020年)	ドイツ(2020年)	イギリス(2020年)	スペイン(2020年)	イタリア(2020年)	フランス(2020年)	アメリカ(2020年)	カナダ(2020年)	中国(2020年)	日本(2020年)
主要再エネ ※水力除く	風力 15.4%	風力 22.8%	風力 24.3%	風力 21.7%	太陽光 8.9%	風力 7.7%	風力 8.1%	風力 5.6%	風力 6.0%	太陽光 7.9%
再エネ発電量	11,872億kWh	2,507億kWh	1,343億kWh	1,129億kWh	1,161億kWh	1,257億kWh	8,353億kWh	4,351億kWh	21,578億kWh	1,983億kWh
再エネ発電量 ※水力除く	8,363億kWh	2,323億kWh	1,278億kWh	825億kWh	694億kWh	635億kWh	5,420億kWh	504億kWh	8,563億kWh	1,199億kWh
発電量	30,738億kWh	5,754億kWh	3,113億kWh	2,588億kWh	2,796億kWh	5,279億kWh	42,313億kWh	6,408億kWh	77,996億kWh	10,013億kWh

図１－２　世界の動向：再生可能エネルギー発電比率の国際比較

資源エネルギー庁資料

表1－2　再生可能エネルギー発電の導入推移

区分	2011年度	2020年度		
	電力構成比		発電電力量	設備容量
再エネ全体	10.4% 1,131億kWh	19.8%（+9.4）	1,983億kWh （+852億kWh）	
太陽光	0.4%	7.9%（+7.5）	791億kWh	61.6GW
風力	0.4%	0.9%（+0.5）	90億kWh	4.5GW
水力	7.8%	7.8%（±0.0）	784億kWh	50GW
地熱	0.2%	0.3%（+0.1）	30億kWh	0.6GW
バイオマス	1.5%	2.9%（+1.4）	288億kWh	5.0GW

資源エネルギー庁資料（2022年10月）より傘木作成

3. 日本国内の動向

(1) 太陽光発電を中心に急拡大

固定価格買取制度（FIT、2012年7月開始）により、日本国内の再生可能エネルギー発電の導入量は大幅に増加しました。2011年度における発電電力量は1,131億kWhであったものが2020年度には1,983億kWhとなり約1.75倍に増加しました。枯渇性エネルギーを含む全電力構成比でみると、同期間で10.4%から19.8%に増えています。特に、太陽光発電は電力構成比で2011年度の0.4%から2020年度の7.9%に増加しました（表1－2）。

この間の再生可能エネルギーの導入が太陽光発電に偏っていた理由は、①設置が容易で、②未経験の業種からも参入しやすいこと、③中山間地や地方都市の住宅地で低・未利用地が増加していたこと、④昼間のみ発電する太陽光は夜間に電力が余っている旧一般電気事業者（旧一電、東電・関電など10社）にとって好都合であることなどがあげられます。

(2) 2030年度の電力構成

政府は、第5次エネルギー基本計画（2018年7月、2021年10月改定）において、エネルギー供給の中長期展望を示しています（図1-3）。

これによると、3E+S（エネルギーの安定供給、経済効率性の向上、環境への適合、安全性）を満たすために、さまざまな発電方法を組み合わせた電源構成（エネルギーミックス）を実現させることをうたっています。

政府は、2021年10月改定において、2030年度における再生可能エネルギーの導入目標（見通し）を電源構成の36～38%として、2020年度の1.8～1.9倍に引き上げる「野心的な目標」であると位置付けました。

再生可能エネルギーの種別でみると、2022年3月時点での2030年度の電力構成に対する進捗率は、太陽光（約60%）・中小水力（約95%）・バイオマス（約70%）が高い割合となっているのに対して、風力（約20%）・地熱（約41%）が低い割合であるとして、この分野における「開発の余地」が相当程度にあることを示唆しています。また、太陽光発電も倍化させる見込みであり、引き続き各方面への開発圧力がかかるものと見られます。

一方で、原子力発電は再稼働で5.0～5.5倍に増やし、温室効果ガス排出量の多い化石火力発電は依然として約41%を温存する目標となっています。

政府の基本方針は、①原発再稼働を急ぎつつ、②再生可能エネルギー開発を推し進め、③その到達点により化石火力を縮減する、という構成になっています。

しかし、①については、原子力発電事業者の管理体制における問題事案が頻発する中で、国民の不信感は根強く、政府の目論見通りになるのか大いに疑問があります。②については、本書で扱う環境問題などでの地域社会からの抵抗のみならず、さまざまな課題を抱えています（表1-3）。

①と②が目論見通りに進展しなかった場合においても、「2050年カーボンニュートラル」は、政府の国際公約であるなしにかかわらず、一世紀以上昔から大量に温室効果ガスを排出し続けてきた先進工業国の一員である日本の社会として達成しなければならない使命です。

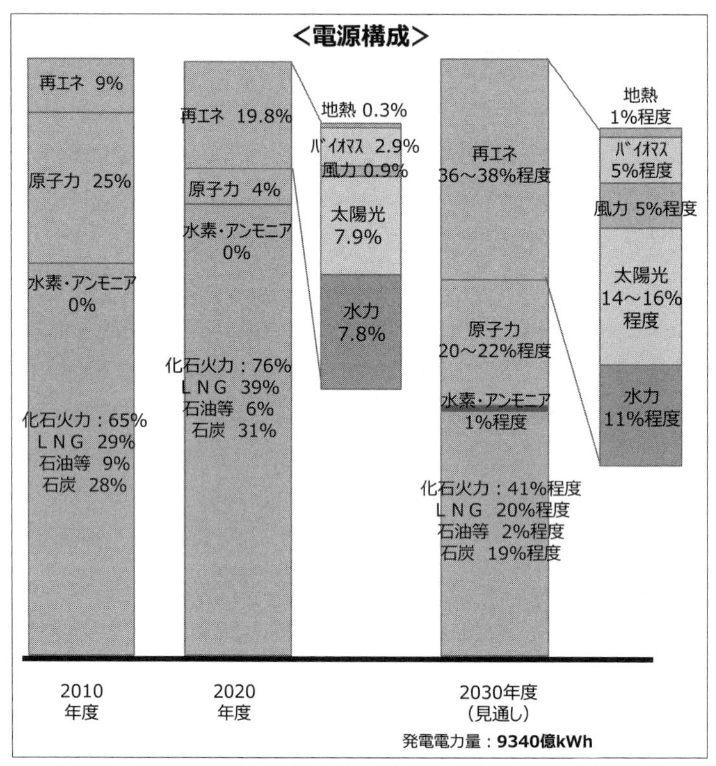

単位：kW	導入水準 2022 年 3 月	電力構成（構成比） 2030 年度	電力構成に対する進捗率
太陽光	6,610 万	10,350 万～11,760 万	約 60%
風力	480 万	2,360 万	約 20%
地熱	60 万	150 万	約 41%
中小水力	980 万	1,040 万	約 95%
バイオマス	560 万	800 万	約 70%
計	8,690 万	14,700 万～16,110 万	約 56%

図 1－3　第 5 次エネルギー基本計画における電力構成

注：2020 年 3 月導入水準時での試算と比べると、再エネ全体の導入水準（目標）は 1,201 万 kW（14%）増加したが、地熱と水力の目標が引き下げられた

資源エネルギー庁資料、及び同資料より傘木作成

表1－3　再生可能エネルギー発電の普及をめぐる課題（環境問題を除く）

<table>
<tr><td rowspan="2">国土特性</td><td>国土の狭さ</td><td colspan="2">大規模な開発が難しい（特に太陽光、風力）</td></tr>
<tr><td>島国</td><td colspan="2">他国との電力輸出入による調整ができない</td></tr>
<tr><td rowspan="4">系統連系</td><td>周波数調整力の不足</td><td>太陽光や風力は「天気まかせ・風まかせ」なので急激な出力変動があり、周波数の調整が難しい</td><td rowspan="4">火力発電や原子力発電を優先的に扱う仕組みが温存されている</td></tr>
<tr><td>余剰電力の発生</td><td>火力や原子力をベースロード電源（昼夜問わず発電する電源）としているため、太陽光や風力からの合計発電量が需要を上回ってしまうことがある</td></tr>
<tr><td>系統電圧の上昇</td><td>家庭などの太陽光発電から系統側への電気の流入（＝逆潮流）が増加して、配電系統の電圧が上昇</td></tr>
<tr><td>送電容量の不足</td><td>電力需要の少ない地域で再エネが増加すると、既存の系統設備に容量不足が生じてしまう</td></tr>
<tr><td rowspan="2">建設資材調達</td><td>建設資材の高騰</td><td colspan="2">円安等によるエネルギーコストの上昇で太陽光や風力の建設資材の価格高騰が生じている</td></tr>
<tr><td>政治的リスク</td><td colspan="2">太陽光パネル部材の多くを中国からの調達に依存している（特に新疆ウイグル自治区内での生産比率が高いため倫理上の扱いが問題になる可能性がある）</td></tr>
<tr><td rowspan="2">燃料調達</td><td>国内調達</td><td colspan="2">木質系などで国内調達の競合が生じている</td></tr>
<tr><td>国際調達</td><td colspan="2">森林伐採や焼畑農業などを伴う調達への国際的批判
エタノール原料の調達などで国際的な競合が生じている</td></tr>
<tr><td rowspan="3">市場価格</td><td rowspan="2">調整力市場の不安定さ</td><td colspan="2">新エネルギー会社の需給調整市場からの調達価格はLNG火力が調整電源となっているためLNGの調達価格に左右される</td></tr>
<tr><td colspan="2">高額なインバランス料金（新エネルギー会社が旧一電から供給不足分を買い取る追加料金）への対応</td></tr>
<tr><td>FIP化に伴うリスク</td><td colspan="2">再エネ発電の計画値と実績値の差を調整するコストを負担することとなり、天候予測能力が収益に与える影響が増大</td></tr>
<tr><td rowspan="3">気候変動</td><td>災害リスク</td><td colspan="2">暴風雨や台風の大型化、土砂崩れ等が頻発するようになると風力発電や太陽光発電の開発・維持に影響を与える可能性がある</td></tr>
<tr><td>風況の変化</td><td colspan="2">偏西風の蛇行や長期的な経路変化により風力発電の発電量が大幅に低下する可能性がある</td></tr>
<tr><td>燃料調達</td><td colspan="2">森林火災やパーム椰子などのバイオマスプランテーション農場での火災の多発化が燃料調達に影響を与える</td></tr>
</table>

傘木作成

エネルギーを大量消費する社会構造そのものにメスを入れないと解決策はないのではないでしょうか。

4. 発電費用の低下

国内外での急速な再生可能エネルギー普及の背景には、太陽光発電と風力発電での整備費用が年々低下していることがあります。FIT（固定価格買取制度）などが後押しし、普及することでさらにコストが低下するという関係も見られます。

再生可能エネルギーのコストは、総発電コスト（計画段階から廃棄処分に至る総費用）をそのシステムが生涯にわたって発電する量で割った価格で、LCOE（Levelized Cost of Electricity：均等化発電原価）と言われています。

世界では、太陽光発電・風力発電ともに2015年頃からコストが低減してきました。日本でも大きく低下しましたが、2022年上半期の発電コストで世界の平均と比較すると、太陽光発電では6.8円/kWh、陸上風力発電では9.7円/kWhの差があり、依然高い状況にあります。また、コストの低減傾向にブレーキがかかりつつある傾向も見られます（図1-4）。

現時点では、円安や諸物価の上昇、賃金の底上げ、ウクライナなどでの国際紛争などの資材調達への影響など、再生可能エネルギーに係るコストの動向は不透明な状態にあり、これはしばらく続くことも考えられます。

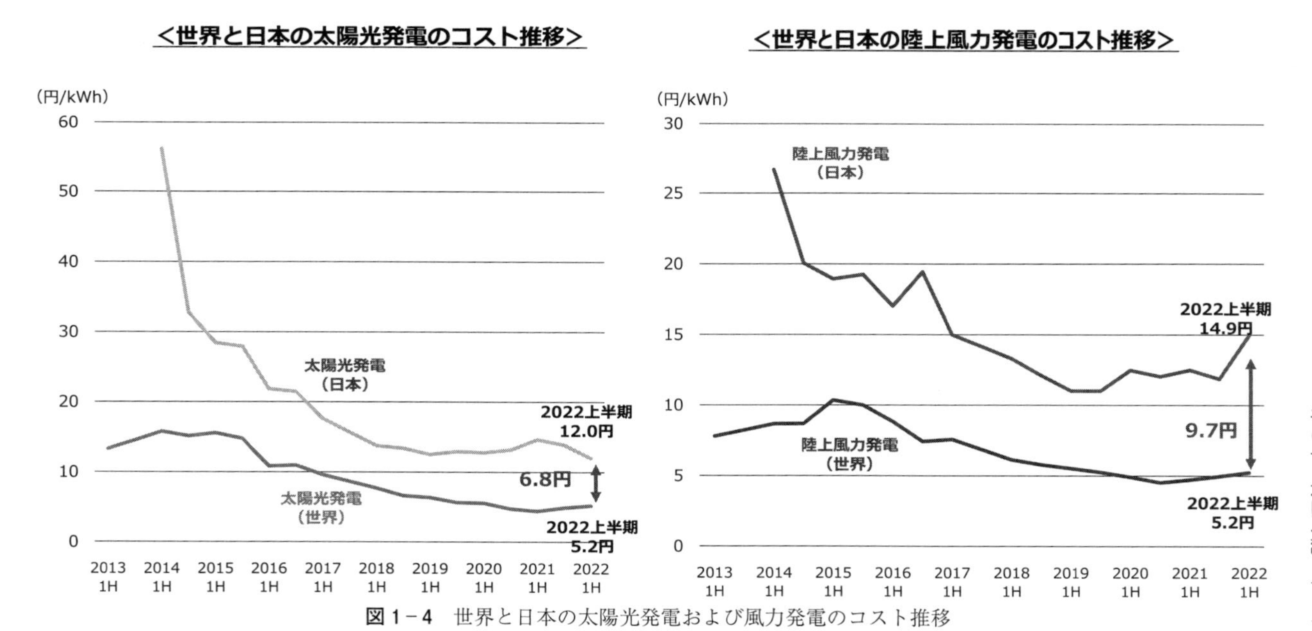

図1－4　世界と日本の太陽光発電および風力発電のコスト推移

注：太陽光発電の値は Fixed-axis PV 値を引用。為替レートは Energy Project Valuation Model（EPVAL 9.2.2）から各年の値を使用
資源エネルギー庁資料

コラム①　大町はあらゆる水力発電の展示場

NPO 地域づくり工房は、発足時（2003年10月）から半年間の「仕事おこしワークショップ」の成果により「くるくるエコプロジェクト」を立ち上げて、現在2カ所のミニ水力発電所を運営しています。

長野県大町市は、黒四ダム（富山県内）に通じる立山黒部アルペンルートの玄関口として知られています。市内にも、東京電力による揚水式発電所（余剰電量を使って上のダムに下のダムに吸い上げて位置エネルギーとして蓄積するもの）や戦前からある水路式発電所、そして私たちが運営するミニ発電所まで、あらゆるタイプの水力発電を知ることができます。これらを資源として、SDGs の観点から水力発電を学ぶ体験プログラムを提供しています。

大町はあらゆる水力発電の展示場

『水力発電 SDGs』（NPO 地域づくり工房、2022年）より

第2章　政 策 動 向

この章では、国や自治体における再生可能エネルギー開発の促進と事前配慮（適正立地など）に関する政策の動向を概観します。

FIT 制度とそれに連動させた規制緩和は再生可能エネルギー開発を急速に推し進めましたが、その弊害もあらわれたため修正も図られてきました。しかし、「2050 年カーボンニュートラル」の国際公約の実現に向けて、さらなる規制緩和と市場原理による競争を促す方向に舵が切られています。

そうした中で、自治体においては、事前配慮を促すための独自策によって地域環境を守る取り組みが広がっています。

1. FIT制度

(1) FIT以前

2012 年 7 月に施行された再生可能エネルギーの固定価格買取制度（FIT）は、日本における再生可能エネルギーの普及に大きな影響を与えました。

FIT は、Feed-in Tariff の略で、Feed in（～を与える、入れる）と Tariff（関税、料金表など）とを組み合わせた言葉で、再生可能エネルギーを導入した際の費用負担を買取価格に「入れ込んだ料金体系」と言う意味です。

FIT 制度は、米国の PURPA 法（Public Utility Regulatory Policies Act、1978 年）が起源で、カルフォルニア州での風力発電事業の普及を後押ししました。国家レベルでは、1990 年採用のドイツが最初とされ、これにより電力総需要に対する再生可能エネルギーの割合を 2000 年の 6.3% から 2007 年末には 14 % に倍増させ、生産コストも下げるなどの成果をあげました。

日本では、オイルショック（1970 年代）や地球温暖化防止などを背景に、枯渇性資源の使用を抑える制度が構築されてきました。

2000年代に入って、固定枠制（RSP：Renewable Portfolio Standard）である「電気事業者による新エネルギー等の利用に関する特別措置法」（新エネ利用特措法、2003年）が導入されました。これは、電気事業者に対し一定割合以上の再生可能エネルギーから発電される電気の利用を義務づけるもので、太陽光、風力、地熱、水力、バイオマスを対象としました。しかし、電気事業者による買取量や買取価格の交渉・設定に当たっての片務性（契約当事者の一方だけが義務を負うこと）などから十分に機能しませんでした（FIT導入に伴い2012年度に廃止）。

2009年には、現行FITに先行して、住宅等に設置された太陽光発電からの余剰電力を所定の価格で買い取るように義務付ける余剰電力買取制度として、「エネルギー供給事業者による非化石エネルギー源の利用及び化石エネルギー原料の有効な利用の促進に関する法律」（エネルギー供給構造高度化法）が施行されました。開始時点の買取価格は、10kW未満の住宅用が48円、10kW以上の非住宅用が24円で、電気事業者に買取義務が生じたのは太陽光発電のみで、風力などは対象外でした。

同制度の売電期間は10年間で、2019年度からは「売電期間の満了」を迎える設置者（初年度で約56万件）が多いため、「2019年問題」とも呼ばれていました。これを機に、自家消費の工夫に対する関心が高まったり、新電力会社による買い取りなどの動きが生まれたりしました。

このような経過の後、東日本大震災と福島第一原子力発電所事故（2011年3月11日）をきっかけに、再生可能エネルギーのさらなる普及を求める世論が高まる中で、2011年8月30日にFIT法が成立しました。

(2) ＦＩＴ法

FITの正式名称は「電気事業者による再生可能エネルギー電気の調達に関する特別措置法（略して、再エネ特措法）」といい、再生可能エネルギー源（太陽光、風力、地熱、水力、バイオマス）を用いて発電された電気を一定の期間・価格で電気事業者が買い取ることを義務付けるものです。

表1－4　賦課金単価の推移

年度	賦課金(円/kWh)		標準家庭の負担額
	単価	対前年度	300kWh/月
2012	0.22	—	年　792円、月　66円
2013	0.35	＋0.13	年　1,260円、月　105円
2014	0.75	＋0.40	年　2,700円、月　225円
2015	1.58	＋0.83	年　5,688円、月　474円
2016	2.25	＋0.67	年　8,100円、月　675円
2017	2.64	＋0.39	年　9,504円、月　792円
2018	2.90	＋0.26	年10,440円、月　870円
2019	2.95	＋0.05	年10,620円、月　885円
2020	2.98	＋0.03	年10,728円、月　894円
2021	3.36	＋0.38	年12,096円、月1,008円
2022	3.45	＋0.09	年12,420円、月1,035円
2023	1.40	－2.05	年　5,040円、月　420円
2024	3.49	＋2.09	年12,564円、月1,047円
対2012年		＋3.27	＋11,772円、　＋981円

資源エネルギー庁資料をもとに傘木作成

買い取りに要する費用は、全ての電気使用者から賦課金として、毎月の電気料金から徴収される仕組みとなっています。そのため、再生可能エネルギーの普及拡大は直接、消費者が支払う電気料金に反映されます。

毎年度の賦課金単価は以下の計算により算出されます。

$$\frac{\text{(買取費用等－回避可能費用等＋広域的運営推進機関費用等)}}{\text{販売電力料}}$$

このうち「回避可能費用」とは、電気事業者が再生可能エネルギー電力を買い取って本来予定していた発電を取りやめたことで支出を免れることができた費用のことです。

政府が毎年度決める賦課金単価の推移をみると（表1－4)、制度導入の2012

年から2022年の10年間に3.23円/kWh増加しました。これは標準家庭あたりで約1万円負担が増加したことになります。

ところが、2023年度は初めて減額しました。その理由は、ウクライナ戦争や円安などによる化石燃料の価格上昇により回避可能費用が増加し、結果として再エネ賦課金が減少しました。それでも、2023年度は、2012年度に比べて+2.76円増加しています。今後の化石燃料の調達価格はまったく不透明ですが、再生可能エネルギーを倍加させる方針の下、政策の枠組みが変わらないのであれば、賦課金が増大する傾向は続くものと考えられます。実際、2024年度の賦課金は再び増加し、過去最高となりました。

(3) 2017年施行FIT法改正

FIT制度開始から4年間で再生可能エネルギーの導入量は約2.5倍に増加し、生産コストも低減し、その成果は大きかったと言えます。

しかし、以下のような課題も顕在化してきました。

第一に、太陽光に偏った導入（認定量の9割）によるものです。設置が比較的容易で、高値買取を見込んだ投機的な事業を誘引したため、事業の熟度が低く、未稼働となっているものも少なくありません。

第二に、投機的な動機であったため、管理がずさんな太陽光発電所もあって、各地で安全上の問題を起こしています。太陽光発電を規制する法律が明確でなく、適用する技術基準などはあっても、罰則規定がなかったことが背景にあります。

第三に、こうした問題のツケも消費者・国民の負担となっています。

第四に、再生可能エネルギー普及の地域的な偏在もあり、広域融通による電力需要のひっ迫時への対応など、電力システムの見直しも必要となっています。

第五に、原子力や火力の既存発電が優先されて、「接続可能量」や「空き容量ゼロ回答」といった実質的な買取拒否の問題も起きていますが、その根拠は不明瞭で、情報公開が必要です。

第六に、EUのようなトラッキングシステム（発電源証明）がなく、消費者

表1－5　FIT 法改正（2017年施行）の5つの柱

①新認定制度の創設	・未稼働案件の排除と新たな未稼働案件発生を防止する仕組み ・適切な事業実施を確保する仕組み
②コスト効率的な導入	・大規模太陽光発電の入札制度 ・中長期的な買取価格目標の設定
③リードタイムの長い電源の導入	・太陽光以外の電源の導入拡大を後押しするため、複数年買取価格を予め提示
④減免制度の見直し	・国際競争力維持・強化、省エネ努力の確認等による減免率の見直し
⑤送配電買取への移行	・FIT 電気の買取義務者を小売事業者から送配電事業者に変更 ・電力の広域融通により導入拡大

資源エネルギー庁資料を参考に傘木作成

が再生可能エネルギーを選択できない状況があるため、「優先供給」ができない状況があります。

第七に、現行 FIT は発電に限定しており、熱利用など多様な再生可能エネルギーの普及という点では不十分なものでした。

こうした背景の下、2016年5月に法改正が行われ、翌2017年4月より施行されました（表1－5）。しかし、積み残しの課題も多く、とりわけ「優先接続」条項が削除されたことは再生可能エネルギーを最大限導入できる制度としての運用に不安を残しました。

2. FIP 制度との併存へ

(1) 2022年施行 FIT 法改正

FIT 制度から10年の節目で大きな政策転換がはかられました。

FIT 制度は再生可能エネルギーの普及に大きく貢献しましたが、固定価格で買い取りする制度では、電力市場のニーズや競争からは離れたところにあり、消費者・国民の負担を増大させます。将来的に再生可能エネルギーを主力電源としていくためには、再生可能エネルギー事業者に電力市場を意識し

表1－6　FIT法改正（2022年施行）の4つの柱

①FIP制度の導入	卸電力取引市場や相対取引で再エネを市場に供給した際に、一定の補助（プレミアム）が交付される。売電金額に補助額をプラスした金額が収入となる。買取義務者はなく、発電事業者は売電先を探す必要がある
②廃棄費用積立制度の導入	10kW以上のFIT認定の太陽光発電所では、設備の廃棄等の費用について、発電事業者から原則毎月の買取費用から積立金相当額が源泉徴収されて、外部積立される
③認定失効制度の導入	2012～16年度に認定をうけ、かつ2016年7月31日までに接続契約を締結した案件で、未稼働措置用の着工申込書を2023年3月末までに提出していないものは失効となる。申込書が受領された場合は3年以内に運転開始に至らないと失効する
④経済的出力制御の開始	オンライン代理制御とも呼ばれ、出力制御のオンライン化を行っている太陽光発電事業者が、行っていない事業者の代わりに出力制御に対応することで対価が支払われる。逆に、オフライン事業者の売電収入からは買取代金に相当する金額が控除されることでオフライン事業者が出力制御を実施したとみなされる（10～500kW未満の設備を含む）

資源エネルギー庁資料を参考に傘木作成

た電気供給を促す必要があります。

また、今後増大する太陽光発電施設からの廃棄物への対策、認定を受けながら未着工のままの計画の整理、出力制御における公正さを確保する観点からの改正がはかられました（表1－6）。

（2）FIP制度の概要

2022年施行のFIT法改正で特に注目すべき点はFIP制度の導入です。

FIP（フィップ）はFeed in Premium（フィード・イン・プレミアム）の略です。直訳すると「プレミアム（良い付加価値）を（料金体系に）入れる」といった意味になります。

発電事業者は、卸電力取引市場に参加するか、小売電気事業者と相対取引（市場を介さない1対1取り引き等）で販売することとなり、売電した電力量に対してプレミアム単価をかけた金額がプレミアム（補助金）として交付され

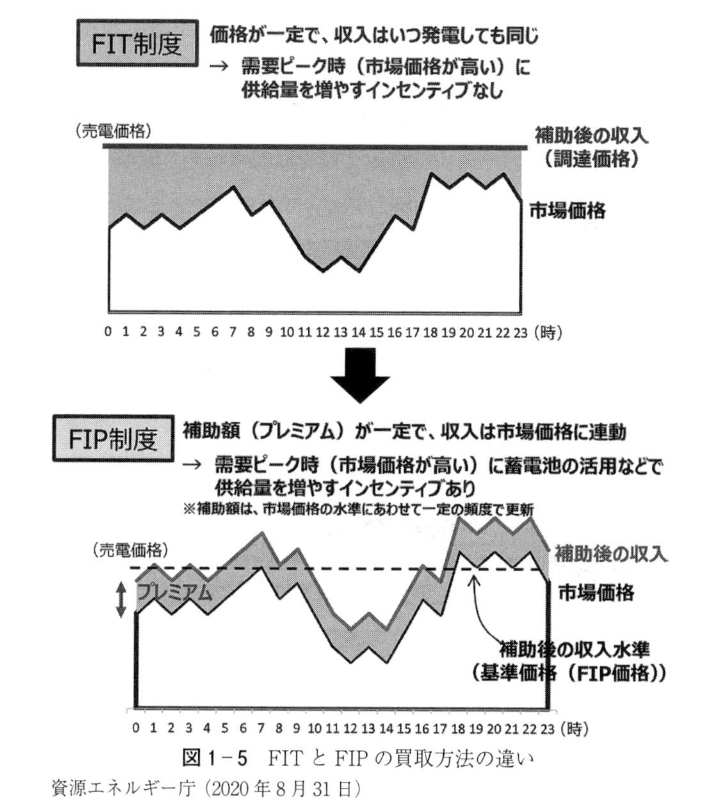

図1－5　FITとFIPの買取方法の違い

資源エネルギー庁（2020年8月31日）

ます。FITのような買取義務者はないため、発電事業者は売電先を探す必要があります。すでに欧州などで導入されている仕組みで、消費者・国民の負担で全量を買い取る仕組みからの軌道修正と言えます（図1－5）。

再生可能エネルギーの発電事業者は発電収入の「計画値」をつくり、実際の「実績値」と一致させる「バランシング」が求められるようになります。計画値と実績値の差（インバランス）が出た場合には、その差を埋めるための費用をはらわなければなりません。これは、FIT制度では、再生可能エネルギー発電事業者には免除されていましたが、他の発電事業者と同じようにバランシングをしなければならないため、インバランスにかかる費用に配慮し、その分をプレミアムの一部（バランシングコスト）として手当てすることにしています。経過措置として、太陽光発電と風力発電のバランシングコストについては、2022年度の開始当初はkWhあたり1.0円を交付し、翌年度からは少しずつ金額を減らしていくこととなっています。

太陽光や中小水力などでは、一定規模以上の新規認定はFIP制度のみが認められます。また、新規認定でFIT対象事業であっても、50kW以上は事業者が希望すればFIP制度による新規認定を選択できます。すでにFIT認定を受けている50kW以上の事業もFIP制度に移行が可能です。

つまり、今後はFITとFIPの2つの制度が併存していきます。

こうした大きな変更を受けて、法律の正式名も「強靱かつ持続可能な電気供給体制の確立を図るための電気事業法等の一部を改正する法律（エネルギー供給強靱化法）」と改称されました。

(3) FIP制度の課題

FIPは、再生可能エネルギー発電事業者にとって、市場に応じてプレミアム価格が変動するので、工夫次第では収益を拡大できるメリットがあります。一方で、買取金額が固定ではなくなるため建設時の収益予測が立てづらくなり、複雑な国際情勢の下で市場価格が読めないなどといったリスクもあります。これまで以上に経営努力が求められます。

今、FITから10年余を経る中で、買取価格が高い時期に建設した太陽光発電所などを転売する行為が広がっています。FIPがこうした動きを加速させる可能性もあり、その中で建設当初に地域社会に対して約束された環境や災害リスクなどへの配慮が引き継がれていかないことも危惧されます。

3. 規制緩和

(1) 第1段階（FIT導入時）

FIT導入と並行して、行政刷新会議（事務局：内閣府）による「規制・制度改革に関する分科会報告書（エネルギー）」（2012年3月）の検討を踏まえて、

表1−7 国による主な規制の見直し・緩和の概要（FIT導入時）

区分	実施名	概要
太陽光発電	電気事業法上の保安規制の合理化	工事計画届出や使用前安全管理審査の対象となる範囲を出力500kW以上から出力2,000kW以上に緩和
	工場立地法上の取り扱いの見直し	太陽光発電施設を届出対象施設から除外し、工場立地法上の環境施設に位置付ける
風力発電	環境影響評価の手続き迅速化	低周波音の環境基準が無くとも、遅滞なく適切に審査することが可能である旨周知するとともに、手続きの迅速化を図るべく環境基礎情報の整備を行う
	洋上風力に関する制度環境の整備	浮体式風力発電設備について建築基準法の適用除外とし、船舶安全法に基づく安全性の審査に一本化
地熱発電	ボイラー・タービン主任技術者の不選任要件の緩和	電気事業法施行規則等を改正・施行し、一定の条件を満たす小型のバイナリー発電設備に係るボイラー・タービン主任技術者の選任等を不要にした
小水力発電	河川法の許可手続の簡素化	最大出力1,000kW未満の水利使用について許可手続を簡素化し、申請から許可までの期間を短縮
	ダム水路主任技術者選任不要化範囲の明確化	ヘッドタンクや農業用水路等内に設けられた堰が電気事業法におけるダムに当たらないことを周知
再生可能エネルギー全般	保安林における許可要件・基準の見直し	保安林の指定解除に関して用地事情の確認範囲や代替施設の設置の必要性を明確化。保安林の作業許可に関して工事用道路の拡幅等への柔軟な対応など

資源エネルギー庁資料より傘木作成

「エネルギー分野における規制・制度改革に係る方針」（同4月）が閣議決定され、各府省庁において再生可能エネルギーの導入拡大に向けた各種規制の見直し・緩和が行われました（表1−7）。

この他にも、都道府県・政令市などでも、都市計画では第一種低層住居専用地域での工作物設置の制限について太陽光を除外する例、環境影響評価条例では工作物設置や土地造成で対象面積を超えるものであっても太陽光を除外する例などがありました。

しかし、様々なトラブルが発生する中で、こうした規制緩和を見直す自治体が次々に出てきました。

(2) 認定制度の導入（2017年施行FIT法改正）

再生可能エネルギー設備の整備には、計画・用地選定から設計・施工に至る各段階において、種々の手続きがあります。手続きを踏ませることで事業者に対して事前配慮を促すのが制度のねらいです。

太陽光発電を例にすると、主な法律には「建築基準法」と「電気事業法」があります。建築物の屋根材や外壁材として太陽光パネルを用いる場合は、建築基準法が定める「構造耐力」「防火性」「耐久性」「安全性」に関する要求基準を十分に検討・確認して光パネルの選定を行うことが必要です。また、電気事業法では、出力規模や電圧の種別によって手続きが異なります。

しかし、再生可能エネルギー分野に新規参入した事業者の中には、専門的知識が不足したまま、事前配慮が十分ではなく、防災・環境上の懸念等をめぐり地域住民との関係が悪化するなど、種々の問題が顕在化しました。改正FIT法（2017年施行）は、適切な事業実施の確保等を図るため、事業計画を認定する新たな認定制度が創設されました。

同改正では、事業計画が、①再生可能エネルギー電気の利用の促進に資するものであり、②円滑かつ確実に事業が実施されると見込まれ、③安定的かつ効率的な発電が可能であると見込まれる場合に、経済産業大臣が認定を行います。さらに、④この事業計画に基づく事業実施中の保守点検及び維持管理並びに事業終了後の設備撤去及び処分等の適切な実施の遵守を求め、違反時には改善命令や認定取消を行うことが可能とされています。

(3) 再生可能エネルギー等に関する規制等の総点検タスクフォース

2020年11月22日、主要20カ国・地域首脳会議（G20サミット）において、菅義偉首相（当時）は、2050年までに温室効果ガスの排出量を実質ゼロとする目標を示し、実現に向けた決意を表明しました。

この「2050年カーボンニュートラル」の国際公約を実現するためには、再生可能エネルギーの主力電源化及び最大限の導入が必要であるとの位置づけから、その障壁となる規制等を総点検し、必要な規制見直しとその迅速化を促すことを目的に、河野太郎内閣府特命担当大臣（当時）を座長に、「再生可能エネルギー等に関する規制等の総点検タスクフォース」を設置しました。2020年12月1日を第1回として、2024年3月22日の第30回まで回を重ねています。

規制改革・行政改革担当大臣直轄チームの「2050年カーボンニュートラルの実現に向けた、再生可能エネルギー等に関する規制等の総点検の取組」（2021年7月15日）では、6課題11分野における点検項目48について措置ないし計画の策定などを進めています（表1−8）。

特に「立地制約の解消」の課題は、5分野（農地、森林、所有者不明土地、自然公園・温泉法、環境アセス）で18項目に及び、重点が置かれています。その中でも、環境影響評価法については、風力発電所の対象事業を「1万kW以上」から「5万kW」以上に引き上げました（2021年10月31日施行）。

また、「洋上風力独自の規制見直し」「バイオマスボイラーに係る安全規制等の見直し」など、目下地域で起きているトラブルに関連する規制緩和が一気に進められました。

(4) GX関連法

政府は「GX実現に向けた基本方針」を閣議決定し（2023年2月）、エネルギーの安定供給と脱炭素分野で新たな需要・市場を創出により、日本経済の産業競争力強化・経済成長につなげていく方針を打ち出しました。GXは、Green Transformation（グリーン・トランスフォーメーショ）の略です。

情報通信分野ではDX（デジタル・トランスフォーメーション）が、デジタル技術を活用してビジネスを変革する活動を意味する用語として多用されています。GXはDXにもじった造語のようです。Xが交差するイメージの文字

表1－8　再生可能エネルギーに関する規制等の総点検の取組状況（点検項目）

課題区分	分野	項目
立地制約の解消	農地	農振除外や農地転用等の手続き迅速化
		荒廃農地上の営農型発電の要件緩和
		再生利用困難な荒廃農地の“非農地”判断の迅速化
		営農型発電設備における一時転用期間更新の考え方の明確化
		再生利用可能な荒廃農地の活用に向けた要件緩和
	森林	林野行政における再エネの位置付けの明確化
		国有林野の貸付け等に係る手続きの迅速化、透明化
		保安林の解除事務の見える化を通じた迅速化、簡素化
		保安林解除・許可基準の解釈リテラシー向上等
	所有者不明土地特措法における対象の拡大	
	自然公園法・温泉法	自然公園を中心とした地熱発電の導入目標の策定
		自然公園における許可基準や審査要件の明確化
		自然公園内の地熱発電の取扱いに関する「基本的な考え方」の転換
		地熱資源等の適切な管理に関する新制度の検討
		温泉法による都道府県における離隔距離規制や本数制限等の撤廃
	環境アセス	風力発電の環境影響評価手続の対象事業規模要件の見直し等
		ゴルフ場等の開発済み土地における太陽光発電等の推進に向けた環境影響評価手続の明確化
系統制約の解消	ローカル系統や配電系統におけるノンファーム型接続（送電線混雑時の出力制御を条件に新規接続を許容する手法）の適用と費用負担	
	蓄電池の導入促進策	
	北海道エリアにおける蓄電池の設置	
	送電線利用・出力制御ルールの見直し	
	需給制約による出力抑制時の優先給電ルールの見直し	

	再エネの電力市場への統合を見据えた出力抑制の在り方の見直し	
	系統情報の公開・開示の推進	
市場制約の解消	再エネ利用に係る需要家の選択肢の拡大	電源トラッキングの導入
		需要家による再生可能エネルギー価値の直接取引の解禁、電源証明型証書への転換
		「再エネ価値取引市場」の創設等
		現行のFIT証書の最低価格の引き下げ
		発電事業者と需要家のオフサイト再生可能エネルギー供給契約（コーポレートPPA）締結の解禁
		電源表示義務化や放射性廃棄物等に関する明確な表示
	公正で競争的な電力市場に向けた制度改革	会計分離や発販分離も含めた、内外無差別的な電力卸売の実効性を高めるための総合的な検討
		旧一電の卸電力市場における規制の在り方の検討
その他	保安・安全規制等の見直し	ソーラーカーポートの促進に向けた、アルミニウム合金造の建築物に係る手続きの緩和
		ソーラーカーポートにおける杭基礎一体工法の解釈の明確化
		太陽電池発電設備の技術基準の明確化
		太陽電池発電所等における兼任要件等の見直し
		風力発電の風況観測塔の設置に係る建築基準法の緩和
		バイオマスボイラーに係る安全規制等の見直し
洋上風力独自の規制見直し	カボタージュ規制（主権・安全保障の観点から、自国内の貨物又は旅客の輸送は、自国の管轄権の及ぶ自国籍船に委ねるという国際的な慣行として確立した制度）に関する国土交通大臣の特許の審査基準の明確化	
	洋上風力発電の事業終了後の原状回復義務や残置規制の明確化	

内閣府「規制改革・行政改革担当大臣直轄チーム」資料（2021年7月）より傘木作成

であることから、Transの略として使われています。

FIPの導入により、再生可能エネルギー事業者は、市場の動きに合わせた機敏な対応で収益を上げる努力が必要となります。また、電気を使用する企業（需要家）が直接発電事業者と長期に電力契約を結ぶ仕組みとして、実際の電力ではなく再生可能エネルギー電力に含まれる「環境価値」を取り引きする「バーチャル PPA」が 2022 年から導入されました。これは、欧州などですでに普及しているもので、仮想電力購入契約（Virtual Power Purchase Agreement）の略です。再生可能エネルギー設備を導入しなくても、再生可能エネルギーに切り替えることができるため、新たな電力形態として注目されています。

これにより、以下の種類の電源が、需要家と発電事業者が直接、バーチャル PPA を介して、取り引きができるようになりました。

①2022 年度以降に営業運転開始する新設非 FIT 電源

②卒 FIT 電源

③新設 FIP 電源

④2022 年度以降に営業運転開始した FIT 電源が FIP 電源に移行したもの

閣議決定された基本計画に基づき、2023 年 5 月には、GX 経済移行債を活用した先行投資支援等の措置を盛り込んだ「脱炭素成長型経済構造への円滑な移行の推進に関する法律（GX 推進法）」、事業規律の強化や系統整備のための環境整備等の措置を盛り込んだ「脱炭素社会の実現に向けた電気供給体制の確立を図るための電気事業法等の一部を改正する法律（GX 脱炭素電源法）」が成立しました。

このような動きに対応していくためには、発電事業者も需要家もデジタル技術の活用が避けられません。再生可能エネルギー分野のビジネスは GX と DX が対になって展開していくこととなりそうです。

4. 事　前　配　慮

(1) FIT 法の改正（2024 年 4 月施行）

GX 脱炭素電源法は「地域と共生した再エネの最大限の導入拡大支援」を掲げていることから、これに合わせて FIT 法の改正が行われました。

これは、FIT 導入時から 12 年を経て、初期に整備された設備の更新が必要になっている発電所が多くなっていることや、地域社会とのトラブルが頻発していることを踏まえたものです。大きな改正点は以下の３点です。

①説明会等の認定要件化

FITまたはFIPを認定する要件として、認定申請の３カ月前までに、地域の住民に対し説明会の実施を義務化しました。施行規則第４条では説明会の開催要件などを詳しく規定しています。

イ）高圧、特別高圧は説明会の開催を求める

ロ）低圧は説明会以外の事前周知を求める

　ただし、土砂災害警戒区域や土石流危険渓流、条例で自然環境や景観の保護エリアとして定められているエリアに設置する場合は、説明会を実施すること。

ハ）屋根設置、住宅用太陽光（10kW未満）は事前周知の対象外

　ただし、屋根設置の場合も、事業の影響と予防措置等について説明会等の実施に努めること。

ニ）再エネ海域利用法の適用事業（同法に基づく説明会で対応）

施行規則では、説明会に出席する住民の範囲も示し、その他に土地・建物所有者や隣接市町村の住民などについても考え方を示しています。

・低圧電源の場合：100m

・高圧電源又は特別高圧電源の場合（環境アセス対象事業以外）：300m

・環境影響評価法の対象事業（第一種事業に限る）の場合：1km

説明会では、事業計画の内容、工事の概要、法令順守の状況などを説明することとし、質疑応答の時間を確保するとともに、質問・意見への誠実な回答を求め、議事録をまとめることを求めています。

こうした地元説明会に対する細かなルール化は、各地での住民運動や自治体による条例化の動きを反映したものといえます。

②追加投資部分への新買取価格の適用

既存設備を有効利用するために、太陽光パネルが部分的に破損している場合、新規のパネルを最新価格で適用させることが可能になりました。設備内に余っている遊休地を活用することもできるようになります。

③違反事業者への交付金の一時停止

提出した事業計画に従わないまま運営を続けていると、経済産業省から指導の対象となり、場合によっては事業認定を取り消されることとなりました。これまで、認定が取り消されるまでの間、事業者は売電収入や供給促進交付金を受け取れることが問題になっていましたが、これも改善が図られました。

④委託先事業者に対する監督義務

発電所の整備にあたり、認定事業者が専門企業に各工程（設計・施工・保守点検等）の作業を委託する場合、その監督義務を強化しました。

(2) 環境影響評価制度

環境影響評価（Environmental Impact Assessment）は、開発行為に先立って、事業が環境に与える影響を回避または低減させるための対策について調査・予測・評価し、その内容を地域住民などの利害関係者に公表して、意見を求めて、より適切な環境保全対策を引き出すための取り組みです。一般に環境アセスメントといわれ、本書では環境アセスと略すことにします。

制度に基づく環境アセスとして、国は環境影響評価法（1997年施行）を定め、68自治体（47都道府県21市）で環境影響評価に関する条例や要綱を定めています（環境省ホームページより）。一般に、自治体の条例や要綱は、法より規模の小さな事業や、対象としていない種類の事業を扱っています。

環境アセス法の手続きは、配慮書→方法書→準備書→評価書→報告書の各図書の作成と公開、これに対する意見募集などを重ねていき、許認可などに反映される仕組みです（図1－6）。自治体によっては配慮書や報告書の手続きの規定がないところもあります。

環境影響評価法では、再生可能エネルギーに関して、2011年に風力発電所（1万kW以上、2021年より5万kW以上）を、2020年に太陽光発電所（4万kW以上）を、第1種事業の対象に加えました（表1－9）。第1種事業は環境アセス手続きの実施が義務付けられ、第2種事業は実施が望ましいものとして事業者に個別の判断が求められるもので、おおむね第1種事業の75%規模となっています。自治体の条例等では、アセス法よりも小さな規模を対象として

図1－6　環境アセスの手続きのながれ

表1－9　環境影響評価制度における対象事業（発電関係）の比較

（単位：kW 以上）

制度＼種別	環境影響評価法		北海道条例		京都府条例		佐賀県条例
	第１種	第２種	第１種	第２種	第１種	第２種	
原子力	すべて		（法対象）		（法対象）		（法対象）
火　力	150,000	112,500	150,000	75,000	112,500	84,000	50,000
水　力	30,000	22,500	30,000	15,000	22,500	16,500	10,000
地　熱	10,000	7,500	10,000	5,000	—	—	3,500
風　力	50,000	37,500	10,000	5,000	1,500	—	3,500
太陽光	40,000	30,000	40,000	20,000	—	—	—

環境省・北海道・京都府・佐賀県の環境影響評価のサイトより傘木作成

います。自治体によっては第１種と第２種の区分がないところもあります。

しかし、国や自治体の環境アセス制度が対象とする事業は大規模なものに限られています。太陽光発電所に関しては、すでに大規模なものはやりつくした後で、遅きに失した感があります。風力発電所に関しては、国は一気に５倍化し、それまで環境アセス法の対象であった10,000kWから37,500kWの規模において事業化する動きが広がることが懸念されます。そうした中、国による急激な規制緩和に対して、自治体の方は対応できていないのか、抵抗しているのか、大きく緩和する動きは今のところ見られません。自治体による地域性を踏まえた対応に期待したいものです（巻末資料１参照）。

(3) ガイドライン等

国や業界団体では、環境アセス制度の対象とならない事業において環境配慮を促すために、ガイドライン（手引書）を公開しています（表1－10）。

これらガイドラインには遵守義務はありませんが、事業者は「ガイドラインにそって事業を行っている」ことが説明できれば、地域社会からの信頼を受けやすくなります。また、自治体や住民の側から事業をチェックする上で参考とすることができます。

国が示すガイドラインと自治体による条例や要綱・ガイドライン等との関

表1－10　再生可能エネルギー開発での環境配慮に関するガイドライン等の例

区分	発行元	タイトル	発行年
①太陽光発電	環境省	太陽光発電の環境配慮ガイドライン	2020年
②風力発電	(一社)日本風力発電協会	小規模風力発電事業のための環境アセスメントガイドブック	2020年
③地熱発電	環境省	温泉資源の保護に関するガイドライン（地熱発電関係）	2017年
	国立研究開発法人新エネルギー・産業技術総合開発機構（NEDO）	地熱発電導入事業者向け環境・景観配慮マニュアル	2018年策定 2021年改定
④バイオマス発電	資源エネルギー庁	事業計画策定ガイドライン（バイオマス発電）	2017年策定 2023年改訂
		発電利用に供する木質バイオマスの証明のためのガイドライン	2024年
⑤再エネ一般	資源エネルギー庁	再生可能エネルギー事業支援ガイドブック（令和5年度版）	2023年
		説明会及び事前周知措置実施ガイドライン	2024年

傘木作成

係について、環境省は以下のように整理しています（表1－10の①より）。

「本ガイドラインは、環境影響評価法及び環境影響評価条例の対象とならない太陽光発電施設の設置における環境配慮についてのガイドラインです。市町村や都道府県によっては、太陽光発電施設に特化していないものも含め、太陽光発電施設の設置等に際し遵守すべき事項を定めた条例、要綱、ガイドライン等（以下「太陽光発電条例等」という。）を制定・策定しているところがあります。立地を予定している地方公共団体に太陽光発電条例等があり、計画している事業がそれらの対象となる場合は、太陽光発電条例等を遵守してください。また、具体的な環境配慮の取組等の検討において、必要に応じて本ガイドラインを参照してください。太陽光発電条例等がない場合や対象に該当しない場合は、本ガイドラインに基づき、環境配慮の取組を実施してください。」

こうしたガイドラインは事業者と地域社会が共有し、意思疎通を図る上で重要な情報です。しかし、環境アセス制度の対象規模が大きいので、いわゆる「アセス逃れ」で、対象事業をギリギリ下回る規模で行われようとするものもガイドラインの遵守で進められていいのか、疑問に思う声が少なくないのは当然のことです。対象規模が1万kWから5万kWに一気に拡大された風力発電事業においてはなおさらのことです。

(4) 自治体による事前配慮促進の動き

自治体においては、1997年の「新エネルギー利用等の促進に関する特別措置法（新エネ法）」の制定を契機に、2000年以降に新エネルギー等の利用促進に関する条例の制定や計画の策定が進みました。その後、「エネルギー供給構造高度化法」（2009年）、再生可能エネルギー特措法（FIT法、2011年）などの動きを受けて、再生可能エネルギーの利用促進に関する条例等（利用促進条例）の制定がさらに広がりました。

しかし、FITにより爆発的に太陽光発電所等の建設が各地で進むようになり、それに伴うトラブルが多発していることを受けて、2014年頃より規制ないし適切な開発を促す条例等（規制条例）の制定が急速に広がり、2019年には規制条例の方が多くなり、現在も増え続けています。

（一財）地方自治研究機構の調べによると、2023年12月時点で、利用促進条例は42件であるのに対して、規制条例は277件となっています。

また、事業用の太陽光発電設備に自治体が独自に課税する動きも出てきています。

岡山県美作市は「美作市事業用発電パネル税条例」を制定しました（2021年12月公布）。しかし、総務省より特定納税義務者（対象となる事業者の中でも納税額の多い事業者）との協議を再度行うよう要請があり、棚上げ状態にあります。美作市は大規模な太陽光発電所が地域環境に与える負荷を主張していますが、特定納税義務者側は岡山県の指導に基づき県が求める水準を超える治水対策を実施していることなどを主張しています。総務省は、再生可能エネルギー推進施策との整合性や太陽光発電事業者に特別の負担を求めることに対する根拠などについて説明が必要とする立場をとっています。

宮城県では、2023年7月、「再生可能エネルギー地域共生促進税条例」を制定しました。これは、山林などで再生可能エネルギー施設（太陽光発電・風力発電・バイオマス発電の3種類）を0.5ヘクタール以上の開発を行う際に、事業者に対し「営業利益の概ね20%程度」を課税するものです。宮城県は、「税収ゼロとなるのが望ましい」と説明しているように、その目的は立地抑制にあります。

美作市や宮城県での新税制定の動きは、この間の再生可能エネルギー開発

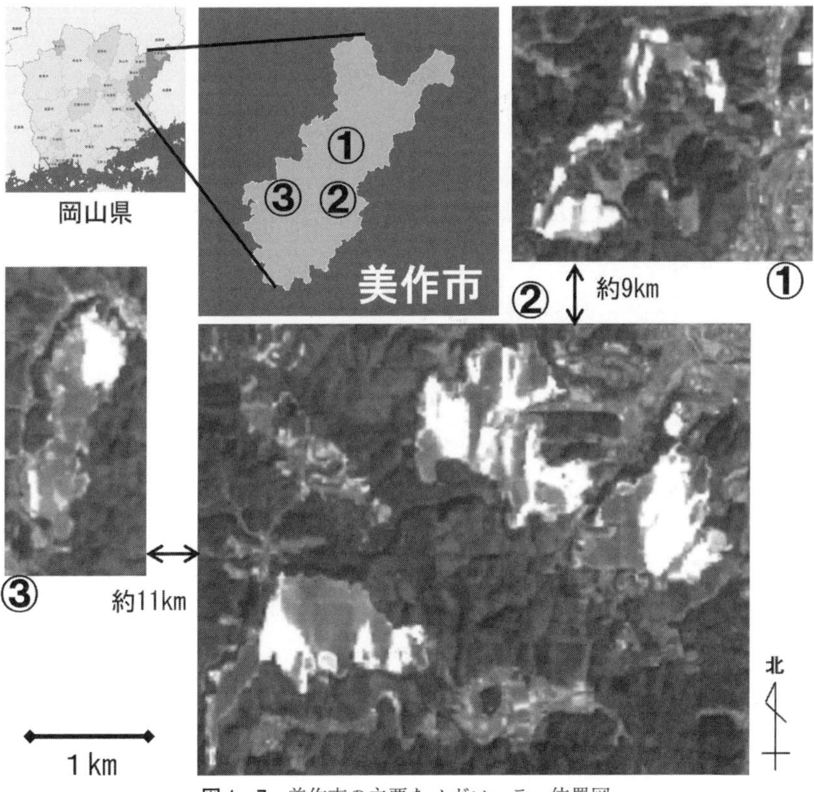

図1－7　美作市の主要なメガソーラー位置図

地理院地図（電子国土Web）より傘木作成

が抱える問題を反映しているものと言えます。

(5) 長野県内の取り組み

長野県の場合、風力発電の観点からは恒常的に強い風が得やすい山稜が多く、太陽光発電の観点からは寒冷で日照時間が長くて遊休農地なども多く、それぞれに開発に適した立地条件が見出せることから、早くから開発の動きがありました。

そのため、県では国に先行して環境アセス条例の対象に、風力発電（2007年10月施行）と太陽光発電（2016年1月施行）を追加してきました。

風力発電の対象規模は、施行当初は10,000kW以上でしたが、2016年施行の改正により5,000kW以上へと強化されました（第2種事業の設定はない）。なお、長野県内には大型の風力発電所はありません。2009年12月、村井仁知事（当時）が自然環境の保全を優先する立場から「長野県内に風力発電の適地はない」と議会で表明しています。

太陽光発電の対象規模は、第1種事業は敷地面積50ha以上、第2種事業は森林区域等における敷地面積20ha以上としました。国の環境アセス法は発電出力で対象を定めていますが、開発面積による景観や自然環境への影響を考慮しており、地域性を反映しています。

他に、景観法に基づく長野県景観規則を改正し（2016年8月）、景観区域において事前届出の必要な太陽光発電の規模を一般地域（築造面積1,000m^{2}以上）、景観育成重点地域（20m^{2}以上）としました。

林地開発許可については、県林地開発事務取扱要領等を2015年9月以降順次改正し、関係機関や地元を含む調整会議を開催する規模要件を50haから10haに強化するとともに、地元説明会の適切な開催や地元を含む協定書締結について明記しました。

防災面では、森林法または都市計画法に基づく「流域開発に伴う防災調節池等技術基準」を改定し、10ha以上の全ての開発行為に対して、対象降雨確率を「30年に一度の降雨」から「50年に一度の降雨」に引き上げました（2015年9月適用）。併せて県内の降雨強度式を近年の降雨状況を反映させ改正を行いました（2016年4月）。

市町村向けには、住民の不安等に対応できるよう「太陽光発電を適正に推進するための市町村対応マニュアル～地域と調和した再生可能エネルギー事業の促進～」を公表しました（2016年6月）。

太陽光発電等の再生可能エネルギーを直接の対象とした条例は35（10市10町15村）で制定されていて、うち太陽光発電のみが22市町村、再エネ全般が13市町村となっています。35すべての条例で住民説明会の開催を求めています。条例名を見ると、近隣の町村で足並みをそろえているようです（巻末資料1）。

一方、これら35市町村での温暖化防止計画における「区域施策編」の整備状況を見ると、市部では全てにありますが、町村部では2村のみでした。町村部では、再生可能エネルギーの導入よりも、抑制の方に軸足が置かれている状況がうかがえます。

対象となる太陽光発電は多くの市町村で10kW以上ですが、長野市（20kW）、上田市（50kW）、辰野町（30kW）のように県条例より大きい市町もあります。また、小諸市のように出力数ではなく面積で対象を規定している市町村もあれば、青木村は「面積・出力を問わない」としています。今後、県条例との整合性がはかられるものと思われます。

富士見町「太陽光発電設備の設置及び維持管理に関する条例」は2019年10月に制定されましたが、より強化して、地上設置型は「町内全体で抑制することを基本」として改正し、2022年3月18日より施行されています。その内容は、近隣住民との合意形成を厳格に求めるものとなっています（表1－11）。

長野市では、ガイドライン（2015年9月策定）により対応してきましたが、新たに「長野市太陽光発電設備の設置と地域環境との調和に関する条例」を制定しました（2021年4月施行）。条例化によりガイドラインより運用の厳格化が図られています（表1－12）。この条例案に対するパブリックコメント（13件）の中には住民同意の義務化を求める意見も数件ありましたが、市からは「裁判所の判例などから難しい」との考えが示されました。

表1－11　富士町条例の特徴

- 10kW 以上の地上設置型の事業用太陽光発電設備全てに許可申請が必要
- 事業区域から 50m 範囲内の土地所有者、建物所有者及び居住者からの３分の２の同意が必要
- 事業区域から 100m 範囲内及び特に町長が必要と認めた区及び集落組合の同意が必要
- 事業区域から 200m 範囲内の土地所有者、建物所有者及び居住者に対する説明義務
- 地元区より協定書の締結を求められた場合は応じなければならない
- 敷地面積が 2,000m² を超える場合は環境保全審議会を開催

傘木作成

表1－12　長野市の太陽光発電対策におけるガイドラインから条例化に伴う変更点

区分	ガイドライン	条例
1 届出対象の拡大	出力 50kW 以上	出力 20kW 以上
2 事前協議	規定なし	砂防指定地等での事業及び事業区域面積が 3,000m² 超
3 説明会の参加対象	事業区域の隣接住民	事業区域境界から 50m 以内の住民等
4 説明会の説明事項	事業内容の周知	説明事項を具体的に規定
5 近隣住民との協議	規定なし	隣接住民等の意見への協議を規定
6 勧告等	規定なし	勧告及び勧告に従わない際の公表等

長野市ホームページより傘木作成

長野県内では、住民感情を反映して、木曽町・麻績村・山形村では首長の同意を求める規定を条例化しています。しかし、長野市の回答にもあるように、法的な根拠に乏しいため、実効性には議論があります。

私有財産権や営業権は憲法で保障された侵害しがたい権利であり、放置状態にある山畑や遊休地などを、再生可能エネルギーに活用したいという土地所有者の思いも尊重される必要があります。住民説明の機会を通じて、利害関係者の相互理解が図られることが大切です。今後は、市町村での対策が蓄積される中で、そうした経験が交流されることを期待したいと思います。

コラム②　新エネルギービジョン

本文（42頁）でふれたように、新エネ法の制定を受けて、2000年以降から全国の市町村で新エネルギービジョンの策定が進められました。

大町市では2005年2月に策定しました。その検討委員会に公募委員として私は参画しました。同ビジョンに基づき、農業用水路の落差工を利用した小水力発電所（2022年4月運転開始）やNPO地域づくり工房が提供するバイオ軽油を使ったごみ収集などが具体化されました。

この策定過程で、市から委託を受けた東京のコンサルタント会社が大町市内での取組案として出した資料に「新幹線駅から流出する地下水を使った水力発電」というメニューがありました。私が「大町市内に新幹線駅はない」と指摘するとミスを認めたのですが、次回の委員会資料にも同じものが出てきたので、私が「どこかの自治体の資料の使いまわしですね」と皮肉を申し上げたことがありました。

国が法律で位置付けて号令がかかると全国の自治体で計画策定業務が発生し、その業務を全国的なコンサルタント会社が手広く受注するという構造の中で、地名と数字の入れ替えによる安直な計画づくりがさまざまな分野で横行しました。さすがに今はそんなコンサルタント会社はないと思いますが。

新エネ法が大きな成果をあげられなかったことには、このような計画づくりの構造があったのではないかと思わされる経験でした。

その点では、FITは、新エネ法のような国から自治体への上意下達式の計画づくりではなく、民間からの投資を促す点で大きな成果を出しました。FITの経験から何を学ぶのか、これからの課題ではないでしょうか。

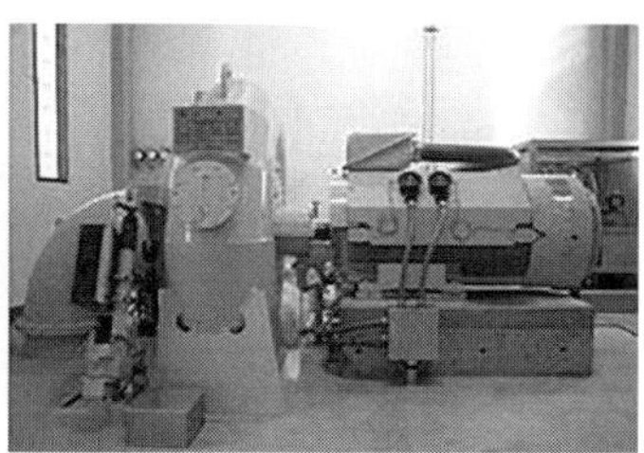

町川小水力発電所

第3章　立 地 動 向

この章では、再生可能エネルギー発電施設が国内でどのように立地しているのか、その傾向を概観します。

再生可能エネルギー開発は、地域の自然環境（日照や風況、火山帯、山林など）を資源とするものなので、それらが豊富に調達できる地域であることと、開発に必要な土地を確保できる条件（広さや地代の安さ、系統接続の容易さなど）が整っていることが必要となります。そのため、電力の消費地（大都市圏など）から離れた地方で開発が進められる傾向があります。

こうした背景の下、立地状況をみると、戦後直後の国土開発計画（全総）の時代における大規模なダム開発の傾向と似通ったものがあります。エネルギー開発の「植民地的性格」は再生可能エネルギー分野においても引き継がれています。

1. 都 道 府 県 別

資源エネルギー庁のホームページにある「統計一覧表」より、「1－(2). 都道府県別発電所数、出力数（2023年9月）」（2023年12月公表）を元に、同資料では「新エネルギー」として分類されている太陽光・風力・地熱・バイオマスの4種を抽出し、都道府県別の発電所1カ所あたり出力量を算出したものと、それらをエリア別に整理したものを一覧表（巻末資料2　表1－14～17）にして示しました。

なお、資源エネルギー庁の統計表は、現存する発電所の件数と最大出力を示していて、計画中のものは含みません。また、一定の要件を満たした電気事業者からの報告をもとに作成しているので、小規模なものは統計にあがっていない可能性があります。「うちの県にはあるはずなのに…」「もっとたく

表1－13　再生可能エネルギー発電所件数及び出力量の都道府県ランキング

種別	区分	1位	2位	3位	4位	5位
太陽光	発電所件数	山口県	茨城県	鹿児島県	広島県	千葉県
	出力量合計	福島県	茨城県	岡山県	宮城県	栃木県
	１カ所当たり出力量	山形県	高知県	青森県	福島県	岩手県
風力	発電所件数	北海道	青森県	秋田県	静岡県	鹿児島県
	出力量合計	北海道	青森県	秋田県	岩手県	鹿児島県
	１カ所当たり出力量	宮崎県	三重県	島根県	福島県	岩手県
地熱	発電所件数	大分県	鹿児島県	秋田県	（他は１県ずつ）	
	出力量合計	大分県	秋田県	鹿児島県	岩手県・福島県	
	１カ所当たり出力量	大分県	岩手県・福島県		秋田県	北海道
バイオマス	発電所件数	福岡県	広島県	北海道・兵庫県		
	出力量合計	福岡県	山口県	北海道	愛媛県	千葉県
	１カ所当たり出力量	愛媛県	徳島県	山口県	熊本県	宮城県

資源エネルギー庁ホームページ：統計一覧表より傘木作成

さんあるはずだ…」などと思われるかもしれません。詳しくは、当該サイトの「よくある質問」を参照願います。

あくまでも全国的な傾向を概観する上での参考にしてください。

(1) 都道府県ランキング

表1－13は、各再生可能エネルギー（太陽光・風力・地熱・バイオマス）について、発電所数（a）、最大出力量合計（b）、発電所１カ所当たり最大出力量（a/b）の上位５位までを一覧にしたものです。

１カ所当たり出力量の多い地域は施設の大型化がみられるものと推測されます。エネルギー種を問わず、全体として東北・四国・九州でそうした傾向がうかがえます。

また、原発災害に見舞われた福島県は、太陽光・風力・地熱で１カ所当たり出力量のランキングに入っています。震災復興に関連して、大型の施設が立地しているものとみられます。

(2) 太陽光発電（巻末資料2　表1－14）

太陽光発電所は全都道府県にあります。発電所数の1位は山口県で、同4位の広島県、出力量合計で3位の岡山県とあわせ、山陽エリアは少雨が特徴である瀬戸内気候を反映しています。

1カ所当たり出力量でみると、東北は全国平均を大きく上回っています。また、関東、北陸、北海道も全国平均より多くなっています。

太陽光発電は、気温が25℃以上になると発電効率が落ちるため、寒冷地を好む傾向があります。東北や北海道で発電所が多いのはそのような太陽光発電の特性を反映しています。同様の理由で長野県や山梨県は早くから太陽光発電所の開発が進められてきましたが、本統計が小規模なものなどを扱っていないため、実感よりはかなり少なく感じられます。

(3) 風力発電（巻末資料2　表1－15）

発電所数でみると北海道と東北への偏在傾向がわかります。一方で、関東や甲信、近畿・瀬戸内では件数があがっていない府県もあります。

1カ所当たり出力量でみると、山陰、四国、東北での大型化の傾向がうかがえます。また、都道府県別の1位・宮崎県と2位・三重県は東側に海が開けて、山地を背にしている点で似た立地であるといえます。

(4) 地熱発電（巻末資料2　表1－16）

地熱発電は九州・東北・北海道に偏在しています。その規模も大きな違いはみられません。

日本は「火山列島」といわれており、地熱発電の潜在的可能性は広く存在するものと考えられます。しかし、実際には、国立公園などの制約や温泉業者との調整など、容易には進展しない状況があります。

(5) バイオマス発電（巻末資料2　表1－17）

発電所数では福岡県が突出しています。工業地帯や炭鉱地帯での技術的な背景があるのかもしれません。

１カ所当たり出力量でみると愛媛県が突出しています。パルプ産業の蓄積によるものではないかと推測されます。

バイオマス発電においても、北海道・東北は大型化の傾向がうかがえます。

2. 特定地域への集中

立地条件に恵まれた地域には同種類の発電所が集中する傾向があります。

また、自治体が地球環境対策の推進に関する法律（温対法）に基づく「促進地域」などの区域指定により、再生可能エネルギー施設を集中させていることもあります。

①宗谷地方

図１－８（佐々木邦夫さん提供）は、北海道宗谷地方では、風力発電所の立地が進み、さらに計画されているものも多数あることを示したものです。このような状況であるにもかかわらず、環境アセスでは各発電所の単体について扱うのみで、四方八方に林立する風力発電所からの騒音や低周波、景観、バードストライク（鳥への被害）などの影響を累積的に評価することは行われていないに等しい状況です。環境アセスの評価書では、累積的影響について言及はしていますが、多くは「影響は少ない」としており、少しまともなものでは「事後調査の必要性」にふれている程度です。

こうした事態を受けて、（仮称）宗谷丘陵風力発電事業に係る環境影響評価準備書に対する環境大臣意見（2023年２月28日）では、以下のような指摘がなされました。

> (3) 累積的な影響について
>
> 対象事業実施区域の周辺では、本事業者による他の風力発電所及び他の事業者による複数の風力発電所が稼働中、環境影響評価手続中等であることから、可能な限り事業者間で調整し、必要な情報を共有することで、累積的な影響を考慮した事業計画とすること。

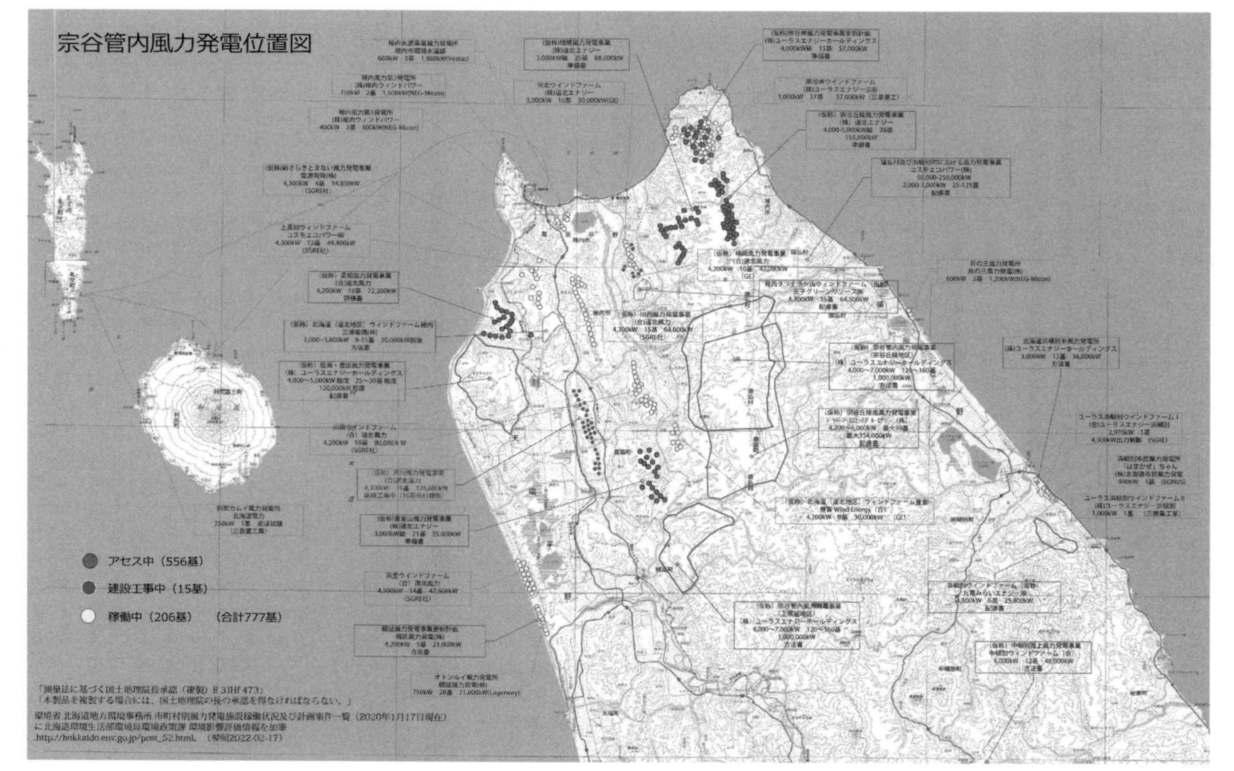

図1－8　宗谷管内の風力発電所（計画を含む）

佐々木邦夫氏作成

図1－9　石狩湾エリアの各種発電所

佐々木邦夫氏作成

これを踏まえて、宗谷管区内の風力発電事業者による協議会を設立し、調査を環境省が支援する方向で具体化が進められています。こうした協議会は、自然保護団体が2017年段階で主張していたことで、遅きに失した感があります。また、自然保護団体や地域住民に開かれた協議会となるのか、運営のあり方が問われることになります。

②石狩湾

図1－9（同前）は、北海道石狩湾における開発状況を示したものです。自治体では石狩湾とその周辺を再生可能エネルギーの促進地区に位置付けています。そのため、陸上風力、洋上風力、バイオマス発電所（100％輸入原料）、太陽光発電所が集中しています。

③佐賀県沖

図1－10は、佐賀県沖での洋上風力発電所の環境アセスの配慮書に掲示さ

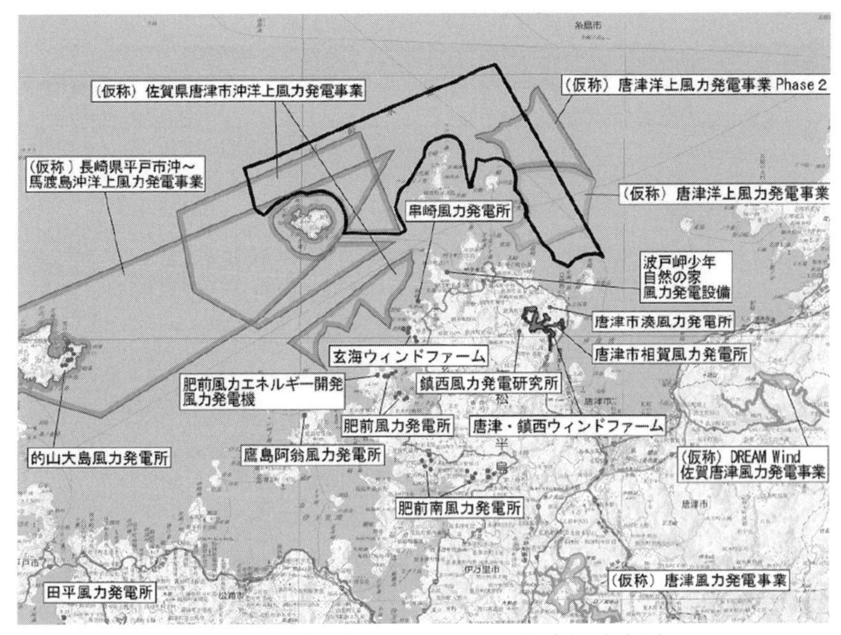

図1－10　佐賀県沿岸部での風力発電所（計画を含む）
（仮称）佐賀県における洋上風力発電事業に係る計画段階環境配慮書（2021年3月9日）より

れた周辺での風力発電所（計画を含む）の立地状況をマップ化したものです。このエリアは国定公園第１号の一つ玄海国定公園とその周辺です。

これらの事例のように、再生可能エネルギー開発は、特定地域に集中的に行われる傾向があります。そのことによる環境保全などの問題が起きうることは容易に想起できます。

3. 立地と環境影響

すべての再生可能エネルギー開発において環境問題や地域トラブルが発生するわけではありません。規模や立地などによって影響のあらわれ方は違います。また、事前の対策で回避または緩和できる影響もあります。個別具体に影響を事前評価する必要があります。

表1－18　開発規模と環境影響

規模	土地改変	生活環境への影響	自然環境への影響
大	大	（生活の場から離れる）	
		・土砂流出・崩壊の恐れ ・工事に伴う交通公害の増大	・森林の伐採 ・生き物の生息環境のかく乱
		・工事現場からの騒音や振動 ・反射光などによる影響	・景観の変化 ・自然ふれあいの場の損失
小	小	（生活の場に近くなる）	

傘木作成

環境アセス制度では規模用件を設定して、大規模な事業について環境配慮の手続きを求めています。しかし、開発規模が小さくなればなるほど、生活の場に近くなり、身近な問題として顕在化します（表1－18）。また、虫食い状態な開発となります。

第2部では、エネルギー種別に開発に伴う環境問題の概要とともに、地域の環境を守るためにたたかう住民団体の取り組みを紹介します。その際、開発と生活の位置関係が重要なポイントであることが再認識されます。

コラム③　天然冷蔵倉庫「風穴小屋」

山の地すべりで岩や石が積みあがった斜面などから冷風が吹き出す場所を風穴（ふうけつ）と言います。岩体や石のかたまりの中で、冷たい空気は下へ、暖かい空気は上へと移動し、蓄熱される原理によるもので、真夏でも0～5℃の冷気を吹き出します。その上部には、冬期でも10～13℃の暖気を吹き出す温風穴も存在します。

風穴小屋は冷風を利用した天然の冷蔵倉庫です。昔から農作物や苗木の保存などに使われ、明治期に入って蚕種の孵化調整に利用されたことで全国300カ所以上に広がり、日本の近代化を支えました。明治後半からの電気冷蔵技術の普及により忘れ去られ、現在ほとんどの風穴小屋は森の中に朽ち果てています。

NPO地域づくり工房では、2007年に鷹狩風穴小屋を復元し、地元の業者による日本酒、焼酎、シュトーレンなどの保存・熟成に利用しています。また、同じ山体にある通称「冷風の丘」（標高920m）には、標高2,500m地帯で自生するミヤマハナゴケなどの地衣類が群生しており、その保護と調査を日本地衣学会の協力を得て実施しています。

全国風穴ネットワーク（事務局・NPO地域づくり工房）では、2014年夏の第1回（長野県大町市）から全国各地で交流を重ね、2024年は第10回全国風穴サミットを和歌山県田辺市で開催します。サミットでは、利用・生態系・歴史を3本柱に専門家と地域の実践家が交流しています。

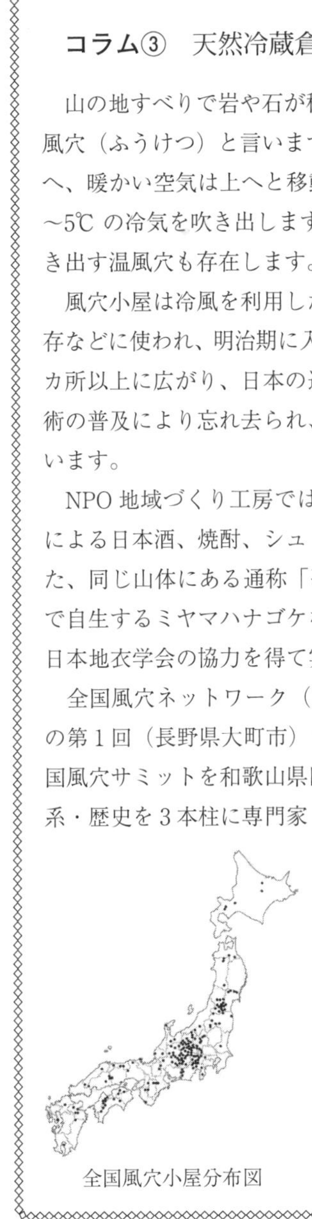

全国風穴小屋分布図

鷹狩風穴小屋

第2部

住民のたたかい

「資源の開発にとってもっとも重要な存在は民衆である。個人の幸福と繁栄はその真の目的であるばかりでなく、それは開発をやりとげるための手段である。彼らの叡智、彼らのエネルギー、彼らの精神力は、その道具である。『民衆のために』ばかりではない、『民衆の手で』なされるのである。」

リリエンソール『TVA～民主主義は進展する～』(岩波書店、91頁)

第4章　太 陽 光 発 電

この章では、太陽光発電をめぐる環境や地域社会への影響と事前配慮のあり方、これをめぐる住民運動の事例を紹介します。前者については、前著『再生可能エネルギーと環境問題』（自治体研究社、2021 年、以下「前著」と略します）をご参照ください。

1. 開発と環境影響の傾向（図 2－1）

(1) 規模と立地傾向

太陽光発電所は、他の発電所に比べて設置が容易なため、FIT を商機ととらえた様々な業種・業態からの参入があり、技術的な未熟さに加え、地域社会への配慮不足などから、多くのトラブルを引き起こしました。

大きな発電量を得るには広い面積を必要とするため、土地の安い中山間地がターゲットとなりました。また、系統接続のためには電線が来ている人里の近くが望ましいので、自然環境と生活環境の両面から問題が発生する傾向

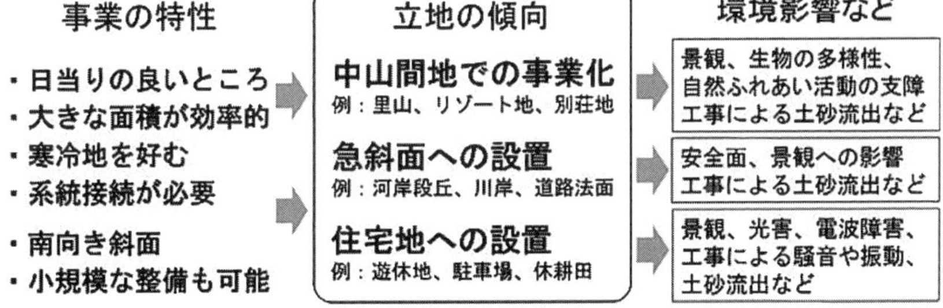

事業の特性	立地の傾向	環境影響など
・日当りの良いところ ・大きな面積が効率的 ・寒冷地を好む ・系統接続が必要	中山間地での事業化 例：里山、リゾート地、別荘地	景観、生物の多様性、 自然ふれあい活動の支障 工事による土砂流出など
	急斜面への設置 例：河岸段丘、川岸、道路法面	安全面、景観への影響 工事による土砂流出など
・南向き斜面 ・小規模な整備も可能	住宅地への設置 例：遊休地、駐車場、休耕田	景観、光害、電波障害、 工事による騒音や振動、 土砂流出など

図 2－1　太陽光発電の開発と環境影響の傾向

傘木作成

があります。

1,000kW（1MW）にみたない小規模なものは、開発費を低く抑えるために新たな造成を必要としない既開発地で、低未利用地を転用するものがほとんどです。その場合、自然環境への影響は少ないものの、人の生活が近くなるため、反射光や電波障害の影響、工事に伴う騒音・振動や工事車両の安全運行などといった生活環境への影響が課題となります。景観面では、街なみや美観に力を入れている地域や、観光地や別荘地、美しい景観を借景としている地域などでトラブルとなることがあります。

(2) 大規模な発電所での留意点

規模が大きくなると、河岸段丘や山の緩斜面などで、樹木を伐採し切土や盛土などを造成するので、土地の安定性の問題（土砂崩れ、濁水の流出など）や生態系に与える影響を重視する必要があります。生き物に関しては、貴少な生き物だけではなく、生物多様性を高め、人と自然の豊かなふれあい活動を育てていく観点から、開発によってその地域から失われる可能性のある生き物がある場合は、地域性が強いだけに、影響が及ばないように立地を考える必要があります。最大の解決策は問題が生じそうなところを避けることです。地域社会におけるレクリエーションや自然観察活動、文化活動、信仰など、地域の人々が培ってきたこだわりに耳を傾けて、影響の回避・緩和となる対策を講じることが必要です。

(3) 工事に伴う影響

開発地が、住宅地や別荘地などに近い場合は、架台を打ち込むカン高い音や掘削などの重機の騒音、工事車両の往来などが迷惑となるので、工事内容の平準化や通学時間帯への配慮など、地元との事前協議が必要です。

自然豊かな環境に囲まれているところでは、周辺の動物が騒音をきらって他に移る可能性があります。渡り鳥のような野鳥は、周囲に代替地がない場合、工事が与える影響は深刻です。事前に、周辺地域の生態系を十分に把握しておく必要があります。

また、工事中は大雨などにより土砂が流出しやすくなります。周囲を小堤で囲って、開発地からの流出を防いだり、開発地からの排水の沈砂池を十分に確保したり、工事車両の洗浄による土埃飛散を防ぐなどの対策も必要です。

(4) 生活環境への影響

太陽光発電に伴う生活環境への影響は、①太陽光パネルからの反射光による光害、②輻射熱などによる局所的な温度上昇、③変電設備などによる電波障害、④工事に伴う騒音・振動、交通障害などがあります。発電所の立地や規模、生活の場との距離などにより、影響の現れ方は違うので、事前に予測して、地元と対策を協議することで、回避や緩和が可能です。大切なことは、説明や話し合いの場に調査予測データが示されていることです。

(5) 災害対策

防災面でも、周囲への影響を配慮して、住宅地に隣接した場所や地盤が不安定な場所などは避ける必要があります。

近年は、過去に経験のないような集中豪雨が発生していることから、広い面積の開発により保水力が減少し、雨水が流出することを懸念する声が出されます。都道府県が定める降雨強度式に基づく調整池の設定は、従来の10年や30年に一度の豪雨への対応ではなく、50年さらに100年強度での検討が望ましいでしょう。また、施設内でのトラブル（暴風によるパネル飛散など）が外部に及ばないように緩衝緑地を十分に確保すると、景観配慮や生き物の生息地の確保につながります。

突風や竜巻などにより、パネル等が破損して近隣に飛散するなどの事案も太陽光発電所への不信感の一因になっています。その背景には、前著で事例を紹介したように、設置基準や安全対策が確立されていない中で、不適切な立地や粗雑な工法による施設がつくられたことにあります。今では政府や業界団体により設置基準や工法が示されていますが、手抜き工事の事案は後を絶ちません。自治体や住民の監視が必要です。

(6) 廃棄物問題

FIT は将来の廃棄物対策を不備のままにして導入されました。中でも太陽光発電は、さまざまな業態・業種が参入しやすい上に、事業主体が変わりやすい傾向にあること（転売）、さらにパネルには有害物質が含まれ、それらがFIT 買取期間後にいっせいに廃棄物となることが懸念されていました。

2020 年のエネルギー供給強靭化法に伴う改正 FIT 法により、太陽光発電設備の廃棄等費用積立制度が 2022 年 7 月より始まりました。対象は 10kW 以上のすべての太陽光発電の FIT 及び FIP 認定事業で、原則は源泉徴収的な外部積立てにより、国の認定法人である電力広域的運営推進機関が管理します。

太陽光パネルには、結晶系と化学物系とがあり、前者が全体の 9 割余を占めています。結晶系では結合部のハンダに鉛が含まれますが、その量は多くなく露出していないため、他の一般工作物同様、適正な管理下にあれば外部環境への溶出は考えられません。化学物系では、銅・インジウム・ガリウム・セレンなど毒性のあるものもあり、ガリウムは体温でも融ける流動性の高いものです。かつてはカドニウムやヒ素も使われていました。これらは、初期に多用されたため、早い段階で廃棄処理に出される可能性があります。

太陽光発電所による環境影響や災害リスクは、規模や立地、事業者の姿勢などによりさまざまな現れ方をします。そのため、制度的な対応だけではなく、地元の住民の監視が重要です。

太陽光発電所に対しては、根拠のない反対理由が住民から唱えられることもあります。しかし、これらも急激な変化に対する反応であり、持続可能な社会のあり方に対する合意が未成熟なまま事態が進展しているためです。

政府が目標とする 2030 年電源構成からみた場合、現在は太陽光発電の到達率は約 60% で、この先 15 年程度でもっと増やす方針です。太陽光発電の存在が、地域の「持続可能な社会」の姿として定着しうるため研究が進められることが求められます。

2. 比企の太陽光発電を考える会（埼玉県）

(1) 地域のようす

小川町（人口約29,000人）は都心（池袋駅）から約1時間ながら自然環境に恵まれた丘陵地帯で、「和紙のまち」として知られています。また、1970年代から有機農業が営まれ、天水を利用した谷津沼農業システムは日本農業遺産に認定され（2023年1月）、町は「オーガニックビレッジ」を宣言しています（2023年5月）。

開発予定地は、町の面積（約60km^2）の1.4％にあたり、町のいたるところから見通すことができます。一帯は、1990年代にゴルフ場計画が浮上したものの中止となり、長らく放置される中で、宮ノ倉山ハイキングコースなどには首都圏からの来訪者も多くあります。私が訪問した2023年11月も平日ながら何人ものハイカーとあいさつを交わしました。

(2) 開発事業の概要と経緯（表2−1）

・名称：さいたま小川町メガソーラー
・場所：埼玉県比企郡小川町（図2−2）の丘陵部
・規模：事業面積86.2ha（残地森林42.8ha）、造成面積43ha、
　　　　最大出力39,600kW、切土量36.5万m^3、盛土量72.0万m^3

2018年12月、ゴルフ場計画のあった場所に、当初は太陽光発電所をつくるとの説明だったものが、建設発生残土処分場とする計画が地元説明会で示されました。事業面積約85.8ha（残地森林60.6ha）に150万m^{3}の盛土を行うものです（図2−3）。2019年11月から調査は始まり、埼玉県環境アセス条例に基づく調査計画書が県に提出されたのは12月になってからでした。同年10月には台風19号の影響により計画地内で地すべりが発生するなどして安全性が問われる中、地元自治会などの強い反発があり、残土受入事業は行き詰まり状態となりました。その後、2020年1月に事業者は社名を変更して（住所

表2－1　さいたま小川町メガソーラーをめぐる経緯

	開発及びアセス手続き	住民団体
1995年	ゴルフ場開発とん挫（進捗率40％）	飯田区対策委員会の取り組みなど
	所有権が産廃業者に移る	FIT後郡内各地に太陽光発電所
2018年	太陽光発電計画として説明会の開催が知らされたが、予告なしで残土処分場計画に変更された（資料配布もなし）	県生態系保護協会支部が講演会
2019年	残土受入事業に変更、説明会開催 計画中止の発表がないまま太陽光発電事業に変更	関係自治会が残土処分場反対決議 比企の太陽光発電を考える会発足 大雨による盛土崩壊を県に通知 会主催講演会、意見交換会
2020年	社名変更 県アセス条例方法書説明会 国アセス法手続きに移行	住民主体で希少種調査チーム発足 知事への申入れ 環境NGO 3団体の声明 太陽光発電規制条例をつくるための募金（目標30万円に約90万円126名） サシバシンポジウム ストップメガソーラーの集い
2021年	社名を変更 アセス法準備書手続き、説明会 準備書への意見534通 県公聴会（26人公述） 知事意見（知事反対を表明）	地元自治会との懇談会 ミゾコイ営巣中を確認 準備書への意見書き方講習会（2回） 関係3町長への要望書 経産省・環境省・国交省等への要請 サシバ・ミゾゴイ調査結果記者発表 知事・県議会への要請
2022年	環境大臣意見 経産大臣勧告	電気技術専門家の講演会及び意見交換会開催 地元への報告、チラシ配布など 地元国会議員による国会質問、国会議員の現地視察 遠藤孝一さん（日本野鳥の会理事長、市見町）の視察、専門家により雨水浸透能力調査など
2023年	事業者による事業計画説明会	日弁連現地調査など

報道資料、比企の太陽光発電を考える会提供資料などにより傘木作成

図2－2　埼玉県比企郡位置図

比企広域市町村圏組合HPより

注：残土処分場より太陽光発電所の方が森林伐採面積が大きい。残土処分場では盛土のみで施工するが切土はない。

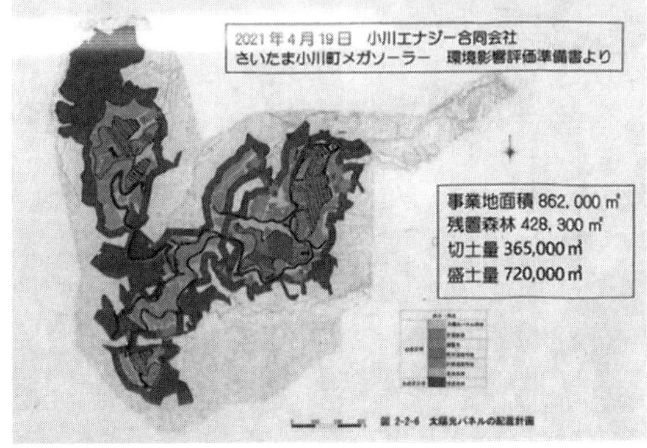

注：太陽光発電所では盛土と切土の両方を施工する。土地改変面積はより大きい。

図2－3　残土処分場計画と太陽発電所計画との対比

は同じ)、開発目的を太陽光発電に変更し、県環境アセス条例に基づく方法書説明会を開催しました。2020年4月に法改正により条例から環境アセス法の手続きに移行しました。

2021年2月には環境アセス法に基づく準備書手続きが始まりましたが、方法書同様に埼玉県知事や環境大臣からの厳しい意見を踏まえて、2022年2月に経済産業大臣より、土砂の大量搬入計画や環境影響の検証方法に問題ありとして「抜本的な計画の見直し」が勧告されました。

さらに、2023年4月にはFITの認定が失効しました。しかし、事業者は経産大臣勧告を踏まえて計画を見直すとして、2023年1月に事業計画説明会を開催し、FIT認定の失効後も事業化の意志を示しています。

表2－2　比企の太陽光発電を考える会の取り組み

<table>
<tr><td rowspan="2">住民アセス</td><td>独自調査</td><td>希少種調査チーム、渡り鳥サシバとミゾゴイ調査チーム
独自景観シミュレーション</td></tr>
<tr><td rowspan="2">アセス手続きへの対応</td><td>意見書の書き方講習会（2回）
方法書、準備書への意見組織</td></tr>
<tr><td rowspan="2">関係機関への働きかけ</td><td>県公聴会への公述を促す取り組み
県や関係3町へ意見提出の要請活動
知事意見に向けて県議会への要請活動</td></tr>
<tr><td>制度や行政対応の働きかけ</td><td>小川町へ太陽光発電規制条例制定の要請
小川町へ「太陽光発電による乱開発に反対する署名」提出（1,756筆）
知事へ生態系保全に向けた条例制定へ要請</td></tr>
<tr><td rowspan="4">世論喚起</td><td>住民への働きかけ</td><td>チラシ配布、シンポジウム等の開催</td></tr>
<tr><td>環境NGOとの連携</td><td>日本野鳥の会、日本自然保護協会、WWF-Jなどとの共同声明、記者会見など</td></tr>
<tr><td>専門家への発信</td><td>学会発表（日本鳥学会2021大会、第26回「野生生物と社会」学会、バードリサーチ鳥類学大会2021）、審議会委員への情報提供など</td></tr>
<tr><td>マスコミへの発信</td><td>記者発表、現地案内、資料提供など</td></tr>
</table>

比企の太陽光発電を考える会提供資料などにより傘木作成

(3) 住民団体の取り組み（表2－2）

比企の太陽光発電を考える会の取り組みは、1960年代からの伝統がある「住民アセス」の運動史の中でも金字塔を成すものです。

住民アセスについては第3部第10章で解説します。

同会の取り組みは、①環境アセス手続きを踏まえて住民意見の掘り起こしに努めつつ、②専門家の協力を得ながら住民が自ら調査活動を行い、③それを根拠にして関係機関やマスコミを動かしました。

とりわけ、広範囲にわたる事業計画地の周囲を踏破し（事業計画地内は市道やハイキングコースからの調査に限定）、野鳥の調査を自ら実施したことで、事業者が準備書で調査をしていなかったミゾゴイ（環境省による絶滅危惧種Ⅱ類）を確認したことは大きな反響を呼びました。

実態調査は根気のいる活動です。しかし、それにあえて取り組むことが運動に確信を与え、世論を動かす力になります。

また、自前のフォトモンタージュ（図2－4）はわかりやすく、マスコミ各

小山会長（右）と鈴木邦彦さん（会員）

図2－4　小川町里山クラブ第二展望台（角山

うっそうとした開発予定地

地区町有林内）から見たソーラーパネル予想図

開発予定地すぐ下流の集落にて危険渓流の標識

社がこれを引用しました。

会の代表をされている小山正人さん（獣医師）をはじめ、会員に日本自然保護協会や日本野鳥の会、関係学会に所属している方々がおり、そのネットワークを活かして全国的な環境NGOの行動も引き出しています。

(4) 今後の課題

事業者は、FIT認定取消し後であっても、事業化の意欲を示しています。経過からしても、事業者の開発の真のねらいは建設発生残土の処分地としての利用であることは容易に推測されます。また、FITからFIPへの政策的な流れを念頭に、個別契約による売電を想定しているのかもしれません。いずれにしても予断を許さない状況です。

そして、太陽光発電や建設発生残土受入の事業がとん挫しても、ゴルフ場計画によって買収された広範囲の土地が業者の手にあることから、新たな事業目的の設定や転売等により、開発圧力は継続することが考えられます。

小川町飯田区の集落センターの前には「ゴルフ場開発の時代背景と地区の対応」(2009年2月建立）の石碑があります（写真)。ここには、関係5区と事業者による環境保全協定の締結と、その後の問題や教訓など、22年間にわたる経緯が簡潔に示されています。そして文末には「ゴルフ場造成地は（中略）巨額の債務の対象地として危機にさらされ山々は荒涼とした痛ましい姿を晒し今日に至っている」と記しています。

この石碑は、建設発生残土処分地ないしメガソーラー計画という今日の事態を予見させるものであり、このような事態に住民の団結の大切さを伝え、比企の太陽光発電を考える会の活動の意義を地域の歴史に位置付けるものです。と同時に、民間の開発用地としてある以上、今後も住民の監視が必要であることを示唆しています。会の活動が記録され、地域住民の中に生きていくことを願ってやみません。

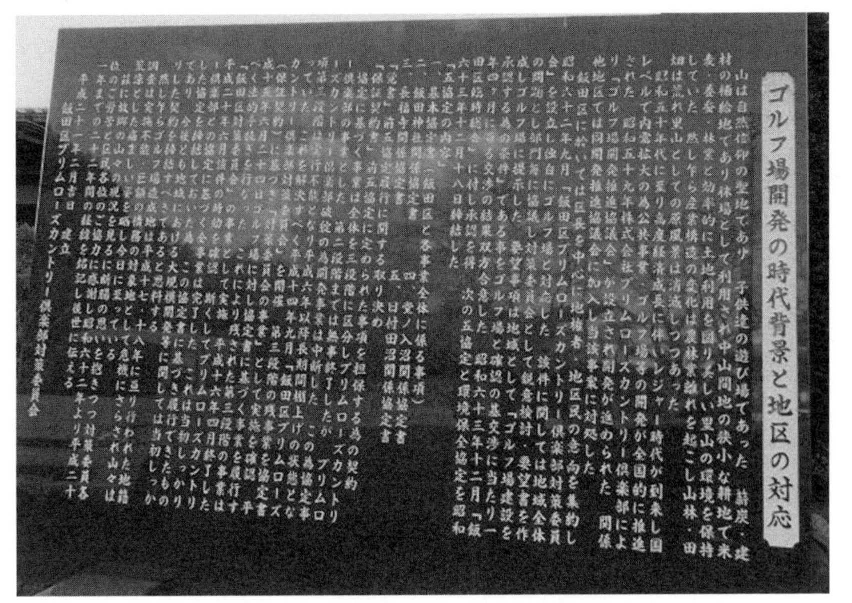

石碑「ゴルフ場開発の時代背景と地区の対応」

3. 新相田自治会など（福岡県）

(1) 地域のようす

福岡県飯塚市（人口約126,000人、面積約214km²）は、日本の経済成長を支えた筑豊炭田の中心都市として重要な役割を担い、炭鉱労働者に好まれたお菓子文化により2020年には「砂糖文化を広めた長崎街道～シュガーロード～」が日本遺産に認定されています。南北に流れる遠賀川に沿って平野が広がり、東西を緑豊かな山地に囲まれ、国立九州工業大学情報工学部や近畿大学産業工学部などが立地し、福岡都市圏や北九州都市圏が1時間圏内という地の利もあって、良好な住宅街を形成しています（図2－5）。

開発地は、九州工業大学飯塚キャンパスに近接し、白旗山（標高163m）の山体を切り拓いたもので、すそ野に広がる住宅街を見下ろすように太陽光パネルが広がっています（写真、図2－6）。

この地域には、先行して他2社がメガソーラーを開発していました。

(2) 開発事業の概要と経緯（表2－3）

・名称：アサヒ飯塚メガソーラー発電所
・場所：福岡県飯塚市（図2－5）の白旗山山腹

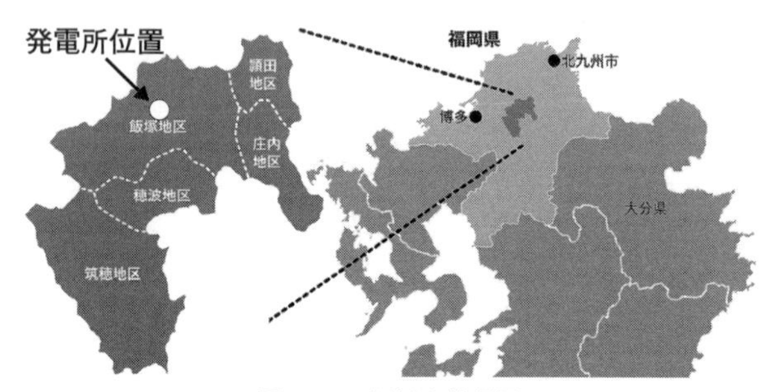

図2－5　飯塚市位置図
飯塚市HPより引用し傘木作成

白旗山の太陽光パネル

隣接する住宅街

・規模：事業面積 33.6ha（残地森林 7.0ha、造成森林 2.7ha）

　　　最大出力 216,000kW（パネル設置有効面積 18.4ha）

2014 年あたりから白旗山での開発行為（樹木伐採など）が見られ、住民が

白旗山 163m ▲

出入

新相田

撮影：傘木宏夫

図2－6　発電所の平面図と現地写真

傘木撮影

表2－3　メガソーラーをめぐる経緯

<table>
<tr><th></th><th>開発の動き</th><th>住民団体等</th></tr>
<tr><td>2014年頃より</td><td>白旗山での開発の動きがみられるようになる
太陽光発電所計画が浮上</td><td>新相田自治会として反対運動
近隣自治会が連携して反対運動
「白旗山の豊かな自然を未来につなぐ会」発足（会長：新相田自治会長）
市に対して反対署名約1万人分を提出
県に対して環境アセスの実施を要請</td></tr>
<tr><td>2019年</td><td>自治会の反対を無視して着工（12月）</td><td rowspan="3">住民大会・デモ（210人、7月）
国・県・市への要請活動
マスコミへの働きかけ</td></tr>
<tr><td>2020年</td><td>土砂崩れが発生するようになる（10月）</td></tr>
<tr><td>2021年</td><td>規模の大きな土砂崩れ発生（7月）
開発事業者が外資企業に転売
自治会との協議により防護壁設置などの土砂崩れ対策を強化</td></tr>
<tr><td>2022年</td><td>防護壁工事が完了（2月）
協定書協議の開始（2月）
売電開始（11月）</td><td>協定書の締結を事業者に働きかけ
メガソーラー規制条例の要請</td></tr>
<tr><td rowspan="4">2023年</td><td></td><td>（市議会否決、市議選で廃案）</td></tr>
<tr><td colspan="2">近隣4自治会と環境保全協定書を締結（3月）
雨水対策現地立入調査、住民アンケートの実施（4月）
アンケート結果報告、騒音対策等説明会の開催（5月）</td></tr>
<tr><td>騒音対策前現況調査（6月）
防音壁設置、植樹、境界部草刈等を実施
騒音対策の事後調査を実施（11月）</td><td></td></tr>
<tr><td colspan="2">騒音対策に対する評価書作成と説明会の実施（12月）</td></tr>
</table>

報道資料、新相田自治会提供資料などにより傘木作成

警戒心を高めていたところ、メガソーラー計画があること判明し、新相田自治会は当時の会長がいち早く行動を提起し、反対運動が始まりました。

事業者は、近隣自治会や広範な市民による反対の声の広がりにもかかわら

ず、地元同意などを経ずに着工しました（2019年12月）。同年7月に環境影響評価法改正で太陽光発電所が対象となり、翌4月から施行されることから、環境アセス手続きを避けるために強行したものとみられています。

折から、九州北部では記録的な大雨が頻発する中で、着工から間もなくして工事現場からの土砂崩れや汚泥の水路や住宅街の調整池への流入が発生するようになり、2021年7月には規模の大きな土砂崩れがマスコミ各社で報道されました。また、林地伐採により、住宅地に強風が吹くようになり、車庫の屋根が飛ばされるなどの影響が出始めました。

こうした中で、開発時の事業者は責任を放棄して太陽光発電所を外資企業に転売しました。オーナーとしての外資企業は現場の対応を国内事業者（以下、管理事業者）に委ね、そのコンサルティングにより防護壁工事や近隣4自治会との対話が始まりました。4自治会は弁護士との相談により環境保全協定の締結を事業者に求め、事業者もこれに応じて協議が始まりました。

協定の内容をめぐる協議を重ねる中で、2022年11月より事業者は売電を開始し、翌年3月に正式な協定が結ばれました。そして、各自治会からの要望により、①変電所からの騒音防止、②住宅地からの目隠し植樹、③植林による防風対策、④管理道路からの汚泥流出防止、⑤発電所隣接地の草刈りや雑木の伐採などの対策がとられることとなりました。

管理事業者は、新相田自治会などが要望した変電所からの騒音対策について、2023年4月に全世帯アンケートを実施して、騒音に対する住民のとらえ方を把握しつつ、対策前の状態の騒音調査と付随してアンケートでの指摘を踏まえてAM波及び電磁波、パネル反射光の調査も実施しました。対策前の実測値について、防音壁を設置する業者は「対策を要するレベルではない」と疑問を呈しましたが、管理事業者は「対策は協定での約束であり、今後のためにも努力を見せる必要がある」として、予定通り防音壁を設置しました。対策後の測定値では低減効果が確認され、自治会側もこれを了解しました。

他の対策（雨水対策、植樹、草刈りなど）も実施され、2023年内をもって一定の対策が一段落しました。

(3) 住民団体の取り組み

新相田自治会は、地区の一部が太陽光発電所に取り囲まれ、環境は一変してしまいました。現自治会長の久保山信義さんは「団地ができて40～50年でまわりには緑もあり、鳥の鳴き声も聞こえる、本当にいいところになったと思っていたが、こんなに激変するとは思わなかった」と語っています。

前会長が住民運動の経験にたけた方で、メガソーラーの動きにいち早く気づき、地域に知らせ、運動を起こしました。「白旗山を守れ」の一点で幅広く市民の結集を図り、市民団体の代表も自治会長の肩書で担いました。

4年半前に交替した久保山さんは、「前会長がおられなかったらここまでの対策にならなかった」として、運動を引き継いでいます。福岡県には6年余りにわたって働きかけてきました。県から環境アセスの実施を事業者に働きかけるようにも要請しました。しかし、県は「(法律に違反していなければ) 許可せざるをえない」との一辺倒で、市も「県が許可している以上、市としては何もできない」という立場で、1万名集めた署名も相手にされず、なすすべがありませんでした。久保山さんは「(土砂崩れなど) 何かあったらどうする」と県に詰め寄りましたが、「そういうことが起きるようなことなら許可はしない」と開発事業者の資料を鵜呑みにして、取り合わなかったと言います。

マスコミ各社にも何度も投書や手紙を出して、取材に来るようにお願いしましたが、ほとんど取り上げられませんでした。

2021年7月の大きな土砂崩れは久保山さんのご自宅の前で起きました。その衝撃的な状況にマスコミ各社も大きく報道し、全国的に問題が知られるようになりました。

久保山さんは、この問題を「自然災害だから仕方がない」という流れにしないために、転売先の事業者との協定を発案しました。それは、「造られたものは仕方がないが、自分たちの言い分だけではなく、先々の人たちのためにやっておかねばならない。(FITが終わった) 20年後に放置されて山が荒れてしまってはいけない」という思いからでした。

協定のとりまとめに際しては、弁護士を通して、県や市に立会人としての

自治会長の久保山信義さん

関与を依頼しました。事業者もこれを真摯に受け止め、自治会要望による対策も具体化されることとなりました。

久保山さんは、「現時点では事業者が約束し、ちゃんと対応してくれているので、とにかく様子見で、常に監視していきたい。しかし、転売されて責任の所在があいまいになることは心配している。それだけに、文字に残し、伝えていくことは大事だ」と言います。

事業者側の窓口として協定や対策の具体化にあたった担当者は、「前の会社は自治会への対応はすべて口約束で、結局何もせず、なんの書類も残さず我々に引き渡した。我々は、地域に出かけて話を聞き、話し合いは記録し、騒音調査やアンケート結果なども含めて、自治会と共有している。そういうことでしか信頼関係はつくれないという信念でのぞんできた」と語っています。

久保山さんも、担当者のそうした姿勢を評価し、具体的な交渉は担当者と会長らとの間で行い、その進捗状況などを書類にして町内に回覧したり、役員会などに報告したりするというスタンスで進めています。そうした進め方は、反対運動や抗議運動を広げていく段階とは大きく違います。会長としての責任はむしろ重くなりますが、ものごとを具体化していく上では必要な工夫であると私は受けとめました。

騒音対策については、防音壁の設置工事の様子を見て、近所の方より「やってくれているんだね」と声をかけられたとのことで、久保山さんは対策が目に見える形になってきて住民の感情も柔らかくなってきたように思うと述

表2－4 新相田自治会の取り組みの特徴

計画浮上～強硬着工	反対期	・自治会及び近隣自治会による活動（事業者への要請、関係機関やマスコミへの働きかけ等） ・自治会長として市民団体を代表し、諸活動（署名活動、集会・デモ、市民へのチラシ配布等）
着工～土砂崩れ	抗議期	・（自治会）事業者や関係機関への働きかけ等 ・（市民団体）条例制定運動等
土砂崩れ～	対策期	・（自治会）事業者への協定働きかけ、対策の具体化、監視等

傘木作成

べています。

(4) 今後の課題

久保山さんは、「当座の対策はやってくれているが、奪われた景観はもどらないし、太陽光パネルはこれからも見上げていかなければならない。記録的な大雨というのが頻発する中で、さらに想像しなかったような災害が起きるかもしれない」と、今後のことを心配します。また、オーナーにより転売されたときに約束が継続されるのかも不安材料だとします。それだけに協定を結び、文字により対策を約束させたことは重要でした。

事業者と自治会による協定は、私法上の契約となるため、履行請求や損害賠償を請求することが可能です。ちなみに、自治体の場合は法令順守以上の約束を事業者に求めることは難しい面があります（詳しくは第3部第10章で解説）。そうした効力の強さを活かしながら、継続的に監視、協定の履行を求めていく必要があります。

しかし、自治会活動そのものの維持が難しい昨今の社会状況は、新相田自治体においても同じようです。この間の経過と教訓、そして危惧される問題について、世代を超えて共有していくことが必要となっています。

また、久保山さんが懸念されていたように、売電事業が終了した後がどうなるのかは、次世代への大きな宿題となります。利用方法がどのような形態になろうと、相当に広く、造成された民間所有の土地が、住宅街を見下ろすように存在し続けることとなります。このことを「民間の問題」として済ませておくならば、将来にわたって問題を引き起こす可能性があります。どのようなまちづくりや土地利用を進めていくのか、公共の関与が働く必要があるのではないでしょうか。

その点においては、前項の小川町の問題と共通しています。リゾート法やFIT法といった制度で乱開発を誘発した政治の責任でもあります。

コラム④　アイノアンス

アノイアンス（annoyance）は、うるさがらせること、いらだち、困りごと、やっかいもの、など訳されます。

騒音分野では、音にかかわる不快感の総称として使われています。

騒音に対する不快感は、音の大きさのような物理的要因だけではなく、さまざまな要因によって生じることがあります。

たとえば、同じ騒音の大きさでも夜間の方が不快、瞬間の音と長時間継続する音では長時間の方が不快、寝る前や起床したときに聞こえる音は聞きなれていても不快だったりします。また、聞いたことのない音や他人が好きでも自分のこのみでない音楽の音なども不快です。このように要因が複雑にからみあっています。

アイノアンスの例として、「音源が見えていると、見えていないときより不快に感じる」というものもあります。飯塚の事例では、本文にあるように、住民のアイノアンスに真摯に向き合ったことで住民の評価を得ることができました。住民より「変圧設備が遮音壁でおおわれて見えなくなったことで、実際の音の大小よりも、気持ちが落ち着いたように思う」というお話がありました。

第5章　陸上風力発電

この章では、風力発電（特に陸上型）をめぐる環境や地域社会への影響と事前配慮のあり方、これをめぐる住民運動の事例を紹介します。洋上型については次章で取り上げます。

前著（2021年）では、風力発電機の高さは、陸上型で100m、洋上型で180mを超えると紹介しました。しかし、現在では急速に大型が進み、陸上型で120m、洋上型では260mになるものが一般化しつつあります。

単体の大型化、施設の大規模化という流れの中で、捉えてください。

1. 開発と環境影響の傾向（図2-7）

(1) 風況と失敗事例

風力発電の成否は風況（ある地域での風の吹き方）で決まると言われています。平均風速が高く、風向が安定して、乱れが少ない土地において、その風況に見合った設備や設置方法であることが求められます。

日本の風力発電の歴史は浅く、100kWの実証実験は1982年、ウインドファーム（集合型風力発電所）の実証実験は1991年でした（青森県竜飛岬）。研究や実践の蓄積が少ないため、普及しはじめた2000年代初めにはトラブルも多発しました。「まわらない風車訴訟」（最高裁判決2011年6月）のように大学側の責任が問われたもの、風況が悪くて廃止になったもの（函館市・恵山風力発電）、落雷や風の乱れが考慮されていなくて発電機やナセル（機械室）、ブレード（羽）が落下したもの（京都府・太鼓山風力発電所）などは氷山の一角とみられます。

近年でも、経済産業省「新エネルギー発電設備事故対応・構造強度ワーキ

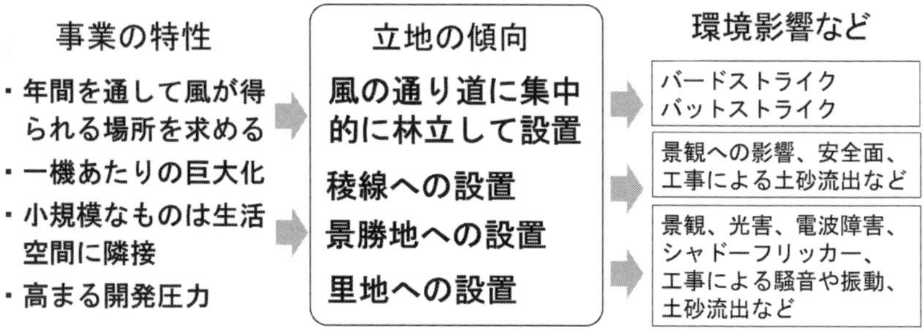

事業の特性

・年間を通して風が得られる場所を求める
・一機あたりの巨大化
・小規模なものは生活空間に隣接
・高まる開発圧力

立地の傾向

風の通り道に集中的に林立して設置
稜線への設置
景勝地への設置
里地への設置

環境影響など

バードストライク
バットストライク

景観への影響、安全面、
工事による土砂流出など

景観、光害、電波障害、
シャドーフリッカー、
工事による騒音や振動、
土砂流出など

図２－７　陸上風力発電の開発と環境影響の傾向

傘木作成

ンググループ報告書」（2022年１月）によると、審議対象とした事故のほとんどが風力発電案件で、直近８年間に起きた38件は、ブレードの折損・飛散22件、火災７件、ナセル等落下５件、タワーの倒壊・座屈４件などで、設計上の問題のほか、保守管理上の不備も少なくないと指摘しています。38件中８件は落雷がきっかけです。北日本から東日本の日本海側は、「冬落雷」もあって、年間の落雷日数が特に多いエリアです。そして、風力発電のさかんな地域でもあります。避雷針を設置していなかった事案もありました。

こうした事故は、立地によっては、近隣住民や発電所従業員に被害を与える可能性があり、環境以前の問題です。適切な事前調査と設計、そして住宅などから十分に距離をとることが未然防止策として必要です。

（2）立地と環境配慮

風力発電所の普及初期は、海辺の港湾施設や小高い丘などに単体や数本で建てられ、公共施設や福祉施設に電力供給するものが主流でした。FIT以降は利潤追求が強まり、山の稜線部などに大型の風車が立ち並ぶようになりました。なお、着雪や着氷の影響、乱流の起きやすさ、設置及び維持の経費などを考慮して、標高は1,000m以下が望ましいとされています。そのため、里地に近くなるため景観や生活環境への影響が懸念されます。

近年は、より強い風力を求めて標高の高い場所での開発もみられます。その場合は、自然環境への配慮、稜線部に向かうアクセス道路の整備、資材の運搬など、採算性の上でも条件が厳しくなります。

現在は、国内の風力発電適地における立地競争が激しくなる中で、新たなフロンティアとして洋上に熱い目が注がれています。

(3) 鳥類への影響

「風の通り道」は鳥の飛行ルートでもあります（図2−8）。日本列島は地球上での有数の渡り鳥飛行ルートに位置して、渡り鳥条約などによって保全の責務があります。しかし、風力発電所の存在は、バードストライク（鳥への打撃）やバッドストライク（こうもりへの打撃）をもたらします。

米国では風力発電所によるバードストライクで死亡する鳥は年間573,000羽と推定されていて、これをもとに日本国内での風力発電量から推計すると年間約39,000羽になると試算されています。死亡する鳥の約85%が小鳥類で、その多くが夜間の渡り鳥です（いであ『i-NET』2021年9月）。

夜間の目視は難しく、落下した鳥はキツネなどに捕食されるので、実態把握は困難です。そうした中でも、国内22カ所の風力発電所で2000年からの10年間に確認できた合計102件の約半分が猛禽類で、その約3分の1がオジロワシやオオワシなどの絶滅危惧種であったと報告されています（山階鳥類研究所第30回鳥類講座、風間健太郎氏レジメ、2020年11月より）。

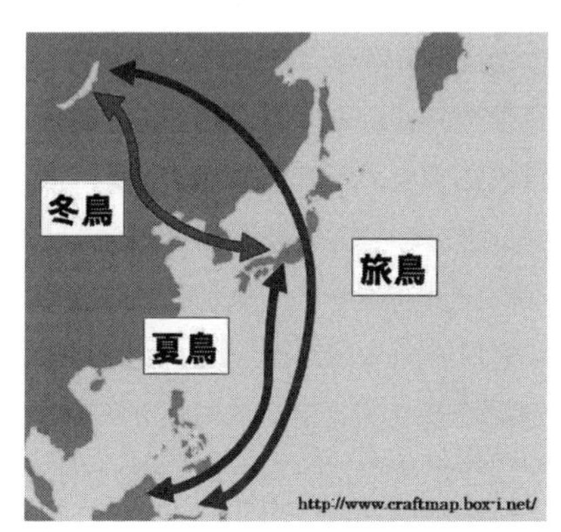

図2−8　渡り鳥の飛行ルート
バードウォッチング初心者入門ガイドより

第１部第３章でみたように、特定のエリアに集中して大規模な風力発電所が建設されている状況は、鳥の立場からすると、何重にも障害が設けられていると言えます。これを放置している日本政府は、実質上、生物多様性条約や渡り鳥条約などを踏まえた鳥類の保護よりも、再生可能エネルギー開発を優先する政策的立場であるといえます。

(4) 規模による環境影響

①大規模な発電所での留意点

風況の良い山の稜線部で大規模な風力発電所が建設されています。その場合は、稜線部だけではなく、作業道なども含めて、樹木を伐採し切土や盛土などを造成するので、土地の安定性の問題（土砂崩れ、濁水の流出など）や生態系に与える影響は甚大です。また、開発地に向かう道は狭く、悪路が多いので、環境面や交通安全面での配慮が必要です。

海辺に多数の風車を並べる開発も各地でみられます。山の稜線部に比べて開発しやすく、自然環境への影響の軽減も見込めます。しかし、住宅や事業所、海水浴場などの観光施設が近接する場合は特段の配慮が必要です。

いずれの場合も、単体が大型化しているので、景観面では大きな影響が伴います。その変化を、地域社会として許容できるのか、新しい景観資源として位置づけることができるのか、十分な議論が必要です。

特に、大規模な風力発電所が特定の地域に集中して、山・里・海辺・海上と幾重にも居並ぶ光景となりつつあります（図２−９）。大規模な風力発電所は線的に広がるので、景観影響も線（スカイラインや水平線、走行する自動車からの視点など）でとらえる必要があります。こうした場合は、一つ一つの開発案件に対する景観評価では意味をなさず、累積的・複合的な影響を評価しなければなりません。

②単体の大型風力設備の留意点

FIT 以前では、公共施設や福祉施設、工場の敷地内、集落の近くなどに単体または2〜3基の大型風力発電所が建てられるものが主流でした。

この場合は主に生活環境面での配慮が求められます。風車の回転による騒

眺望景観の中で複数の風力発電所が視認される例

図2－9　景観の複合影響

環境省資料より、愛知県佐多岬

音が代表ですが、低周波音やシャドーフリッカーの問題が生じることもあります。近年は、発電所と生活の場の適切な位置関係や規模などについての知見が蓄積されています。しかし、単体でも大型になればなるほど、騒音やシャドーフリッカーなどの影響が生じやすく、また圧迫感も増します。いずれにしても、近隣との事前の調整が重要です。

(5) 生活環境などへの影響

①騒音

経済産業省の環境アセスに関する省令では、風力発電所からの騒音の影響を受ける範囲は事業実施区域から1km とされています。

しかし、風車の大型化が進む中で騒音の範囲も広がります。実際、1km 以

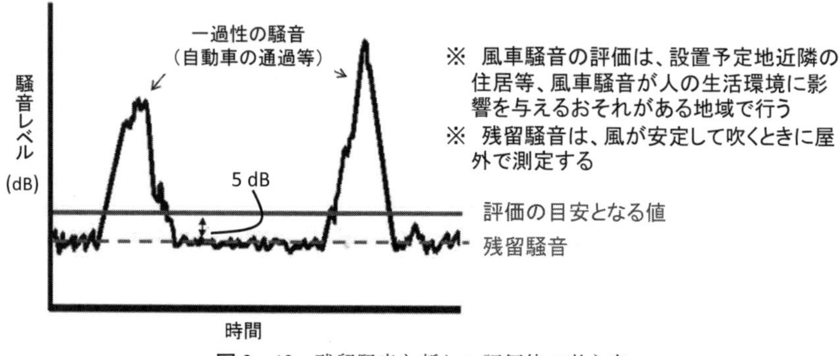

図2－10　残留騒音と新しい評価値の考え方

上離れたところの住民から苦情が寄せられる事案も少なくありません。風力発電所の開発地の多くは山間部や臨海部の静穏な環境です。そこに適用される環境基準が商店街や道路沿道と同じであっていいはずがありません。

また、風力発電所からの騒音は、ブレードの回転音や振幅変調音（スウィッシュ音：「シュー、シュー」という音）として聞こえたり、機種によっては内部の増速機や冷却装置等から「ウィーン」とか「ブーン」といった音が持続的に聞こえたりします。そのため、騒音レベルは環境基準のAA類型（療養施設や社会福祉施設等が集合して設置される地域など特に静穏を要する地域）の夜間40dB（デシベル）以下であっても、周囲が静かなだけにかえって耳につきやすくわずらわしさ（アノイアンス：コラム④）につながります。

環境省では、静かな環境では、風車騒音が35～40dBを超えるとアノイアンスの程度が上がって睡眠などに影響する可能性があることから、残留騒音（一過性の騒音を除いたもの）からの増加量が5dBに収まるように評価の基準を設定する方針を出しました（2016年11月、図2－10）。5dBの範囲が風力発電所の騒音対策として有効かどうかは今後の実態調査が必要です。

②低周波音・超低周波音

北海道石狩湾の港湾地区に大型の風力発電所が林立しています。私は、ここで車から降りて周囲の風車を見上げたとき、くらくらっとよろけてしまいました。私はこういうことに敏感ではない方ですが異様な空気感でした。

環境省では、周波数100Hz以下の低い音を「低周波音」（20Hz以下は「超

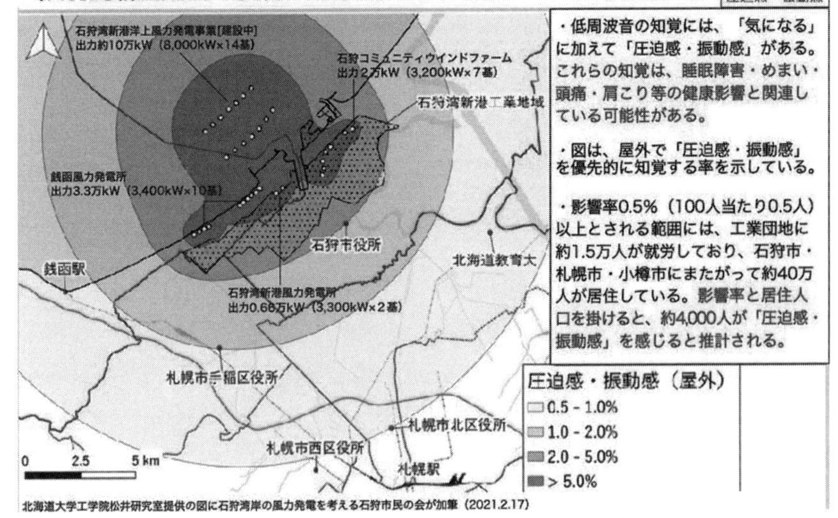

図2－11　低周波音の影響予想マップ（石狩湾）

低周波音」）と呼んでいます。国の機関によって低周波音の範囲は違っており、経済産業省の主務省令には「超低周波音」の用語はありません。

環境省は、風力発電施設から発生する低周波音と健康影響については、明らかな関連を示す知見は確認できないという立場です。風力発電に限らず、長年、一貫して低周波音の健康影響については否定的です。

一方、日本弁護士連合会は「低周波音被害について医学的な調査・研究と十分な規制基準を求める意見書」（2013年12月）を出しています。低周波音の感じ方には個人差が大きく、風力発電所の立地状況も多様なので、一律な対策では音環境における弱者を切り捨ててしまう可能性があります。

石狩湾では、陸域と港湾内に大型の風力発電所が林立し、さらに港湾の外側にも新設されています。そうした累積的影響による低周波音の影響を市民団体が予測しています（図2－11）。

③シャドーフリッカー

シャドーフリッカーは、晴天時に回転するブレード（羽根）の影により明

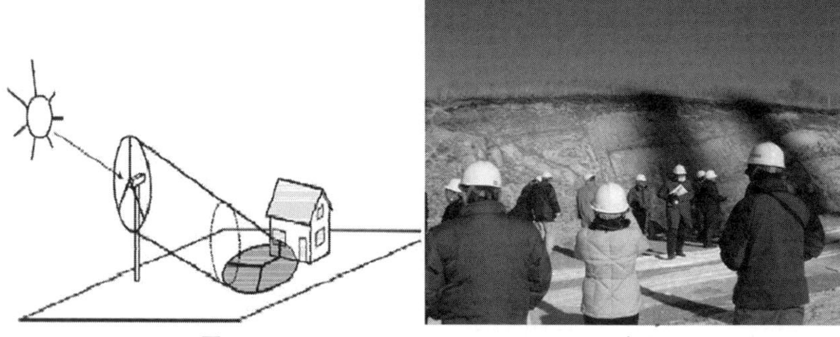

図2－12　シャドーフリッカーのイメージと事例
環境省環境影響評価課

暗が生じる現象です。住宅の中に差し込む場合や、農作業をしていて背後から差し込む場合に、影の明暗により人が不快感を覚えることがあります（図2－12）。

シャドーフリッカーは風車と太陽との位置関係により生じるので実際の苦情件数は多くありません。環境省が2010年に実施した調査では、回答のあった250事業のうち、シャドーフリッカーの苦情等が寄せられたことがあるのは18件でした。とはいえ、苦痛に感じている人がいることは重大です。また、こうした現象が知られていないという面もあるかもしれません。日本では、シャドーフリッカーに関する評価基準はないため、国外で設けられている指針値が参考として使われています。

また、佐々木邦夫さんの提供映像では、牧舎や放牧地にシャドーフリッカーが差し込んでいました。家畜や野性生物への影響はないのでしょうか。

④光害

風力発電機には、風力発電設備の高さに関わらず、ナセル頂部に中光度白色（赤色）航空障害灯を設置し、高さが150m以上の場合にはタワー中間段に低光度航空障害灯を設置することが求められています（図2－13）。

大規模な風力発電所では、これらが山の稜線部などに立ち並び、夜間に点滅します。このことによる人的な影響や景観への支障などは報告されていないようです。しかし、大規模な風力発電所が特定の地域にいくつも集中する

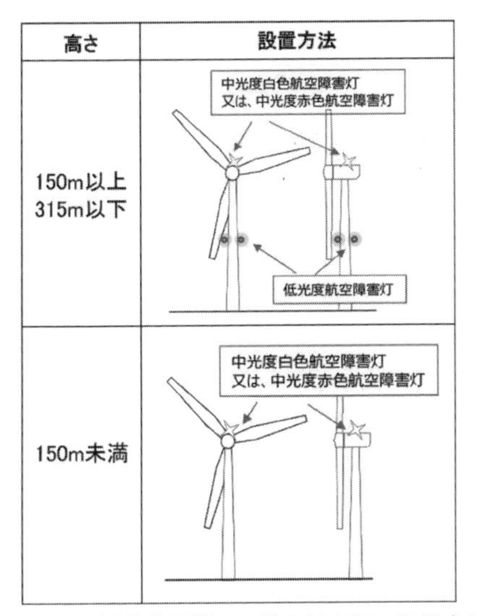

図2－13　風力発電機での航空障害灯の設置方法
国土交通省資料より傘木作成

場合にどのような影響を与えるのか、心配されるところです。

近年、持続可能な酪農をめざす昼夜放牧の取り組みが増え、夏の昼間の気温が異常に高いときには夜間放牧も推奨されています。佐々木邦夫さんの提供映像には、風力発電所の航空障害灯が夜間放牧をしている牧場を取り巻いて点滅していました。牧畜に与える影響はないのでしょうか。

⑤電波障害

テレビ送信所からの受信が、風力発電所の支柱によって遮蔽されて弱まる（しゃへい障害）、支柱からの反射波が受信障害を起こす（反射障害）、ブレード（羽根）を透過して届く電波が干渉する（フラッター障害）などの影響を受ける場合があります。単基では障害が発生することはほとんどないのですが、送信所に向かって風車が横並びになる場合は可能性が高まります。電波が来る方向の風車に電波を遮る地形や樹木がある場合は、ブレードに反射した電波との干渉の影響が大きくなり乱れが大きくなる可能性があります。

また、同じような現象により、気象レーダーの観測に影響を及ぼす可能性があることが知られています（図2－14）。

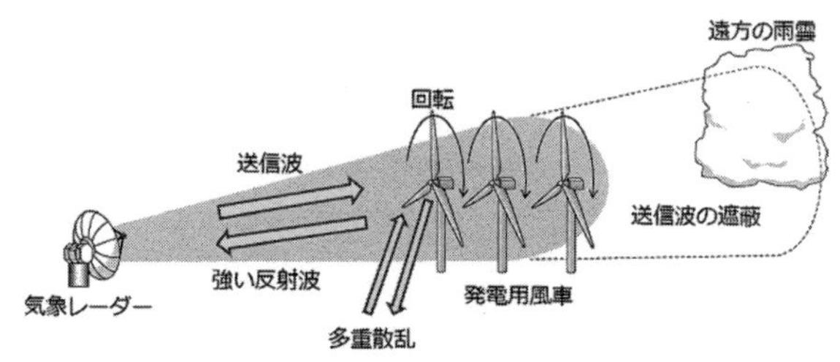

図2－14　気象レーダーへの影響

気象庁ホームページ

⑥工事中の影響

風力発電設備は大型化しているため、建設現場に向かう道には特殊大型車両をはじめ工事車両が走行し、沿道の生活環境に騒音や振動、排ガスなどの影響とともに、交通安全上の心配も増えます。山間地や海岸沿いの狭い道の場合は特に地域社会への影響は多くなります。山の稜線部に建設される場合は、そこへの作業道や管理道路が造成されることから、工事に伴う土砂崩れ、沢水の汚濁、周囲の生き物への影響など、特に配慮が必要です。

(6) 災 害 対 策

大規模な風力発電所の開発と災害のリスクには2つの面があります。

①発電所が自然災害により破損したり故障したりすること

②開発により自然災害に伴う被害を増幅させる可能性があること

①については、地震で発電設備や送電設備が損壊したり、地盤沈下や液状化、津波・洪水・高潮、土砂崩れなどで損壊したり、落雷や大雪による故障や事故などが考えられます。(1) で指摘したように、それらが従業員や近隣住民に被害をもたらす可能性への配慮も必要です。

②については、断層斜面上の稜線部などを開発して、地盤の脆弱性を高めてしまう可能性があります。

(7) 廃 棄 物 問 題

風力発電設備のタワー（柱）やブレード（羽根）は、高強度の FRP（繊維強化プラスチック）で製造されているためリサイクルは難しく、体積も大きいため埋立処分場を圧迫する可能性があります。リユースやリサイクルの取り組みが広がっている太陽光発電の廃棄処理に比べても深刻な状況です。

風力発電所の環境影響なども、規模や立地、事業者の姿勢などによりさまざまな現れ方をするので、地元の住民の監視が重要です。

現在、開発の動向は「陸上から洋上へ」の流れにあって、政策も開発関係者も環境 NGO などの関心も高まっています。第6章で紹介するように洋上風力の環境影響は「わからないこと」がたくさんあります。それだけに、陸上風力で起きている問題をしっかり調べて、教訓を発信していくことが求められています。

2. 風の半島TANGO丹後半島の野山を守る会など（京都府）

(1) 地域のようす

丹後は、京都府の北部、日本海に面し、京丹後市と宮津市、与謝野町、伊根町を範囲とする地域をいいます。かつては、大陸との海の玄関口として、古代の文化が色濃く残っています。神話の世界では、磯砂山（いさなごさん、標高661m）は日本最古の羽衣伝説の発祥地とされています。その麓の「月の輪田」（京丹後市峰山町）は豊受大神が天照大御神のために日本で初めて稲作を始めたと伝えられている場所です。丹後半島には山陰海岸国立公園や丹後天橋立大江山国定公園の指定があり、日本海側はジオパークに認定され、日本三景「天橋立」もあって、自然環境や景観に恵まれたところです。

総合保養地域整備法（リゾート法、1987年制定）に基づいて「丹後リゾート構想」が全国15番目に国の承認を受け（1989年）、さまざまな開発計画が打ち出され、いくつかは着手されました。しかし、バブル崩壊後、急速にしぼみ、実質上破たんしています。このようにリゾート開発やゴルフ場開発が破たんしたところで再生可能エネルギー開発が進められる傾向があります。

東側からみた磯砂山山系

傘木撮影

1927年3月7日、北丹後地震が発生し、死者2,925人・負傷者7,806人という大災害となりました。別名「峰山地震」とも言われ、丹後ちりめんで知られる旧峰山町内では家屋の97%が焼失し、人口に対する死亡率は22%に達しました。本件の大規模風力発電所は、この地震を引き起こした山田断層帯の断層斜面上に建設しようとするものです。

(2) 開発事業の概要と経緯（表2－5）

丹後地域では、以下の3つの事業計画の環境アセス手続きが進められました（図2－15）。これらの他、地元不同意や自主アセスの結果断念された計画もありました。

①丹後半島第一風力（12基、最大51,600kW、風車高さ約180m）

②丹後半島第二風力（15基、最大64,500kW、風車高さ約180m）

③京丹後市磯砂山風力発電（14基、最大58,800kW、風車高さ約160m）

④太鼓山ウィンドファーム（3～4基、最大7,490KW、風車高さ約160m）

①と②は、連続する山地での開発で同一の事業者によるもので、環境アセス法の配慮書手続きを2022年内に終えていますが、2024年1月現在は方法書手続きに進んでいません。

③は別の事業者による開発で、環境アセス法の配慮書手続きは2022年内に終えていますが、2023年8月に事業廃止届を出しています。

④の場所は、京都府企業局が2001年より太鼓山風力発電所（3基、計2,250kW）を稼働させ、2013年の風車落下事故とその後の再開を経て、2014年に事業を終了させた場所です。府は、同地での新たな風力発電事業を公募し、提案者3社の中から外部有識者の検討により株式会社市民風力発電（本社・札幌市）を選定しました。事業規模は当時の環境アセス法の第二種対象（7,500kW）未満なので府環境アセス条例の対象となり、準備書手続きは2020年内に終えていますが、2024年1月現在は評価書が出ていません。

また、「自然エネルギー市民の会」が一寸法師山（標高620m、地図⑤）に「市民風力発電所」を建設する計画もありましたが、住民参加型の自主環境アセスの結果により、実施しないことになりました（コラム⑤）。

表2－5　丹後半島での大規模風力発電開発をめぐる経緯

	開発の動き	住民団体等
2001年	太鼓山風力発電所稼働（750kW×3基）	
2009年	⑤一寸法師山での市民風力発電所の自主アセス（検討の結果、開発断念）	
2013年	太鼓山風力風車落下事故（3月）	
2014年	〃　運転再開	
2018年	④太鼓山ウィンドファーム府条例アセス配慮書縦覧・意見募集（8月）	④配慮書への意見0件
2019年	④方法書縦覧・意見募集（1月）	④方法書への意見0件
2020年	④準備書縦覧・意見募集（8月）	④準備書への意見0件
2021年	太鼓山風力発電所運転終了	
	3カ所の大規模開発計画浮上（5月） ①丹後半島第一と②第二の法アセス配慮書縦覧・意見募集（12月）	区長会から議会への要望 風の半島TANGO結成（7月） チラシ全戸配布、賛同者募集 丹後の自然と暮らしを守る会発足（11月） 「私たちと市議の集い」（12月）
2022年	京丹後市長「中止を含めた見直し」意見を府知事に提出（1月） ①②京都府知事意見、環境大臣意見、経産大臣意見（2月、3月） ③磯砂山風力の配慮書縦覧・意見募集（3月） ③知事・環境大臣・経産大臣意見（5月） ①②③年度内のFIT申請見送り（7月）	市長に署名1,303筆提出（1月） 府知事に署名2,001筆提出（1月） 日本野鳥の会京都支部意見表明（2月） 市民アセスツアー（2月） 両大臣に署名2,289筆提出（2月） 各事業者に署名2,482筆提出（3月） 鈴木氏（山梨大）による地質調査と「減災と増災」講演会（5月） ローカルヴィレッジミーティング（11月）
2023年	③事業廃止届（8月） ①②事業者「売却が基本方針」（8月）	全国再エネ問題連絡会で報告（7月）

報道資料、住民団体資料などにより傘木作成

(3) 住民団体の取り組み（表2－6）

3つの発電所に関する地元への接触は2021年5月頃から始まりました。し

図2－15　丹後地域の風力発電所計画

室谷他「1927年北丹後地震の写真資料」（2017年11月、国立科学博物館）の掲載地図の上に傘木加筆

表2－6　丹後における住民団体の取り組みの特徴

学習・調査 （住民アセス）	・災害リスクに絞り込んで専門家の調査や講演会などを実施 ・現地を調べて意見する「市民アセスツアー」 ・配慮書への意見提出の呼びかけ
関係機関 働きかけ	・国・府・市への要請活動、署名運動、審議会の傍聴と傍聴記録の発信 ・事業者への要請活動
交流・発信	・２つの市民グループのゆるやかな連携 ・地元自治会（区）に対する学習会参加などのよびかけ ・全戸配布チラシや講演会、シンポジウムなどの開催 ・全国的な交流への参加、発信

傘木作成

かし、当初は住民全体への説明はなく、ある事業者は自治会役員会との話し合いの中で「計画については口外しないで欲しい」と要望したと言われています。このような事業者の姿勢に住民の不安が噴出し、区長会でも議論となり、市に対して事業者の説明を求めるように要請しました。

こうした動きを受けて、京丹後市は「美しいふるさとづくり審議会」において専門家も交えて市独自で風力発電に対する審議を始めました。

住民有志は、住民にこの問題を知らせるために、「風の半島TANGO丹後半島の野山を守る会」を結成し（同７月）、チラシを全戸配布し、反対声明へ

表2－7　環境アセスメント学会での浦島清一さんの発言より

浦島清一さん（風の半島TANGO）の環境アセスメント学会第21回大会の特別集会「市民活動の立場から考えるこれからのアセスメント」（2022年9月）での発言。  　山の尾根に設置するにもかかわらず、それぞれの山に対する認識が極めてお粗末である。地形・地質はいうに及ばず、歴史的価値や住民生活との関わりなどについても理解をしてない。説明会等で住民から質問が出ると、「これから取り組みます」「すべて準備書作成までに現地を見てから」というありさまで、中には現地にほとんど訪れず、計画が作成されていることもある。 　文献調査でも、環境省が例示してあるものを超えて調査されていることはほとんどなく、地域で作成された現地での文献資料等には全くといっていいほどあたっていない。地域の人々が祈りの対象としてきた山に対して全く畏敬の念も持たず、「道路を作れば林業に活用できる」などという実態・実感を伴わない理由をつける姿勢には怒りさえ覚える。農業関係者からは体験的に「水の流れが変わる」と指摘しているが、その疑問に対しては明確な回答はない。

『環境アセスメント学会2022年度第21回大会要旨集』p176-177

の賛同者を募るなどの運動を展開しました。また、インターネット上でのつながりで「丹後の自然と暮らしを守る会」が発足し（同11月）、オンライン署名や学習会などを進めています。2つのグループは連携して、京都府議会や域内市町議会へ「住民の代表として調査研究し、その内容を市民に知らせる」ことを旨とする請願や議員との対話集会などを行っています。前者は調査活動（市民アセスツアーや地質調査など）を、後者はインターネットを使った幅広い発信・交流を、それぞれに担っています。

住民団体は、大規模開発を行う事業者における地域への姿勢を問題視しています（表2－7）。実際、③磯砂山風力発電所の配慮書では、北丹後地震を引き起こした断層斜面上での開発であるにもかかわらず、大震災について言及していません。同配慮書への意見を提出し、こうした地域の重大な歴史を顧みない姿勢は「配慮」に値しないと断じました。

住民団体は、地元出身の防災関係の専門家を招いて、現地調査を行うとともに、講演会「減災と増災」を開催しました（2022年5月）。講師の鈴木猛康さん（山梨大学名誉教授）は「山の風化を加速させて奥山を崩壊させ、麓に土石流災害を発生させることになると確信した」と結論付けました（風の半島

アベサンショウウオ生息地にて、案内の浦島清一さん（右）と安田潤さん（左）、中央は保存会の方

アベサンショウウオ（左）と卵（右）

傘木撮影

TANGO『アワー TANGO』2023年春、p61）。

学びの活動は反響を呼び、京丹後市内9区長が連名で市に対し土木の専門家を審議会に入れるよう要望しました。ある区長は「この地が土木工学専門家を生んでいたのは運命だったかもしれない」と記しています（同上 p57）。

また、③磯砂山風力の開発地域は、京都府指定天然記念物アベサンショウウオなどの生息地の水源地にあたり、地元の自然保護活動を担う人たちも声を上げて、観察活動の受け入れを進めています。

こうした活動を反映して、③磯砂山風力の配慮書に対して、京都府知事は

「調査が十分ではない」と意見し、環境大臣と経済産業大臣も危険個所の改変を回避するよう意見しました。

(4) 今後の課題

③磯砂山風力は、採算性が見込めないことを理由に、事業からの撤退を表明しました。他の計画も、最近の急速な円安や資材費高騰などにより、すぐに事業化することが困難な状況が伺えます。あわせて、国や自治体を巻き込んだ地域社会からの強い指摘は事業者にとって高いハードルとなり、それに対応していくこともまた採算性に影響を与えているものと考えられます。

しかし、カーボンニュートラルに向けて風力発電開発は大きな流れの中にあり、今後の経済状況によっては一気に開発が加速する可能性もあります。

丹後地域にいくつもの風力発電開発を呼び込んだ背景には、地元説明会での事業者の資料によると、環境省EDAS（環境アセスメントデータベース）を根拠に、風況が良く、環境影響も比較的少ないと説明しています。そうした一般的なデータで立地判断したことが地域社会の反発を招きました。「配慮書段階でこそ地域の分析が必要」（浦島氏、同前）です。

住民団体の関係者、今後の動向を注視しつつ、調査や学習を重ねていくとして、この間の活動についての記録誌『アワーTANGO歴史・自然・暮らしと大型風力開発』（全82頁）を刊行し、活動の検証に役立てています。

3. まつさか香肌峡環境対策委員会（三重県）

(1) 地域のようす

香肌峡は三重県松阪市西部を流れる櫛田川沿いの峡谷で、起伏に富んだ岩肌やエメラルドグリーンの清流で知られています。奈良県に通じる国道166号は和歌山街道と呼ばれ、江戸時代に紀州藩の本城と東の領地松阪城を結ぶとともに、伊勢参宮や熊野詣、吉野詣の巡礼道として紀伊半島を東西に横断する重要なルートでした。開発地は、平成大合併により松阪市に編入となった旧飯高町内で、映画監督・小津安二郎が代用教員を務めながら青春期を過ごしたことから、2023年12月には生誕120周年記念式典が同地で開催されました。その当時は「神楽座」という小屋があり、ここで映画を観たことが生涯を決定づけたと言われています。この地の山間部において三重松阪蓮ウィンドファームが計画されています（図2－16）

三重県内は早くから風力発電開発が進められています（表2－8)。

伊勢湾側の津市と内陸の伊賀市の間にある青山高原は「関西の軽井沢」ともいわれる景勝地です。ここに2003年から稼働している青山高原風力発電所は現在リプレース（取り替え）が計画されていて、総出力15,000kWは同じで

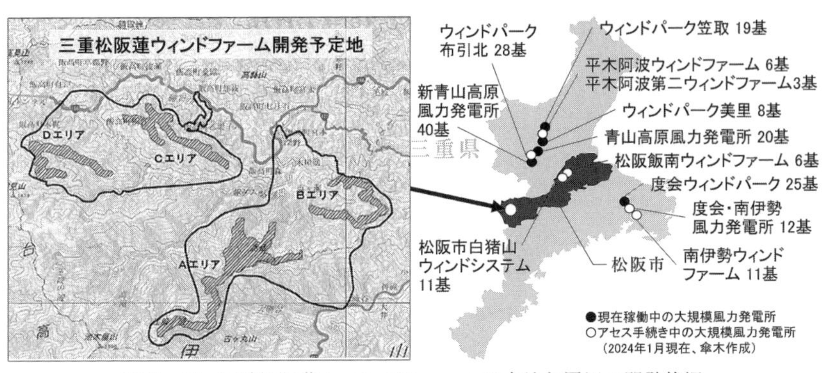

図2－16　三重松阪蓮ウィンドファーム予定地と周辺の開発状況

表2－8　三重県内の主な大規模風力発電所（稼働中及び計画段階）

区分	名称	稼働年	基数	総出力 kW	備考
稼働中	青山高原風力発電所	2003	20	15,000	リプレース計画が進行中
	ウィンドパーク美里	2006	8	16,000	
	ウィンドパーク笠取	2010	19	38,000	
	新青山高原風力発電所	2016	40	80,000	
	度会ウィンドパーク	2017	25	50,000	
	小　計		112	199,000	
アセス手続中	ウインドパーク布引北	—	28	64,000	評価書（2021年）
	度会・南伊勢風力発電所	—	12	51,600	評価書（2020年）
	青山高原風力発電所増設	—	7	15,000	準備書（2022年）
	平木阿波ウィンドファーム	—	6	25,200	準備書（2022年）
	平木阿波第二　〃	—	3	12,600	準備書（2022年）
	松阪飯南ウィンドファーム	—	8	25,200	準備書（2018年）
	松阪白猪山ウィンドシステム	—	11	22,000	準備書（2009年）
	南伊勢ウィンドファーム	—	11	35,200	配慮書（2020年）
	三重松阪蓮ウィンドファーム	—	60	251,000	配慮書（2021年）
	三重布引風力発電	—	—	—	方法書→廃止（2018年）
	小　計		146	501,800	
合　計			258	700,800	

環境省環境影響評価情報支援ネットワーク事例情報等より傘木作成

すが、一基あたりの大型化により20基から7基にするものです。

現在、青山高原周辺をはじめ、伊勢志摩や松阪市での開発が次々に計画されています。松阪市域での計画は、本項で取り上げる三重松阪蓮ウィンドファームの他に2つの大規模風力発電所計画があって、環境アセス法の手続きが行われていますが、2つとも準備書の手続きで止まっている状況です。

また、青山高原の一帯では、三重布引風力発電所（15基、67,500kW）は方法書段階で事業廃止となり、他の計画（4基7,490kW、環境アセス法対象外）は

青山高原

傘木撮影

自主アセスで騒音等が問題となって2基の建設途中で事業を取りやめて撤去することとなりました。

このように、早くから風力発電開発の動きがあるものの、最近になって地域社会からの反発が各地で見られる状況にあります。

(2) 開発事業の概要と経緯（表2－9）

・名称：三重松阪蓮ウィンドファーム
・場所：三重県松阪市と大台町にまたがる山地の尾根部（図2－16）
・規模：事業面積7,400ha、発電機60基、総出力251,000kW

本事業は、三重県内で運用中及び計画中の風力発電（表2－8）の中でも際立って大規模です。現在、国内の陸上型風力発電で最も規模が大きいのは38基121,600kWのウィンドファームつがる（青森県つがる市）なので、開発されるとすれば国内最大規模となります。

本事業は2021年7月に、地域社会にとっては前触れもなく、環境アセス法に基づく配慮書の縦覧・意見募集が始まりました。

これに対して、大台町は翌8月には「不同意」の意見を県知事に提出し、県知事も「計画中止又は抜本的な見直し」を求める意見を事業者に送付し、環

表2－9　三重松阪蓮ウィンドファームをめぐる経緯

	開発の動き	住民団体等
2021年	配慮書の縦覧・意見募集（7月） 大台町長が不賛同意見を知事に提出（8月） 知事「計画中止又は抜本的な見直し」を求める意見を事業者に送付（9月）	4住民自治協より説明会開催要望（8月） 日本自然保護協会が中止求める意見（8月） 住民団体「みんなの飯高」が配慮書への意見737通の9割が反対であると発表（9月）
	環境大臣・経産大臣「事業の取りやめも含めた事業計画の抜本的な見直し」を求める意見書（10月） 事業者地元説明会（4回、11月）	住民団体「みんなの大台」反対署名4,408筆を大台町に提出（11月） 飯高3住民自治協が市と議会に反対の要望書を提出（11月） 飯高3住民自治協の付託を受けて「まつさか香肌峡環境対策委員会」発足（11月） 大台町議会が反対意見を全会一致（12月）
2022年	事業者、任意団体を理由に質問状への回答拒否（3月） 98項目質問状への回答（8月）	対策委員会より事業者に98項目の質問状（2月） 3住民自治協が対策協議会を下部組織とする決議をそれぞれ行う（5月）
	市議会で請願採択（10月）	対策委員会、反対署名36,675筆を知事と市長に提出（5月） 市議会に反対請願提出（6月） 対策委員会及び3住民自治協より事業者への不同意の通知送付（12月）
2023年	事業者、住民自治協に対して「個別に説明に伺いたい」と申入れ（5月）	講演会「まつさか香肌峡のすばらしい自然を未来に」（2月） 対策委員会より事業者に「連絡窓口の再通知」を送付（5月）

まつさか香肌峡環境対策委員会提供資料などにより傘木作成

境大臣や経済産業大臣からの「事業の取りやめも含めた事業計画の抜本的な見直し」を求める意見（10月）につながっています。

配慮書段階では説明会の開催は義務付けられていません（任意で実施する風力発電事業の事例は少なくない）。そのため、地元からの要望により、事業者が地元説明会を開催したのは11月になってからでした（4回）。

2023年末現在、方法書手続きには進んでいませんが、事業者が住民に対して個別に説明に入る動きもあり、住民団体は警戒を強めています。

(3) 住民団体の取り組み（表2－10）

事業者は前触れもなく配慮書の縦覧・意見募集を始めたため、住民自治組織は説明会の開催を求めました。有志の団体は勉強会で風力発電開発のリスクへの認識を深め、日本自然保護協会などの環境団体による調査や配慮書に対する住民意見を組織しつつ、反対署名を集め、自治体に適切な対応を求めました。こうした動きが行政の厳しい対応を引き出しています。

特筆すべきは、平成大合併後に組織された住民自治協議会が、それぞれに活動していた有志団体等と連携しながら、「まつさか環境対策委員会」に付託して、本件の活動を推進していることです。

対策委員会の成岡篤史さんは京都大学を卒業後、企業での海外駐在生活を各地で経験する中で、「川の近く、生きものの近くで暮らしたい」と思うようになり、松阪市に移住しました。自然環境を活かして烏骨鶏などの養鶏をしつつ、古民家を利用したゲストハウスを運営しています。そうした中での突然の大規模風力発電の開発計画で、有志とともに活動を立ち上げました。住民自治組織の付託を受けた形での活動となっているのには、成岡さんの人あたりの良さ、地域に根ざした活動の姿、高い事務能力によるものと、お会いして感じました。

対策委員会は事業者に対して98項目の質問状を提出しましたが（2022年2

表2－10　まつさか香肌峡環境対策委員会の取り組みの特徴

住民自治	・自治組織における位置づけを明確にして、発言力を高めている ・自治組織とさまざまな住民団体等との連携を可能にしている
関係機関 働きかけ	・国・県・市町への要請活動、署名運動、議会への請願 ・事業者への要請、質問
交流・発信	・全戸配布チラシや講演会、シンポジウムなどの開催 ・環境NGOによる視察や意見書の働きかけ

傘木作成

月)、事業者は任意団体であることを理由に質問への回答を拒否しました。これを受けて、住民自治協議会は、対策委員会がそれぞれにとっての下部組織であることを決議し（同5月)、対策委員会が住民を代表する組織であることを確固としたものにしました。

こうした地元での動きに対して、事業者は「個別に説明に伺いたい」と申入れて切り崩しを図ってきましたが、対策委員会は「連絡窓口の再通知」を送付しました（2023年5月)。

対策委員会は、大台町に比べて若干あいまいな松阪市の姿勢をはっきりさせるために、市長宛に36,675筆の署名を提出するとともに、市議会に請願を行いました（2022年6月)。

これを受けて市議会は、議会内に多様な意見があることを踏まえて、事業者（参考人）と地域住民（請願者)、学識経験者（参考人）を招致して質疑した上で、議員間討議による採決の結果、請願を採択しました。山本芳敬議長は「地域住民の民意が当たり前に認められる松阪市議会であってほしい」という議員の発言を引用しつつ、「そのような市議会であって良かった」とふりかっています（自治体問題研究所『住民と自治』2023年6月号「三重県・松阪市「大型風力発電所建設計画」に対する市議会での真剣討論」より)。

こうした市議会の真剣討論を引き出したのも、地域を代表する意見が強力に形成されていたことにあったのではないでしょうか。

(4) 今後の課題

松阪市内から開発地に向かう峡谷に沿った国道や県道は狭い区間が多く、「こんな道で資材を運べるのだろうか」という疑問がわきます。さらに稜線部に向かう林道はいたるところで崩れ、「生きて帰れるのかなあ…」と思わず口にしてしまう悪路です。切り立った山々には中央構造線の露頭もあり、歩くとガラガラと崩れていきます（写真)。大規模な開発を行う場所としては不適切で、事業の採算性からみても難点の多いことが実感できます。そういう場所での開発なので、いっそう大規模にして初期投資や運営コストが回収できるようにしようとしているのかもしれません。

香肌峡奥部の開発予定地の稜線を眺める

Dエリア稜線部の地層を案内する成岡委員長

その上、地元の住民自治組織は確固とした反対の姿勢であり、自治体も住民の意向を尊重して対応し、国（環境省・経済産業省）も「事業の取りやめも含めた事業計画の抜本的な見直し」を意見する状況です。

客観的にみて、この事業は成立しえないのではないかと思います。

しかし、事業者は住民の説得をあきらめていません。いくつもの高いハードルをあえて超えようとするだけの誘引が大規模風力発電開発にはあり、それを支えているのが国の政策であり、金融業界による「環境融資」と言われるものです。本件の事業者も「本邦初のグリーンIPO」を標榜して株式を市場に新規公開しています。「再生可能エネルギー＝環境に良い」という短絡的な見方を政策や金融の分野から一掃し、事案に即して、地域での状況を踏まえながら判断し、評価されるシステムが構築されていく必要があります。

今、再生可能エネルギー開発の大きな波が各地を巻き込んでいます。とりわけ、中山間地では、山や田畑などの土地を持て余しているいわゆる「旧住民」と、景観や自然環境の魅力で移住してきた「新住民」との間で認識のすれ違いが生じることが少なくありません。かつてのリゾート開発やゴルフ場開発も同じような構造を抱え、地域社会に複雑な傷を残してきました。持続可能な社会に向けて、日本が抱える最も大きな問題は、農山漁村がそれとして生きていける基盤が破壊され続けてきたことではないでしょうか。

そうした中で、香肌峡では、大きな開発の波に巻き込まれましたが、住民が協力しあうことでこれをくい止める力を発揮させています。この体験が、成岡さんのような「川の近く、生きものの近くで暮らしたい」という願いに力を与え、地域づくりのエネルギーとなっていくのではないでしょうか。

地域開発をめぐる住民運動では代替案「反対というなら、じゃあ地域をどうやって支えていくんだ」が問われることが少なくありません。代替案（オルターナティブ）は地域の中からこそつくられてくるものです。このたびの大規模風力発電開発とともにたたかう経験の中で、持続可能な地域社会に向けた連帯がいっそう大きく育つことを願うものです。

コラム⑤　自主アセスでとりやめた市民風車

自然エネルギー市民の会（以下、市民の会と略す）は、2004年7月に設立され、各地で市民太陽光発電所や市民風力発電所などを実現させてきました。市民の会の取り組みは、たんなる出資参加ではなく、計画の準備段階から建設後の運営に至るまで、地域住民の参加を重視している点にあります。

京都府丹後半島の一寸法師山での風力発電計画は、2006年から風況調査や採算性を確認して始まったものです。風力発電所が環境アセス法の対象となる前年の2008年6月より、自主環境アセスを実施しました。

評価委員会の人選は、地元NPOなどの意見を参考に、地域の歴史や文化、自然環境に造詣の深い住民や行政経験者など5名とアセスメントの専門家を加えた6名で構成し、運営は地元NPOに委託しています。委員会からは、簡易水道と希少生物種のナツエビネへの影響が懸念されるため、条件が整わないのであれば設置場所の移動などの代替案を検討することが勧告されました。これを受けて、市民の会では、ナツエビネについては移植等の措置も考えられるものの、簡易水道への影響が出ないようにするのは採算面を含めきわめて困難であるとの結論から、市民風車設置を断念しました。

市民の会は、環境アセスの実施に当たり、以下の4カ条を示しました。

①「風力エネルギーは地域の共有財産」という視点を基本に、住民が計画の作成・決定に主体的に関わるプロセスである。

②地域の自然環境や歴史文化的背景を明らかにし、その意義や価値を再評価し共通認識とする。

③保全すべき自然や文化を明らかにし、計画の中止・変更を含めてその対策を明らかにする。

④設置前の自然環境と設置後の変化を比較することで、風力発電の自然環境に与える影響についての意見を蓄積する。

本来のアセスメントのあり方を明示したものであり、それを実践した事例として広く知られてほしいと思います。

※参考文献：自然エネルギー市民の会（大崎義治他）、市民風力発電設置に向けた「自然エネルギー市民の会」の取り組み、（一社）『風力エネルギー』2010年34巻1号、特集「市民風車と風車でまちおこし」p19-26

第6章　洋上風力発電

洋上風力発電は、再生可能エネルギー分野の中でも、今もっとも開発圧力が高まっています。国会議員が受託収賄の疑いで逮捕（2023年9月）された事件は象徴的で、政財界の力の入れ方がうかがえます。しかし、洋上風力の開発に伴う環境影響については「まだわかっていないことがたくさんある」ということにつきます。そういう中へ地域社会が巻き込まれています。

1. 開発と環境影響の傾向（図2－17）

(1) 離 岸 距 離

2014年、私は福島県楢葉町の天神崎公園から日本で初めての浮体式風力発電の実証実験設備を見学しました。「福島復興・浮体式洋上ウィンドファーム実証研究事業」の第1期として、沖合18kmの位置に、高さ122m、2,000kW

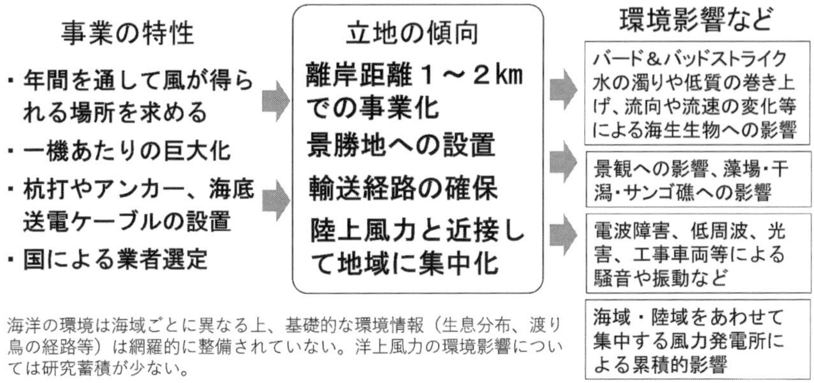

事業の特性
・年間を通して風が得られる場所を求める
・一機あたりの巨大化
・杭打やアンカー、海底送電ケーブルの設置
・国による業者選定

立地の傾向
離岸距離１～２kmでの事業化
景勝地への設置
輸送経路の確保
陸上風力と近接して地域に集中化

環境影響など
バード＆バッドストライク
水の濁りや低質の巻き上げ、流向や流速の変化等による海生生物への影響
景観への影響、藻場・干潟・サンゴ礁への影響
電波障害、低周波、光害、工事車両等による騒音や振動など
海域・陸域をあわせて集中する風力発電所による累積的影響

海洋の環境は海域ごとに異なる上、基礎的な環境情報（生息分布、渡り鳥の経路等）は網羅的に整備されていない。洋上風力の環境影響については研究蓄積が少ない。

図2－17　洋上風力発電の開発と環境影響の傾向

傘木作成

表2－11　着床式洋上風力計画での最短離岸距離等※1

		道県	事業名称（略称）	離岸距離	高さ	基数	総出力
評価書	1	北海道	石狩湾新港	1.6km	190m	14基	112.0MW
	2	青森県	むつ小川原港	0.45km	121m	40基	80.0MW
	3	茨城県	鹿島港	※2	250m	19基	159.6MW
	4	山口県	安岡沖	1.5km	155m	15基	60.0MW
	5	福岡県	北九州響灘	※3	200m	25基	220.0MW
	6	長崎県	五島市沖※4	1.0km	84m	9基	22.0MW
方法書	7	青森県	青森県つがる市・鰺ヶ沢町沖	0.5km	260m	63基	600MW
	8	秋田県	男鹿市、潟上市及び秋田市沖	1.5km	270m	21基	315MW
	9	秋田県	秋田中央海域※5	1.5km	265m	42基	400MW
	10	秋田県	秋田県由利本荘市沖	2.0km	250m	65基	910MW
	11	秋田県	八峰町及び能代市沖	2.2km	270m	26基	390MW
	12	山形県	遊佐	1.0km	300m	52基	450MW
	13	新潟県	村上市・胎内市沖	5.0km	187m	50基	700MW
	14	千葉県	千葉県銚子沖	0.88km	250m	31基	434MW
	15	佐賀県	唐津洋上風力	1.5km	270m	43基	408.5MW
	16	長崎県	西海江島洋上風力発電事業	不明	不明	24基	299MW

※1：最短離岸距離は数字の記載のないものは図面から推測した。高さ・基数・出力は最大値。環境アセス図書の縦覧後の公開に応じていない計画（4と8以外）についてはWEB検索で調べたため正確でない可能性がある。方法書のやり直しなど手続きが重複している事業やエリアがあるため全件ではない。
※2：外港地区の岸壁に整備。
※3：港湾区域内に整備。
※4：評価書について縦覧後の公開に応じているのは五島市沖のみ。
※5：方法書について縦覧後の公開に応じているのは秋田中央のみ。7と同じ海域。
計画の熟度を考慮して環境アセス手続きの評価書・準備書・方法書段階の計画より傘木作成

を発電するものです（2013年11月稼働）。晴れの日でしたが海上の霞で視認が難しいくらいでした。その後、実証実験事業は3基に増えました。

同時期に、日本初の着床式洋上風力発電の実証実験として、千葉県銚子沖3.1kmに高さ126m、出力2,400kWの風車（1基）が設置されました。

正直なところ「この程度なら、鳥や海洋生物はともかく景観や生活環境へ

表2－12　各国における洋上風力の離岸距離※1

国※2	離岸距離
英国	12海里（22.2km）以上※3
ドイツ	12海里（22.2km以上）
中国	10km以上
デンマーク	12.5km以上
オランダ	12海里（22.2km）以上

※1：表中の離岸距離を下回る場所において例外的に立地が認められた事例も一部存在する。
※2：2018年時点の洋上風力が設置された設備容量順。
※3：英国の最初期Round1（2001年）では試験的事業の位置づけで離岸距離の設定はなかった。Round2（2003年）の離岸距離は8～13km以上であった。
電力中央研究所研究資料NO.Y195021「再エネ海域利用法を考慮した洋上風力発電の利用対象海域に関する考察（2019年11月）p18を参考に傘木作成

の影響は問題にならないだろう」と私は思っていました。福島の実証実験終了後の環境影響評価報告書（2021年10月）を読んでも、生き物や漁業への影響はいずれも軽微か一時的なものとして、魚類については「新たな生息環境ができて多様な種が生育可能になったと考えられる」など記載されていました。そのような認識で前著では洋上風力について短く一般的に指摘されている課題を記述しただけでした。

しかし、その後の大型化・大規模化は想像を超える急展開でした。

実際に進められている洋上風力発電所の計画では、最短の離岸距離は1～2kmで、最も離れているものでも5km、直近の住宅から0.5kmというものもあります（表2－11)。岸から離れれば離れるほど海底は深くなり、風車建設だけではなく送電設備を含め経費はかさむので、事業者側としてはなるべく岸に近いところで設置したいというのが本音だと思います。

洋上風力で先行する諸外国における離岸距離の原則は（表2－12)、短くて

10km以上（中国）、欧州では22.2kmが主流です。このような国外の状況との違いについて、日本の場合は浅瀬が少ないためこのような離岸距離とならざるをえないと説明されています。例えば、英国・オランダ・ドイツ・デンマークが面する北海南部（日本海の約3分の1程度の面積）の平均水深は約38mで100km沖まで着床型の建設が可能です。それに対して、列島である日本の場合、離岸距離4〜6kmで着床型の適用限界とされる水深60mを超えてしまうので、国の「促進区域」は海岸沿いの狭い範囲とならざるをえません。つまり、着床型の大型風力は日本には適さないのです。

(2) 大型化と大規模化

こうした中で、高さ280mという巨大なものが、狭い幅の中に、二重三重に並ぶような開発が各地で進められようとしています。

それに伴い、景観問題や騒音などの問題が沿岸地域に及ぶ可能性が大きくなります。海辺の景観が売り物である観光施設には大きな影響があります。太陽の位置によってはシャドーフリッカーも考えられます。一般的には、垂直見込角（評価する地点から見た風車の下端から上端までの仰角の差）が5〜6°になると景観への影響が大きくなり、10〜12°では圧迫感を受けると言われています（図2−18）。見込角は距離と高さにより決まるので、離岸距離が短く大型化したら、景観などへの影響が大きくなるのは当然です。

大型化で工事期における工事車両の往来は沿道環境にも影響を与えます。特に、支柱やブレードはジャンボジェット機のような大きさがあります。道路を使った鉄道車両の運搬のように早朝や深夜に通行制限をして、大がかりに実施されることでしょう。沿道に、住宅街や収容型の福祉施設、観光客向けの宿泊施設などがある場合は、十分な配慮が必要となります。

(3) 景勝地への立地

遠浅な海辺は、小さな島が点在したり（西海国立公園や玄海国定公園など）、眺望が広がっていたり（男鹿国定公園や鳥海国定公園など）して、景勝地が多いものです。海岸沿いの陸上風力発電所は、海を眺める上では、背後になる

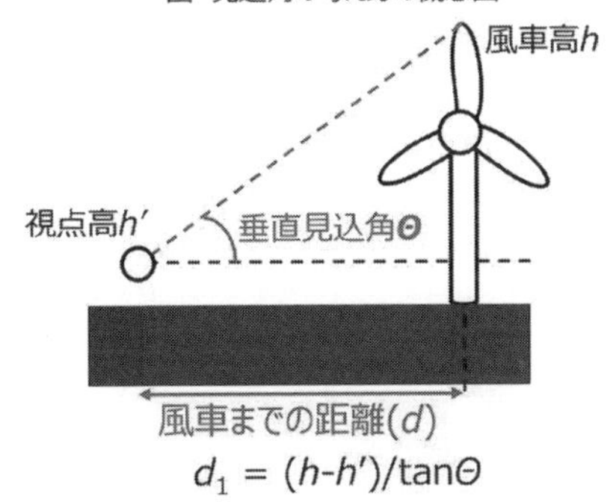

表　環境省ガイドラインにおける
垂直見込角と眺望への支障の関係[21]

見込角	見え方(高さ70mの鉄塔の場合)
20	見上げるような仰角にあり、圧迫感も強くなる。
10-12	眼いっぱいに大きくなり、圧迫感を受けるようになる。平坦なところでは垂直方向の景観要素としては際立った存在になり周囲の景観とは調和しえない。(**鳴門市の基準**)
5-6	やや大きく見え、景観的にも大きな影響がある。架線もよく見えるようになる。圧迫感はあまり受けない。
3	比較的細部までよく見えるようになり、気になる。圧迫感は受けない。
1.5-2	シルエットになっている場合にはよく見え、場合によっては景観的に気になりだす。シルエットにならず、さらに環境融和塗色がされている場合には、ほとんど気にならない。光線の下限によっては見えないこともある。
1	十分見えるけれど、景観的にはほとんど気にならない。ガスがかかって見えにくい。(風力発電施設が主眺望方向に介在する場合、1-2°で「眺望への支障の可能性あり」)
0.5	輪郭がやっとわかる。季節と時間（夏の午後）の条件は悪く、ガスのせいもある。(**西海市・新上五島町の基準**)

＊ 本表はUHV送電特別委員会環境部会立地分科会「景観対策ガイドライン（案）」よりの引用。本表は鉄塔を基準としたものであり、大規模なウィンドファームを想定した場合には、より厳しくなる場合が想定される。

図２－18　垂直見込角と眺望への支障の関係
電気事業連合会資料

ため視界に入らないこともあります。しかし、離岸距離 1～2km に立ち並ぶ大型風車は視界の左右に入り込みます。こうした状況を海とのかかわりを大切にしてきた日本人の感性は受け入れられるのでしょうか。それとも、「持続可能な社会に向けた景観」として定着しうるのでしょうか。

(4) 海洋生態系への影響

沿岸域は、海洋に占める割合は10% 程度ですが、太陽の恵みと陸域からの栄養分が注ぎ込むので、全海洋生物の過半数を育む場です。

日本近海には、世界に生息する127種の海棲哺乳類のうち50種、同じく約300種といわれる海鳥のうち122種、同じく約15,000種の海水魚のうち約25% にあたる約3,700種が生息・生育するとされています。また、日本の排他的経済水域までの管轄権内での調査によると、確認できた種だけで約34,000種にのぼり、全世界既知数の約23万種の約15% にあたります。このうち日本の固有種は約1,900種確認されています。それでも、日本近海には調べられていない種が多く存在すると言われています。離岸距離が短いということは、そうした場のかく乱につながります。

一部研究では、洋上風力発電の基礎部分の建設により住処が増え、海底の生物量と多様性の増加がみられたとする見解もありますが、人為的な海底の改変を肯定的に評価していいのか、疑問のあるところです。

特に、工事中の影響は甚大です。SEP船（Self-Elevating Platform：自己昇降式作業台船）は、建設地に4本の脚を海底に着床させ、船体をジャッキアップすることによって海面から浮上させ自立する仕組みです。その際に、海底が軟弱な地盤であったり、ヘドロが堆積したりしている場合は、大量の泥をまきあげることになります。海中生物は移動を余儀なくされます。

これらは、海鳥にとっても、洋上風力の建設により海中生物の生物量や分布が変化することで、餌場を喪失する可能性も考えられます。バードストライクに関しては陸上風力と同様の問題があります。また、陸上を含め大規模な風力発電所群が形成された場合は、これを回避して飛ぶことで余計にエネルギーを必要とすることが国外の研究で知られています。

このように、国外に比べて、離岸距離が極端に短い日本での着床式洋上風力発電の開発が、生活環境や景観、生態系に与える影響は、国外にも知見が少ないため、どのような影響が起きうるのか、今の段階ではわからないこと

がたくさんあります。しかも、洋上風力の開発は、陸上風力の開発が既に進んでいる地域で実施される傾向があります（図２－19）。こうした状況による累積的かつ複合的影響についても未知数です。

実際、中央環境審議会「風力発電事業に係る環境影響評価の在り方について（一次答申）案」（2023年11月）では、「洋上風力発電事業の実施による環境影響に係る科学的知見は十分に蓄積されていないことから、あらかじめ環境影響の予測・評価を十全に実施することが難しく、環境保全措置の効果の不確実性が高い項目もある。」（p8）としています。

さらに、自然災害による影響では、このたびの能登沖地震でも明らかなように、海域活断層の調査が陸域に比べて遅れている状況があり、海域での大規模開発に不安を投げかけています。経済産業省「洋上風力統一的解説」（2018年３月）における「極めて稀に発生する地震動等の作用により、倒壊、崩壊しないものとする。」との記述は、そういう災害は起こりえないとことさらに強調しているように読めます。

現段階は、持続可能な社会に向けて、予防原則（少しでも危ないと思ったらやらない）の政策をとるというのが、高度経済成長期の公害問題や自然破壊からの教訓なのではないでしょうか。

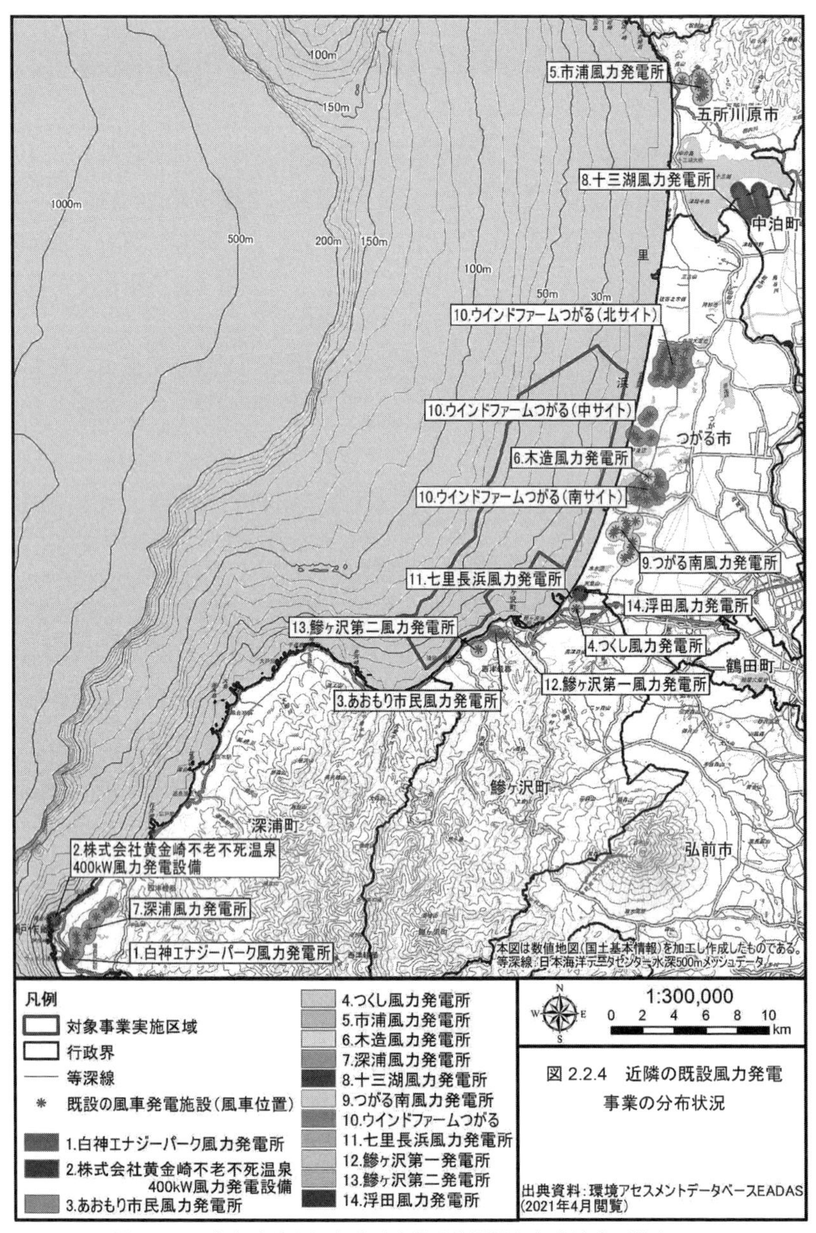

図2－19　青森沖洋上風力発電事業環境影響評価方法書要約書 p13

2. 石狩地域などにおける住民運動（北海道）

(1) 地域のようす

石狩湾は、石狩市（人口約58,000人）や小樽市などが面して日本海へと続き、両端には山地が海岸に迫って海食崖をなしていて海岸線が比較的入り組んでいるため、小樽港やニシン漁で栄えた漁港が多くあります。石狩川河口にはサケの豊漁を祈願する道央圏最古の神社「石狩弁天社」があります。また、約20kmに及ぶカシワの天然林があり、日本最大級の海岸砂丘林で、江戸末期には石狩役所が乱伐を禁止し、保護してきました。これと、石狩湾新港建設に伴い計画的に造成された遮断緑地があり、良好な海浜景観を形成しています。

約200年前の石狩川河口付近を震源とした石狩地震（1834年、旧暦の元旦に発生）は、文献記録が少ないのですが、地面が割れて泥が吹き出し、札幌で震度6を記録したのではないかとの推測もあります。なお、石狩湾周辺の洋上風力計画で、唯一環境アセス図書の縦覧後の持続的な公開に応じている北海道石狩湾沖洋上風力発電所の配慮書には、過去の地震についての記載はありませんでした。

(2) 開発事業の概要と経緯（表2－13、14）

石狩湾周辺では、早くから風力発電の開発が進められてきました。

2001年からFIT制定までの12年間に3事業5基5,700kW（1,140kW/基）が建設され、そのうち2事業3基は市民出資によるものでした。

FIT制定後から12年間には10事業45基208,899kW（4,642kW/基）が建設され、件数・基数・一基当たり出力のいずれも大きくなっています。

現在、洋上風力の環境アセス手続きが進行しているのは、2件を除きすべて配慮書段階で、計15事業1,422基13,846,100kWとなります。日本で一番大きな発電所である柏崎刈羽原子力発電所（7基821万2千kW）と比べても、

表2－13　石狩湾周辺の主な大規模風力発電所（稼働中及び計画段階）

	No.	名称（略称）	稼働年	基数	総出力kW	備考
稼働中	①	厚田風力	2001	2	900	（①2022年12月撤去）
	②	市民風力・石狩発電所	2005	2	3,150	FIT前5基5,700kW（1,140kW/基）
	③	いしかり市民風車	2007	1	1,650	
	④	厚田市民風力	2014	2	4,000	FIT後45基208,899kW（4,642kW/基）
	⑤	石狩新港風力	2018	2	6,600	
	⑥	石狩コミュニティウィンドファーム	2018	7	20,000	
	⑦	銭函風力	2020	10	160,000	
	⑧	石狩望来風力（自主アセス）	2021	2	4,999	
	⑨	石狩放水路風力（自主アセス）	2021	1	1,650	
	⑩	石狩発電所（自主アセス）	2021	1	2,350	
	⑪	ZED石狩発電設備（自主アセス）	2022	1	2,300	
	⑫	石狩湾新港洋上風力	2024	14	112,000	
	⑬	石狩八の沢ウインドファーム	2024	5	21,000	
		（13事案）	小計	50	214,599	（4,292kW/基）
環境アセス手続中	⑭	北海道厚田風力		15	91,500	方法書縦覧2024年 3月
	⑮	北海道石狩湾沖洋上風力※閲覧可		125	1,000,000	配慮書縦覧2019年 8月
	⑯	石狩・厚田洋上風力		140	1,330,000	配慮書縦覧2020年 7月
	⑰	石狩湾洋上風力		200	1,000,000	配慮書縦覧2020年 7月
	⑱	石狩湾沖洋上風力		65	520,000	配慮書縦覧2020年 8月
	⑲	石狩聚富風力		22	66,000	配慮書縦覧2020年 9月
	⑳	石狩湾オフショアウィンドファーム		105	1,000,000	配慮書縦覧2020年11月
	㉑	石狩湾沖洋上風力		80	960,000	配慮書縦覧2020年12月
	㉒	石狩市厚田区聚富望来風力		8	33,600	方法書縦覧2020年12月
	㉓	北海道石狩湾洋上風力		105	1,000,000	配慮書縦覧2021年 2月
	㉔	石狩湾洋上風力		250	3,000,000	配慮書縦覧2022年 3月
	㉕	石狩市沿岸洋上風力		108	1,032,000	配慮書縦覧2022年 4月
	㉖	石狩市沖洋上風力		130	1,785,000	配慮書縦覧2023年 2月
	㉗	北海道石狩市洋上風力		67	1,000,000	配慮書縦覧2023年10月
	㉘	石狩市浜益沖浮体式洋上風力実証		1～2	28,000	配慮書縦覧2023年11月
		（15事案）	小計	1,422	13,846,100	（9,737kW/基）
			合計	1,472	14,060,690	（9,552kW/基）

※縦覧期間終了後の図書の公開を行っている。
環境省環境影響評価情報支援ネットワーク事例情報、WEB等より傘木作成

表2－14　石狩湾における大規模風力発電開発等をめぐる経緯

年	開発の動き	住民団体等
2011	⑦準備書（8月）	
2012	⑤(3月)、⑥⑫方法書（5月）	石狩湾岸の風力発電を考える市民の会発足
2014	④稼働（12月）、⑤準備書（2月）	
2015	⑥準備書（5月）	
2016	⑫準備書（4月）	経産省に新港風力アセス評価書への質問状（9月） シンポ「風力発電による健康被害者の生の声を聴く会」（9月）
2017	石狩市が風力発電ゾーニング導入可能性検討モデル事業に採択（5月）	風車学習会（8回）、デモ行進（8月） シンポ「石狩海岸周辺の大規模風力発電の危険性」（5月） 札幌自由学校「游」講座「このままでいいの？再生可能エネルギーの進め方」開始 国・道・市・市議会・事業者へ要請活動 新港周辺に立地する大型風力事業者と石狩市との協定締結を求める要望書（11月）
2018	⑤稼働（2月） ⑥稼働（12月）	風車学習会（10回）、「游」講座（継続） 見学会・散策会（2回） 講演会「風車産業とどう立ち向かうか」（5月） 国・道・市・市議会・事業者へ要請活動 「協定締結」を市議会への陳情（6月）
2019	⑧準備書、⑨⑩⑪方法書（5月）、⑮配慮書（8月） ※石狩新港 LNG 火力 　1号機 569,000kW	風車学習会（11回）、「游」講座（継続） シンポ「危機に瀕する再生不可能な北海道の価値～風力発電事業は負の遺産となる」（5月） 国・道・市・市議会・事業者へ要請活動
2020	⑦稼働（2月） ⑯配慮書（7月） ⑰配慮書（7月） コロナ理由に説明会中止続く ⑱配慮書（8月） ⑲配慮書（9月） ⑳配慮書（11月） ㉑配慮書（12月） ㉒方法書（12月）	風車学習会（11回）、「游」講座（継続）、要請行動 署名活動決起集会（1月） 署名一次分 2,488 筆提出（8月） 講演会「風車騒音による健康影響」（8月） 講演会「石狩湾の風力発電で札幌でも健康被害が起きる？」（10月） ⑨反対チラシ1万枚（11月）
2021	⑧稼働（1月）⑲配慮書（2月） 石狩市長⑨に係る情報公開の執行停止（2月） 石狩市「促進区域」指定に係る情報提供（3月） ⑨稼働（3月）、⑩稼働（11月） 当別町議会、風力発電建設反対請願等を全会一致で採択	風車学習会（8回）、要請行動 石狩市長との面談（1月） ⑫反対ネット署名開始（2月） 講演会「気候危機対策に伴う熱帯森林と先住民族の喪失～エネルギー問題再考」（3月） みんなで語る会「市民が望む脱炭素社会とは」（5月） 衆議院選挙立候補予定者への公開質問状（10月）
2022	⑪稼働 ㉔配慮書（3月） ㉕配慮書（4月）	風車学習会（8回）、要請行動 講演会「人類の原点からエネルギー問題を問う」（6月） シンポ「私たちの北海道を「再エネ植民地」にさせないために」（11月）
2023	㉖配慮書（2月） ㉗配慮書（10月） ㉘配慮書（11月、浮体式実証実験）	風車学習会（3回）、要請行動 市民の会元代表が石狩市長選挙に立候補（5月） 風車懇談会及びスタンディング（6月）
2024	⑫稼働（1月）、⑬稼働（3月）、⑭方法書（3月）	

※○数字は表2－13による。

報道資料、石狩湾岸の風力発電を考える市民の会（石狩市民の会）資料などにより傘木作成

図2－20　REゾーン

石狩市資料より

石狩湾での電源開発がいかに大規模なものであるかうかがえます。

今後は、再エネ海域利用法（海洋再生可能エネルギー発電設備の整備に係る海域の利用の促進に関する法律、2019年4月施行）により、国が価格等により事業者を公募し、選定することから、ある程度の調整は図られるものの、過去の24年間と比較できない勢いで開発が進むことが見込まれます。

こうした中、石狩市では、環境省「脱炭素先行地域」の交付金事業に呼応して、再生可能エネルギーを効率的且つ最大限に活用出来る多様な産業空間として石狩湾新港地域「REゾーン（Renewable Energy Zone）」の創造をめざして、地域電力インフラの整備を進めています（図2－20）。

既存の再生可能エネルギー（太陽光・風力・バイオマス）の蓄積を生かして、さらに洋上風力を含めて充実を図る計画です。すでに、2023年3月にはPKS（パーム椰子殻）などを燃料とするバイオマス発電所（51,500kW）が稼動し、新たなバイオマス発電所（9,950kW）も2026年稼動予定となっています。

地域で生み出された電力を公共施設や民間のデータセンターで利用するとともに、約3,000haの石狩湾新港地域に立地する約750社（分譲率7割余）にも供給して、このエリアでのゼロカーボンを2030年度までにめざす計画です。

石狩湾の洋上風車を背景に筆者

再生可能エネルギーの「地産地消」を港湾地域で実現させようという意欲的なプロジェクトですが、地域全体の環境容量を超える規模の開発の呼び水ともなっています。

北海道における市民風車の取り組みは、市民出資を元手として国や産業界に先行して各地に風車を建てましたが、結果的に巨大開発を誘引し、自ら大型化を進めています。現在、環境アセス手続き中の事業（表2－13内⑲）は22基66,000kWとなっています。石狩湾岸の風力発電を考える石狩市民の会の会員は、「市民風車が事業所や住宅の近くに建てられて健康被害の声も出されているのに対応しようとしない」と開発の姿勢に疑問を投げかけています。

(3) 住民団体の取り組み（表2－15）

このたび石狩の現状を案内していただいた佐々木邦夫さん（写真）は、稚内市議会議員をされていた時は風力発電推進の立場でした。しかし議員退職後、自宅近くに小型風力発電が建ってからめまい・吐き気などに見舞われてから問題意識を深め、「風力発電の真実を知る会」を立ち上げました。現在は石狩市に転居され、体調を崩しながらも、ご自身の低周波音被害や風力発電開発による自然環境の破壊について北海道内各地、全国各地で講演や調査を行っています。2022年5月には全国各地の団体によびかけ「風力発電を地域

表2－15　石狩地域での住民団体の取り組みの特徴

学習・調査 （住民アセス）	・風車学習会の開催（7年間で47回）と動画配信等 ・現地見学会等の開催 ・環境アセス図書への意見提出や説明会参加よびかけ ・コロナを理由とした説明会不開催・中止への対策働きかけ ・国や自治体への要請活動（環境アセス意見書、勧告等に関して）
関係機関 働きかけ	・国道市への要請活動、署名運動、審議会の傍聴と傍聴記録の発信 ・事業者への要請活動
交流・発信	・市民との語る会の開催 ・全戸配布チラシや講演会、シンポジウムなどの開催 ・研究団体や自然保護団体との連携 ・全道的な支援体制づくり（石狩湾洋上風車建設反対道民連絡会） ・全国的な交流への参加、発信、全国各地の事例を市民に紹介
住民自治	・会元代表による市長選挙への挑戦 ・市と事業者による環境保全協定締結の働きかけ

傘木作成

から考える全国協議会（風全協）」を、同6月には「北海道風力発電問題ネットワーク」を発足させています。同年11月のシンポジウム「私たちの北海道を“再エネ植民地”にさせないために～大規模風力発電「3,000基建設計画」の衝撃～」（於：札幌）は会場に入りきらない参加者がありました。2023年4月にはアジア資料センター（PARC）、札幌自由学校遊共催のシンポジウムで、「北海道の自然と自治を破壊する新たなエネルギー開発」を報告し注目を浴びました。北海道自然保護協会・常務理事としても活動され、本書の作成に際しても写真や図表などご提供いただきました。

佐々木邦夫さんは、風車による低周波音を長年研究している医師からは「風車病」との診断をされていますが、環境省は因果関係について否定的な姿勢である中、全国各地で稼働していく風車による影響を強く懸念しています。現在、北海道の陸上では400基近い風車が稼働しており、1,700基ほどの環境アセスが進められています。さらに洋上においては1,800基を超える環境アセスが進められています（1海域1事業落札により実際の稼働数は少なくなる）。

石狩地域の住民運動の中心を担っている石狩湾岸の風力発電を考える石狩

現地をご案内いただいた佐々木邦夫さん（左）と石狩市役所から海辺方向を望む

市民の会（以下、市民の会）の活動の特徴は活発な学習活動にあります。洋上風力の環境や地域社会に及ぼす影響は未知数なことが多く、それだけに学習を必要としたことがうかがえます。

たとえば、市民の会では、（超）低周波音の健康影響について懸念し、専門家の協力により学習を重ねています。一方、環境省は、（超）低周波騒音について、どの資料でも判で押したように「低周波音と健康影響の明らかな関連を示す知見は得られておりません。」（環境省『「風力発電事業に係る環境影響評価の在り方について（一次答申）案」に関する意見の募集の結果について』2024年1月、p17）と回答し、取り付く島もありません。しかし、かつてない巨大な開発に直面して、過去の実績で評価することが妥当なのかと、住民が疑問を持つことは当然です。

「風車学習会」の開催方法の多くは、市民の会の代表者が情報収集して学び、講師となって、会員や住民等と対話しながら理解を深めていく形をとっています。また、市民の会は、北海道自然保護協会及び銭函海岸の自然を守る会と協力しながらシンポジウム、署名提出、意見書提出などを行ってきています。さっぽろ自由学校と連携した講座は、コロナ禍においてオンライン開催が普及したことにより、全国の市民団体や研究者に講師を依頼することができ、全国の方々と学びを共有しています。講座活動は7年目に入りました。

また、市民の会のホームページには、環境アセス手続きに関する情報（縦覧開始や説明会の開催予定、意見提出の呼びかけなど）や他地域の情報、関連する研究成果や報道の紹介などを掲載し、発信しています。

環境アセス手続き（自主アセスを含む）の対応は、4年間余（2019年8月～2023年10月）に19事案に及び、それぞれの図書（配慮書・方法書・準備書）は数千頁に及ぶものもあります。学習会では「（事業名）に学ぶ」というテーマで、市民の会の代表者がアセス図書読み解き、住民等に課題提起しています。大変な労力を必要としたことがうかがえます。また、COVID-19パンデミックを理由とした説明会の不開催や中止に対しては、事業者に代替手段の検討を、関係機関には適切な指導を、要請しています。

政策面では、石狩市が国補助金（5,700万円）により風力発電ゾーニングマップ（2019年3月策定）を検討する作業部会には市民の会の会員5人が役割分担して参加しました。そうした働きかけが功を奏して、石狩市域はすべて「環境保全エリア」または「調整エリア」（適切な環境保全措置を講じる必要性が非常に高いエリア）になりました。しかし、市は「ゾーニングには強制力はない」との姿勢で陸上や洋上の風力発電開発を推進しています。また、石狩市と事業者による環境保全協定の締結を求める要請も行っています。

また、2023年5月に実施された石狩市長選挙に、市民の会の元代表が立候補し、風力発電開発を争点化しました。現職に及ばなかったものの、公民権に基づく政策の提起は、立場を超えて、尊重されるべき行動でした。

(4) 今後の課題

石狩湾岸域で進行している洋上風力をはじめとする再生可能エネルギー開発が環境や地域社会に及ぼす影響は、過去の経験からは類推することができない規模のものです。それを国と北海道・石狩市が強力に推進している状況の下での住民運動は大変困難が伴います。市長選挙での争点化は、避けられないし、必要なことでした。しかし、多くの住民は、再生可能エネルギーや地域経済活性化などのうたい文句で進められている巨大開発を具体的にイメージすることは難しいのだろうと思います。

しかも、公海上での開発なので、国と自治体が開発事業者をバックアップする制度の下、歯止めがかからない状態です。環境省による「セントラル方式」による環境アセスも、開発側を利するものであって、内容によっては開発に環境省からのお墨付きをあたえるものとなりかねません。

それだけに、開発動向の経過観察、既開発事業による影響の把握、具体化する事業計画の可視化などにより、住民に知らせ、学びを蓄積していく活動がいっそう重要になります。あわせて、これを局所的な地域問題として見なされないように、持続可能な社会のあり方を問う全国的な世論形成につなげていきたいものです。

3. 唐津・玄海の海の未来を考える会（佐賀県）

(1) 地域のようす

唐津市（人口約112,000人）は、玄界灘に面して、古くから大陸との交流の玄関口となり、朝鮮出兵（文禄・慶長の役）の基地となった名護屋城址や唐津焼（国指定重要無形民俗文化財）などで知られています。

玄界灘は、大陸棚が広がり、対馬海流が流れて世界有数の漁場とされ、リアス式海岸には唐津港や呼子港などの良港があり、エリアのほとんどが国定公園の第1号（1960年）のひとつとして指定されています。

玄界灘には海底断層が存在し、地震発生の危険度で最も高いSランクとされる警護断層帯につながっているとみられて研究や調査が行われています。2005年3月の福岡県西方沖地震（M7.0）は福岡県や佐賀県で震度6弱で、死者1名、負傷者約1,200名、住家全壊約140棟の被害がありました。

なお、玄界灘における洋上風力発電の環境アセス手続きにおいて、唯一図書の縦覧後の持続的な公開に応じている「佐賀県における洋上風力発電所計画」の配慮書には、活断層や地震についての記載はありませんでした。

(2) 開発事業の概要と経緯

唐津市とその周辺での風力発電は、電設会社を営む原野順二さんが1998年に自力で建設した高さ約30m、出力250kWの鎮西風力発電所が先駆けでした。原野さんは、水力発電（3kW）や太陽光発電（9.36kW）も実践し、2003年には特定非営利活動法人自然エネルギー実践ネットワークも立ち上げました（現在は活動実績なし）。こうした動きに触発されてか、佐賀県では少年自然の家に45kWの風力発電を設置し（2004年）、自家消費するとともに、環境学習に利用してきました。

2004年より民間事業者の開発が動き出し、FIT制定までに10事業48基77,655kW（1,618kW/基）が建設され、FIT制定後は3事業と件数は多くないものの10基31,190kW（3,119kW/基）と大型化しました。

現在、環境アセス手続きが進行しているのは8事案で、のべ296基、最大総出力2,772,700kW（9,367kW/基）となります。石狩湾同様に、国による公募と選定により事業が絞り込まれるとしても、これまでとは比較にならない規模の開発が動き出そうとしています（表2－16)。

唐津市沖では、⑮唐津洋上風力発電（方法書縦覧2019年9月)、⑯唐津洋上風力発電Phase2（配慮書縦覧2019年9月)、⑰佐賀県における洋上風力発電（配慮書縦覧2021年10月）の環境アセス手続きが実施されています（○数字は表2－16より)。3事業の合計は最大104基1,000,500kW（9,620kW/基）となっています。

事業区域にある国指定天然記念物「七ツ釜」は玄武岩が波の浸食を受けてできた7つの洞窟からなる無類の絶景秘境です。近接する立神岩（唐津市指定天然記念物）の周囲は「立神サーフポイント」と呼ばれ九州サーフィン発祥の地（1968年）として知られています。これらの名所、観光スポットを覆いつくすように高さ270mの大型風車が林立する計画です。

一方、唐津市議会は、こうした巨大開発を呼び込むように、佐賀県知事あてに「洋上風力発電事業における候補海域の拡充を求める意見書」(2020年10月13日）を全会一致で採択し、①洋上風力の候補海域として七ツ釜や立神岩を巻き込む神集島の東側にまで広げ、②開発及び操作や保守点検の拠点港湾として唐津港を位置付けて整備することを求めています。共産党を含む全会一致は、地域あげての誘致促進であることを演出する上で欠かせないものであったと目されています。

そして、2050年までにゼロカーボンシティとすることを宣言し（2023年3月)、地球温暖化対策実行計画（区域施策編）を内包した「第2次唐津市環境基本計画」を改訂しました。さらに同12月には、旧条例を改定して、「唐津市再生可能エネルギーの導入等による脱炭素社会づくりの推進に関する条例」を制定しました。同条例では「市民等は、市が実施する再生可能エネルギーの導入等による脱炭素社会づくりの推進に関する施策に対し協力するものとする。」と規定しました（第5条2)。市議会では、この条例の制定を受け

表2－16　玄界灘周辺の主な大規模風力発電所（稼働中及び計画段階）

<table>
<tr><th></th><th>No.</th><th>名称（略称）</th><th>稼働年</th><th>基数</th><th>総出力 kW</th><th>備考</th></tr>
<tr><td rowspan="14">稼働中</td><td>①</td><td>原野DIY鎮西風力発電所</td><td>1998</td><td>1</td><td>250</td><td rowspan="10">FIT 前 48 基 77,655kW
(1,618kW/基)</td></tr>
<tr><td>②</td><td>波戸崎少年自然の家風力</td><td>2004</td><td>1</td><td>45</td></tr>
<tr><td>③</td><td>肥前風力エネルギー開発</td><td>2004</td><td>1</td><td>1,500</td></tr>
<tr><td>④</td><td>串崎風力</td><td>2004</td><td>1</td><td>1,980</td></tr>
<tr><td>⑤</td><td>鷹島阿翁風力</td><td>2004</td><td>1</td><td>1,000</td></tr>
<tr><td>⑥</td><td>玄海ウィンドファーム</td><td>2005</td><td>6</td><td>9,000</td></tr>
<tr><td>⑦</td><td>肥前風力</td><td>2005</td><td>8</td><td>12,000</td></tr>
<tr><td>⑧</td><td>的山大島風力発電所</td><td>2007</td><td>16</td><td>32,000</td></tr>
<tr><td>⑨</td><td>田平風力発電所</td><td>2007</td><td>1</td><td>1,980</td></tr>
<tr><td>⑩</td><td>肥前南風力</td><td>2008</td><td>12</td><td>18,000</td></tr>
<tr><td>⑪</td><td>唐津湊風力</td><td>2018</td><td>1</td><td>2,000</td><td rowspan="3">FIT 後 10 基 31,190kW
(3,119kW/基)</td></tr>
<tr><td>⑫</td><td>唐津市相賀風力</td><td>2018</td><td>1</td><td>1,990</td></tr>
<tr><td>⑬</td><td>唐津鎮西ウィンドファーム</td><td>2021</td><td>8</td><td>27,200</td></tr>
<tr><td colspan="2">(13 事案)</td><td>小計</td><td>58</td><td>108,845</td><td>(1,877kW/基)</td></tr>
<tr><td rowspan="9">環境アセス手続中</td><td>⑭</td><td colspan="2">伊万里市における風力（陸上）</td><td>10</td><td>34,000</td><td>配慮書縦覧 2018 年　8 月</td></tr>
<tr><td>⑮</td><td colspan="2">唐津洋上風力</td><td>43</td><td>408,500</td><td>方法書縦覧 2019 年　9 月</td></tr>
<tr><td>⑯</td><td colspan="2">唐津洋上風力発電事業 Phase2</td><td>21</td><td>200,000</td><td>配慮書縦覧 2019 年　9 月</td></tr>
<tr><td>⑰</td><td colspan="2">佐賀県における洋上風力※閲覧可</td><td>40</td><td>400,000</td><td>配慮書縦覧 2021 年 10 月</td></tr>
<tr><td>⑱</td><td colspan="2">佐賀県唐津市沖洋上風力</td><td>42</td><td>400,000</td><td>配慮書縦覧 2022 年　1 月</td></tr>
<tr><td>⑲</td><td colspan="2">唐津風力発電事業（陸上）※閲覧可</td><td>13</td><td>54,000</td><td>準備書縦覧 2022 年　2 月</td></tr>
<tr><td>⑳</td><td colspan="2">佐賀県唐津市沖における洋上風力</td><td>63</td><td>676,200</td><td>配慮書縦覧 2022 年　4 月</td></tr>
<tr><td>㉑</td><td colspan="2">唐津沖洋上風力</td><td>64</td><td>600,000</td><td>配慮書縦覧 2022 年 12 月</td></tr>
<tr><td colspan="2">(8 事案)</td><td>小計</td><td>296</td><td>2,772,700</td><td>(9,367kW/基)</td></tr>
<tr><td colspan="4"></td><td>合計</td><td>354</td><td>2,881,545</td><td>(8,140kW/基)</td></tr>
</table>

※縦覧期間終了後の図書の公開を行っている。

環境省環境影響評価情報支援ネットワーク事例情報、WEB 等より傘木作成

表2－17　唐津市における洋上風力発電開発等をめぐる経緯

年	開発の動き	考える会等
2019	⑮配慮書（3月） ⑮方法書、⑯配慮書（9月）	
2020	市議会洋上風力誘致意見書（10月）	
2021	⑰配慮書（10月）	考える会発足、オンライン署名開始 署名チラシ刊行（10月） 県説明会参加呼びかけ（11月、100名参加）
2022	⑱配慮書（1月） ⑳配慮書（4月） ㉑配慮書（12月）	国機関への要請行動 県へ再考求める署名11,647筆提出（3月）
2023	市ゼロカーボン宣言（3月） 市再エネ推進条例改訂（12月）	第3次署名開始（4月）、県・市への陳情 幹線道路への大看板の設置（6月） 市条例改訂案への意見書（11月）

※○数字は表2－16による。
報道資料、考える会資料などにより傘木作成

て「風力発電等新エネルギーに係る特別委員会」を設置し（2023年2月、14人）、同条例の推進を議会として支えていく体制を整備しました。

これらの文脈からは、巨大な洋上風力開発を誘致する市の施策に市民は協力する役割が求められていると読み取ることもできます。

唐津市沿岸における洋上風力開発は、国による促進区域の指定などの手続きの進捗を見ながら具体化されます。現時点では「促進区域に指定できる見込みがあり、より具体的な検討を進めるべき区域」として「有望な区域」のうち、一定の準備段階に進んでいる区域として整理されています（経済産業省「再エネ海域利用法に基づく促進区域の指定、セントラル方式による調査対象区域及びGI基金（浮体式実証）の候補区域について」2023年10月）。

これを受けて、佐賀県では、唐津市との共催により、相賀地区と湊地区の住民を対象とした「洋上風力発電に関する説明会」を同10月下旬から11月上旬にかけて2カ所で開催しました。国・県・市をあげた洋上風力開発の推進の体制が整えられつつあります（表2－17）。

(3) 住民団体の取り組み（表2－18）

唐津・玄海の海の未来を考える会（以下、考える会）の取り組みの特徴は、海を愛する仲間であるサーファーへの呼びかけです。会の代表者（小浦修さん）は、サーフショップを経営し、サーフィン教室を運営しています。「九州サーフィン発祥の地」で経営することの誇りと求心力により各地からの支援を広げています。マスコミ的にもサーファーらの動きが注目を集めました。考える会が佐賀県に提出した「『唐津沖洋上風力発電事業』計画の再考・見直しを求める署名」11,647筆（2022年3月）のうち、約2,500筆はサーファーによるものでした。

また、考える会の主要メンバーには、市役所OBや市の審議会委員などを歴任されている婦人団体関係者、景観シミュレーションを作成できるPCの達人などが会の活動を支えています。可視化された効果的な情報発信が署名数を引き上げました。

考える会は、署名1万余筆を結集した活動でかなり体力を使い、しばらく休止していました。しかし、国による区域指定に向けた県・市の強力な動きに対抗するために、2023年春より署名を再開し、大きな看板を幹線道路沿いに掲げるなどの活動をしています。

政策提言では、「唐津市再生可能エネルギーの導入等による脱炭素社会づくりの推進に関する条例」（2023年12月改定）の制定に向けて、洋上風力発電の

表2－18　唐津、玄海の海の未来を考える会の取り組みの特徴

学習・調査	・環境アセス図書への意見提出や説明会参加よびかけ ・独自景観シミュレーションの作成、チラシ活用
関係機関働きかけ	・国県市への要請活動 ・署名運動11,647筆（実筆8,772＋オンライン2,875）
交流・発信	・サーファーへの働きかけ（他県からの賛同・協力） ・玄界灘及び他地域の団体との連携
住民自治	・条例改訂案への政策提言（事業失敗への担保、住民説明など）

傘木作成

考える会のみなさんと会が作成した横断幕

会員が作成したフォトモンタージュは署名用のチラシに使われた

環境アセス手続き（配慮書段階）で事業者が住民説明会を開催していない実態を踏まえて、計画段階での説明会開催の義務付けや事業規模に応じた住民投票の実施など、住民意向の反映に関する項目を設けることを提案しています。

また、大規模太陽光発電所における暴風雨による土砂災害や火災、パネル飛散などの実例を踏まえて、不確定なことが多い洋上風力発電事業についての事業補償の担保提出の義務を定めるように求めています。

考える会では、洋上風力に反対の姿勢を示している一部の漁業協同組合や宿の窓からの景色が一変してしまう旅館組合などの明確な利害関係団体との情報交流や連携に努めています。

(4) 今 後 の 課 題

大企業は業種を超えて洋上風力開発に力を注いでいます（コラム⑥参照）。商機を確実なものにするためには、開発地となる「促進区域」が増えていく必要があります。一方、促進区域に選定されるためには、立地条件などともに、地域社会から歓迎されている状況を演出する必要があります。

このような開発圧力の下で、唐津市では、市議会全会一致による誘致意見書や再生可能エネルギー開発への協力を市民に求める条例の制定などで、いわば「挙国一致」の体制がつくられています。これに異を唱え、世論を喚起していくことは並大抵のことではありません。

考える会の主要メンバーにお集まりいただいた場で「では、どのような地域であってほしいと思いますか？」とたずねると、「他に類のない自然と歴史がここにはあり、人と海のつながりの文化があるので、それらを生かしておだやかに生活できる地域であってほしい」と、口々に語っておられました。

多くの人びとが共感すると思われるそうした地域社会の姿に向けて、対話と学習をいかに広げていくのかが課題となっています。

コラム⑥　洋上風力と企業献金

今、政治資金パーティー収益の一部が「裏金」として政治家に還流されている事件が連日報道されています。政党などの収入は、党員による党費、個人や企業からの寄付金、機関誌の販売や政治資金パーティーの開催などによる事業収入などでまかなわれています。企業献金や政治資金パーティーのあり方については、批判も多いのですが、制度上は正当な収入です。

これに対して、政治家個人への企業・団体献金は、賄賂としての性格が強くなるため、法律で禁止されています。しかし、古くはロッキード事件や最近ではIR（カジノ付き総合リゾート）などのように、巨額の利益が動く事業にかかわって収賄事件が発生してきました。洋上風力をめぐっても、国会議員が約7,200万円相当の賄賂を受け取ったとして起訴されました（2023年9月）。収賄議員は、風力発電の環境アセス対象規模を1万kWから5万kWに緩和した河野太郎規制改革担当大臣（当時）の派閥に所属していました。

この事件で、贈賄により社長が起訴された会社は、その後、大手建設会社の持ち株会社が米国投資ファンドから全株2,000億円で取得することが発表されました（2023年12月）。泥が塗られてしまった会社でも買収したいのは、洋上風力市場が魅力的で、そのノウハウがほしいからなのでしょう。

こうした動向を踏まえて、『会社四季報』編集部が公開している自民党の政治資金団体である国民政治協会への献金額トップ20位の会社（26社）と風力発電事業への関与を調べて一覧にしました（表）。

その結果、20社が風力発電事業に関与し、2021年内に5億5400万円の寄付を行っていることがわかりました。トップ20位に入っていない風力発電関連企業も少なくないはずです。これら企業は政治資金パーティー券もせっせと買っていることでしょう。こうした金にモノをいわせた開発圧力の高まりが、国から地方に及ぶ「挙国一致」体制をつくりつつあります。

自民党（国民政治協会）への企業献金トップ20位と洋上風力

順位	企業名	金額(百万円)	関連する風力発電事業の例
1	トヨタ自動車	64	トヨタグリーンエナジー（トヨタ50%、中電40%）の事業組で国内の再エネ電源の取得・運営を行っていく
2	日立製作所	50	風力発電484基、シェア17.9%で国内2位
3	キャノン	40	（不明）
4	日産自動車	37	（不明）
5	野村HLD	35	（不明）
6	三菱重工業	33	4,200基超（約440万kW）の風力発電設備を国内外に供給
7	大和証券G	32	世界最大の稼働済洋上風力となる英国Hornsesa One洋上風力の一部分を取得（2023年3月）
8	住友化学	31	（不明）
9	東レ	30	関係会社ZOLTEKの炭素繊維でブレードの大型化を推進
10	パナソニック	28	風車ブレードピッチ制御バックアップ用ニッケル水素電池システムの開発で長寿命化を支援
	三井物産	28	新潟県村上市及び胎内市沖の洋上風力事業者に選定（2023年12月、38基684GW）。保守管理会社も設立（2021年）
	住友商事	28	風力発電所由来の電力の売買取引を行うオフサイト型コーポレートPPAをJR東日本などと共同で開始（2023年9月）
	三菱商事	28	3つの促進区域で事業者に選定される（秋田県能代市・三種町・男鹿市沖、秋田県由利本荘市沖、千葉県銚子市沖） 欧州市場で計7件350万kWの洋上風力事業に参入
14	日本製鉄	27	沿岸鋼構造物の実績をもとにハイブリッド重力式基礎など建設事業を請け負う
15	ホンダ	25	（ブラジル工場で9基27MWを建設）
	伊藤忠商事	25	日立造船とともに三菱UFJの融資でむつ小川原風力（15基57,000kW）を建設中
17	日野自動車	21	（不明）
18	三菱電機	20	洋上風力発電用の各種設備や系統安定化対策、エネルギーマネジメントといった製品・ソリューションを販売
	SUBARU	20	国内初の港湾外洋上風力「ウィンド・パワー・かみす風力」の発電システムを日立製作所とともに開発
	丸紅	20	丸紅洋上風力開発株式会社を設立し、欧州市場を開拓。秋田県秋田港及び能代港での洋上風力に参画し、落札
	三菱UFJFG	20	各地の風力発電事業に融資（上記のむつ小川原風力など）
	三井住友FG	20	三井物産による風力発電事業に融資（上記新潟県胎内市など）
	みずほFG	20	国内各地の風力発電事業に融資。アジアでは「ノンリコースローン（非遡及型融資）を切り札に」洋上風力に参入
	三井物産	20	新潟県村上市及び胎内市沖の洋上風力事業者に選定される 洋上風力メンテナンス専門会社HOM設立（2021年4月）
	JR東日本	20	全国14カ所425MGの風力発電を稼働・建設中（統合報告書2023年版より）
	JR東海	20	（JR東日本と連携）
26社		742	20社　計5億5400万円

会社四季報編集部オンライン（2022年2月9日）をもとに各社HPを参照して傘木作成

第7章　地　熱　発　電

日本列島には数多くの火山があることから、地熱発電は有望な再生可能エネルギーであると目されています。地熱発電は、CO_2排出量が少なく、天候などの自然条件に左右されず安定的に発電できるベースロード電源です。

国内で初の商業ベースの地熱発電所は50年余の歴史があります（岩手県の松川地熱発電所、1966年稼働当時22,000kW）。しかし、FIT導入後に稼働した地熱発電所は80件（9.3万kW）で19%の増加でした（表2－19）。

この間の再生可能エネルギー開発が野立て式太陽光発電に偏っていたこともありますが、地熱資源量の豊富さに比べて、地熱発電が広がらない背景には地熱資源の利用のあり方に関する課題があります。

1. 開発と環境影響の傾向

(1) 豊富な地熱資源（表2－20）

日本の地熱資源量（23,470MW）は世界第3位で、上位3カ国（アメリカ、インドネシア、日本）が他に比べて格段に豊富です。しかし、地熱発電設備容量としては世界第10位（538MW）で、再生可能エネルギーを推進する立場からは「ポテンシャルを活かせていない」状況となっています。設備容量の大きな国の分布をみると、環太平洋火山帯に位置する国々や欧州、アフリカ（ケニアなど）に偏在して分布していることがわかります（図2－21）。

一方、温泉地の数でみると、日本は世界第1位（3,157）で、大きな面積と人口を有する中国が第2位で肩を並べていますが、その密度の高さや利用機会の多さについて特に数字をあげて説明するまでもありません。世界における温泉地の分布（図2－22）と、前出の地熱発電設備容量の分布とを比較する

表2－19　FIT制度後の認定量及び導入量、見込み

区分		設備導入量（稼働中）			認定容量	
		制度導入前	制度開始後合計	増加率	制度導入後	稼働済の割合
		～2012年6月	2012年7月～2022年3月末			
地　熱		**約50万kW**	**9.3万kW 80件**	**1.19**	**21.6万kW 121件**	**43.1%**
太陽光	住　宅	約470万kW	853.4万kW 153,101件	2.82	889.6万kW 1,829,172件	95.9%
太陽光	非住宅	約90万kW	5,200.2万kW 20,543件	58.78	6,816.0万kW 786,789件	76.3%
太陽光	計	約560万kW	6,053.6万kW 173,644件	11.81	7,705.6万kW 2,615,961件	78.6%
風　力		260万kW	226.8万kW 1,936件	1.87	1,320.4万kW 7,996件	17.2%
中小水力		960万kW	82.5万kW 719件	1.09	241.5万kW 1,123件	34.2%
バイオマス		230万kW	332.7万kW 539件	2.45	829.8万kW 895件	40.1%
合　計		2,060万kW	6,704.8万kW 2,452,474件	4.25	10,118.5万kW 2,626,096件	66.3%

※増加率及び稼働済の割合はいずれも出力数（万kW）にて比較した。
経済産業省「国内外の再生可能エネルギーの現状」（2022年10月）より傘木作成

図2－21　世界各国の地熱発電設備容量
独立行政法人エネルギー・金属鉱物資源機構「地熱資源情報」より

表2－20　世界各国の主な地熱資源量と地熱発電設備容量、温泉地数

地熱資源量			地熱発電設備容量			温泉地		
順位	国　名	資源量（MW）	順位	国　名	設備容量（MW）	順位	国　名	温泉地数
1	アメリカ	30,000	1	アメリカ	3,801	**1**	**日　本**	**3,157**
2	インドネシア	27,790	2	インドネシア	1,946	2	中　国	約3,000
3	**日　本**	**23,470**	3	フィリピン	1,928	3	ドイツ	315
4	ケニア	7,000	4	トルコ	1,283	4	アイスランド	280
5	フィリピン	6,000	5	ニュージーランド	996	5	イタリア	200
6	メキシコ	6,000	6	メキシコ	951	6	ハンガリー	135
7	アイスランド	5,800	7	イタリア	767	7	フランス	104
8	ニュージーランド	3,650	8	アイスランド	753	8	オーストリア	68
9	イタリア	3,270	9	ケニア	663	9	韓　国	62
10	ペルー	3,000	**10**	**日　本**	**538**	10	台　湾	約50

独立行政法人エネルギー・金属鉱物資源機構「地熱資源情報」（資源量2016年、設備容量2018年）及び環境省温泉利用状況（2006年）より傘木作成

図2－22　世界の温泉分布

神奈川県温泉地学研究所より

と、すべての温泉地において地熱発電が行われているわけではないことがわかります。その背景には、立地や文化、その国の経済状況などがあると考えられます。日本においては、温泉文化の歴史が長く、人びとの暮らしに定着しているため、温泉地利用を大切にしてきたと言えるのかもしれません。

地熱発電と温泉地利用が両立するものであれば、日本の地熱利用は大きく進展する可能性があります。しかし、そのようになっていない背景には、地熱発電の仕組みに様々な課題があります。

(2) 地熱発電開発の進捗状況

FIT導入から2022年3月末までの地熱発電の認定容量は121件（21.6万kW）で、そのうちこの期間中に稼働したのは43.1％でした（表2－19）。地熱発電は調査や温泉事業者など地元との合意形成に時間を要するため、やむを得ない面があります。

政府は、2013年度より「地熱発電に対する理解促進事業費補助金」を設けて事業の立上げを支援しています。2021年末時点の出力1,000kW以上の設備で、国の支援を受けて調査が行われているのは全国35カ所です。さらに探査から開発段階の案件が6カ所、運転開始済みは3カ所となっており、主な開発地は、北海道、東北、上信越、九州で、地名を見るといずれも有名な温泉地を想起させる地域です（図2－23）。

なかなか広がらない取り組みを後押しするために、国は「地熱発電の資源量調査・理解促進事業費補助金」として、資源量調査を含めた支援に強化しています。同補助金の2022年度予算額は126.5億円で、前年度（110億円）から1.15倍となっています。補助内容のうち、環境事前調査やモニタリングに要する経費は10/10補助と手厚くなっています。

(3) 地域への影響（図2－24）

地熱発電は、地下深くの熱エネルギーを利用するため、地下1,000～3,000mという深さまでの掘削作業が求められます。また、その土地が発電に適しているのか長い時間をかけた調査や試掘を必要とします。さらに、稼働後も補

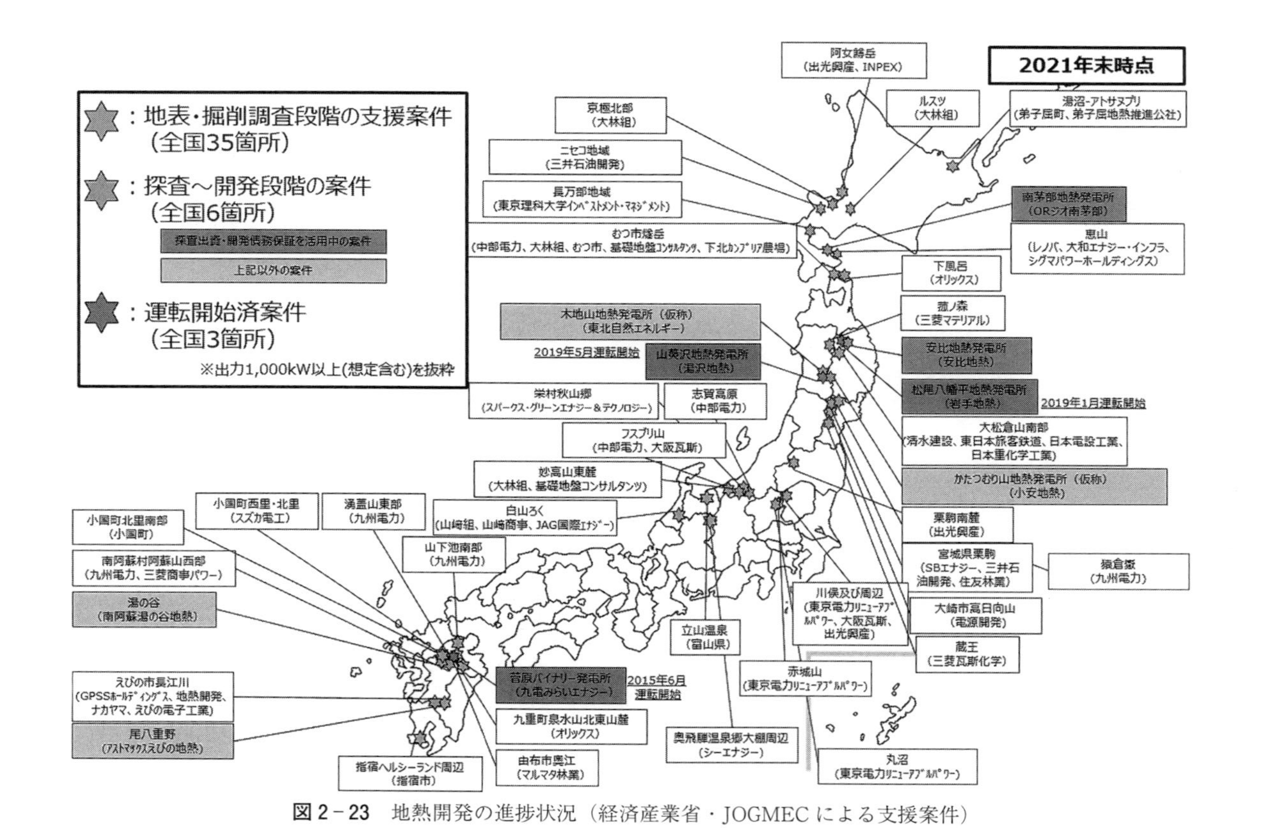

図2－23　地熱開発の進捗状況（経済産業省・JOGMECによる支援案件）

資源エネルギー庁

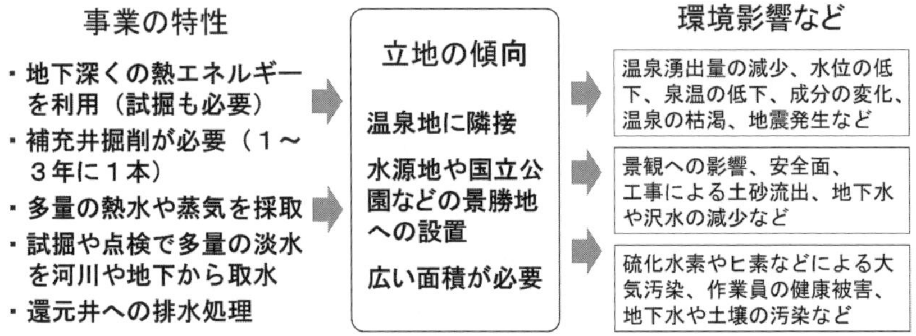

事業の特性

- 地下深くの熱エネルギーを利用（試掘も必要）
- 補充井掘削が必要（１～３年に１本）
- 多量の熱水や蒸気を採取
- 試掘や点検で多量の淡水を河川や地下から取水
- 還元井への排水処理

立地の傾向

温泉地に隣接

水源地や国立公園などの景勝地への設置

広い面積が必要

環境影響など

温泉湧出量の減少、水位の低下、泉温の低下、成分の変化、温泉の枯渇、地震発生など

景観への影響、安全面、工事による土砂流出、地下水や沢水の減少など

硫化水素やヒ素などによる大気汚染、作業員の健康被害、地下水や土壌の汚染など

図2－24　地熱発電の開発と環境影響の傾向

傘木作成

充井の掘削が、1～3年の間に1本程度を必要とするため、大量の熱水や蒸気を採取し、掘削や点検でも大量の淡水（温泉水ではない）を河川や地下から取水します。そのため、温泉の枯渇や周辺地域での地下水や沢水の減少などの問題が発生しています。また、発電で使い終わった熱水を還元井から地下に排水処理する際の圧力が振動を与え地震を誘発しているのではないかとも言われています。さらに還元井のスケール（水アカの一種）を除去するために添加される硫酸について環境への影響、工事・操業に伴う騒音、噴出事故による臭気や硫化水素、ヒ素などの流出といった問題が指摘されています。

そこで、温泉事業と開発事業者がそれぞれどのように捉えているのかを、「福島県における地熱資源開発に関する情報連絡会」での討議資料「地熱発電に関する諸問題（6項目）の整理（暫定版）」から見てみました（表2－21）。

温泉事業者は具体的な現象を示して不安を提示しています。

一方、地熱発電事業者も「発電前に枯渇していた」「（地震誘発の）因果関係は認められない」「測定データに異常はみられない」「（硫酸添加）は少量なので自然界に影響はない」などと、具体的に反論しています。

しかし、事実確認や測定結果については信頼関係がないと共有されにくい傾向があります。立入調査や公的機関による測定、さらに協働による測定・調査など、相互理解のための工夫が必要となっています。

表2－21　地熱発電に関する諸問題での温泉事業者と地熱発電事業者の意見

整理事項	意見のあらまし	
	温泉事業者	地熱発電事業者
1温泉枯渇	・えびの高原で1996年頃から温泉が自噴しなくなった	・発電開発以前から始まっている現象。1987年頃に殆ど終息
	・滝の上温泉の衰退は葛根田発電の影響では	・温泉が出なくなったのは井戸にスケールが詰まったことが原因
	・筋湯温泉の枯渇、小松地獄の噴気衰退は八丁原発電の影響では	・枯渇したという報告は存在しない ・小松地獄の噴気は今も継続
	・トロコ温泉の完全枯渇、廃業	・トロコ温泉は枯渇していない
	・銭川温泉の枯渇、減衰、温度大幅低下と湧出量の減少	・河川水量の変動、ダム工事や旅館駐車場拡張工事などの影響
2還元水の地震誘発	・2009年10月の地震（M4.9）は柳津西山発電による大量の注水が誘発したのでは	・因果関係は認められていない ・柳津町が東北大学に解析を依頼した結果、関連は認められない
3騒音問題	・葛根田発電の騒音がすごい。地元で問題になっている	・定期的に測定しているが異常データはない
4蒸気問題	・2010年、鬼首発電で臭気問題が発生。地下の構造は予測できないことが多く危険では	・地下の浅い所でも温度が高いという鬼首地域固有の地質条件によるもの。安全対策を講じている
5ヒ素流出	・葛根田発電の稼働により地熱熱水に含まれるヒ素が流出しているのではないか	・県や町との環境保全協定に基づく測定結果では異常データは確認されていない
6硫酸添加の影響	・還元井にスケール除去剤として入れている硫酸は劇毒物。これを地中に入れて問題ないのか	・少量を添加し、弱酸性にしているので自然界に影響を与えない。硫酸は温泉に含まれることがある

福島県における地熱資源開発に関する情報連絡会　第2回（2012年10月）、第3回（2013年1月）資料「地熱発電に関する諸問題（6項目）の整理（暫定版）」より傘木作成

2. 日本温泉協会の取り組み

(1) 組 織 概 要

一般社団法人日本温泉協会（笹本森雄会長、本部・東京都）は、1929（昭和4）年12月の発足から100年近い歴史があり、温泉についての研究及び温泉知識の普及、温泉資源の保護、温泉利用施設の改善及び温泉利用の適正化などの事業を行っています。そうした事業を支えるため、1932年から学術部委員会（約40名）を設けて、調査・研究や各種指導にあたっています。2024年1月末現在101企業が会員となっています。

(2) 地熱発電に関する提言等

同協会では、FIT導入直後の「無秩序な地熱開発に反対する要望書」(2012年9月）を皮切りに、国立・国定公園内での地熱発電の規制緩和に関して要望書を2回（2015年5月、2021年3月）にわたり関係機関に提出しています。提言活動の理論的根拠を固めるために、協会内に地熱対策特別委員会を設置し調査研究を進めるとともに、環境省などの審議会や委員会に参画して積極

温泉協会専務理事の関豊

表2－22　日本温泉協会による要望書の例

要望書「自然公園法・温泉法の規制緩和は慎重に秩序ある地熱開発を要望します」 2021年3月26日　日本温泉協会 〈要旨〉
・当協会は「無秩序な地熱開発に反対」。 ・2012年9月6日、2015年5月20日と2回にわたり地熱開発反対の要望書を提出。 ・地熱開発の全てに反対のための反対をしているわけではない。 ・バイナリー発電は、大深度掘削・大規模発電と異なり、規制基準が緩く、さらに浅い層の熱源を使うことが多いため、温泉事業者とトラブルが発生し始めている。各県による地熱開発基準案策定が急がれる。 ・2018年より資源エネルギー庁や石油天然ガス・金属鉱物資源機構との意見交換を再開し、2020年からは環境省もオブザーバー参加し、協議を続けている。この協議の中で地熱開発側もかつての地熱開発ありきという姿勢を改め、地熱発電には温泉枯渇などのリスクが伴うことを理解されたと認識している。 ・地熱発電開発には以下の5つの条件を満たすことを提案 ①地元（行政や温泉事業者等）の合意 ②客観性が担保された相互の情報公開と第三者機関の創設 ③過剰採取防止の規制 ④継続的かつ広範囲にわたる環境モニタリングの徹底 ⑤被害を受けた温泉と温泉地の回復作業の明文化 ・上記条件をみたした「秩序ある地熱開発」を行うことで、地熱開発側と温泉事業者側、さらには環境保護団体や地域住民等が同じテーブルにつき、調整のため行政が間に立ち、慎重に協議を進めていくことを今後も要望する。 ・2012年と2015年に2段階で国立・国定公園の規制を緩和し、特別地域でも地熱開発が可能になり、掘削調査や環境アセスの手続きなどが進んでいる。自然公園法の下で長年維持されてきた自然環境を破壊することにつながり、将来に禍根を残す。温泉地は温泉とその周辺の優れた自然環境と一体となって地域の資源となり、多くの観光客を呼び込むことで地域経済に大きく貢献している。自然公園法が地熱開発の障害になっているとは思わない。 ・温泉地の保護と活用の観点からも、地熱開発のための自然公園法・温泉法の規制緩和に関しては慎重な議論を積み重ねられることを要望する。

傘木による要約

的に発信しています。

直近の要望書「自然公園法・温泉法の規制緩和は慎重に秩序ある地熱開発を要望します」（2021年3月、表2－22）では、「反対のための反対ではない」ことを前提に、この間の関係機関や業界団体との対話努力を踏まえて、「秩序ある地熱開発」に向けて「５つの条件」を提示しています。これら条件からも、合意形成のためには、「②客観性が担保された相互の情報公開と第三者機関の創設」や「④継続的かつ広範囲にわたる環境モニタリングの徹底」といった信頼関係の構築に向けた情報交流が大切であることがうかがえます。

(3) 地熱発電所周辺での現象例

同協会では、地熱発電所周辺で起きている現象例を詳細に機関誌で紹介しています。この中から８発電所（７都県）の事例の概要を一覧にしました（表2－23)。記載内容からは、温泉事業者としては、温泉の枯渇や減衰、泉温低下などとともに、地震や土砂崩れなどの自然災害につながっているのではないかという不安が根強くあることが伺えます。泉量の変化や地震への影響などは、地中深くのことなので、それらの因果関係を科学的に立証することは困難であり、「因果関係は認められない」では片付けられない問題です。

想定の難しい問題について、どのような対策を講じていくのか、関係者の対話と工夫が必要になっています。

表2－23　地熱発電所周辺での現象例（現象は調査段階から見られたものも含まれる）

発電所名	都道府県	運転開始	周辺の現象例
大沼 地熱発電所	秋田県	1974年 調査開始 1965年	上トロコ温泉が完全枯渇（1981年） 銭川温泉の泉温低下（96℃→39.8℃：1990年） 銭川温泉の湧出量減少（毎分28ℓ→5ℓ：1990年） 後生掛温泉の湯沼が乾き噴気が移動 他に、赤川温泉、東トロコ温泉、澄川温泉、大深温泉、大沼温泉で枯渇・減衰・泉温低下など 蒸の湯温泉で地滑り、建物が半壊 大規模な水蒸気爆発と土石流で国道寸断（1997年）
葛根田 地熱発電所	岩手県	1978年 調査開始 1957年	滝ノ上温泉の温泉成分が著しく低下し、完全枯渇で同地熱発電所から人工造成泉を配湯 鳥越の湯の温泉水が哨気のみに（1985年） 鳥越の滝（天然露天風呂）の泉温の低下（1986年） 鳥越山荘の湯が完全枯渇（1979年） 発電所裏山の斜面で大規模な土砂崩れ（2008年） 発電所南下流域で群発地震（1995年～2002年、1998年9月に震度6弱で滝ノ上温泉が孤立）
鬼首 地熱発電所	宮城県	1975年 調査開始 1973年	荒湯地獄が大規模に乾燥化 中山平温泉で源泉5本がほとんど枯渇状態 宮沢温泉の間欠泉が完全停止 水蒸気暴噴で死亡事故（2010年） 鬼首カルデラ周辺で群発地震（1976年～1996年） 岩手・宮城内陸地震（M7.2）で同発電所裏山が大崩落し、死者・行方不明者23名
柳津西山 地熱発電所	福島県	1995年 調査開始 1974年	西山温泉で地下高圧還元が原因と思われる有感微小地震。岩瀬湯本温泉、矧郷上温泉、二岐温泉などで局地的な群発地震が頻発 M5.8の直下型地震（2010年9月）
大岳 地熱発電所	大分県	1967年 調査開始 1953年	筋湯温泉の自噴泉数が減少（19本→2本）と自噴湧出量減少（毎分15,336ℓ→1,043ℓ：2002年） 小松地獄、大岳地獄、泥地獄、小地獄の噴気、地温の著しい低下 ひぜん温泉、川原湯温泉の泉温低下、噴気低下等 九重町でM6.4の大地震（1975年） 星生山東山腹で水蒸気噴出、火山灰噴出（1995年） 筑後屋源泉の湧出量が4分の1に減少 黒川温泉で温度低下、湧出量減少、泉質の変容等
八丁原 地熱発電所		1977年	
大霧 地熱発電所	鹿児島県	1996年 調査開始 1973年	調査中に硫化水素ガス中毒事故発生（2001年） えびの高原の温泉、噴泉が完全枯渇 霧島温泉郷で温泉量の現象、温度低下 栗野岳温泉の八幡地獄の噴気低下 霧島山系新燃岳で爆発的噴火（2010年）
八丈島 地熱発電所	東京都	1999年 調査開始 1984年	八丈島東方沖で地震が頻発（2009年にはM6.6の地震で住宅の全壊や一部破損の被害が発生）

一般社団法人日本温泉協会「地熱発電の問題点および地熱発電所周辺での現象例」（2012年4月）及び一般社団法人日本秘湯を守る会「【補足】地熱発電所・地熱開発調査地周辺での現象例」（2012年4月）より抜粋して傘木作成

3. 小国郷の自然を守る会（熊本県）

(1) 地域のようす

阿蘇郡小国町（人口約6,000人）は、阿蘇カルデラの外輪山から大分県へと向かう傾斜地に位置し、森林面積が75%を占めています。隣接する南小国町の黒川温泉が全国的に知られているように、温泉の豊富な地域です。

同町で生まれた北里柴三郎は、破傷風の血清療法の発見（1890年）など、日本の近代医学に大きな足跡を残しました。町内には記念館もあります。

私は、1997年秋、小国町での「悠木の里づくり」を学ぶために当地を訪ねました。これは、当時の町長の発意で1983年頃から始まり、新進の建築家の起用により地元の「小国杉」を使用した日本初の木造立体トラス構法の公共建造物を相次いで建てたことがきっかけで（第1号は1987年に誕生）、学校や保育所などの公共施設だけではなく、レストランや銀行、商店など民間にも木造建造物が広がりました。当時、案内者が「約10年でまちの景観が変わった」と語られたことが印象に残っています。こうした取り組みを求心力にして、おぐに未来塾（1986年開講）や九州ツーリズム大学（1997年開講）など、人材育成と観光振興を両輪としたまちづくりを進めていました。

このたび26年ぶりに再訪したいと思った理由は、後述するように、地熱発電との共生のあり方を探るためのシンポジウムの開催や条例制定の運動など、「地域での学びの伝統」が息づいていると感じたからでした。

(2) 開発事業の概要と経緯

先述の黒川温泉（南小国町）から九州電力「八丁原（はっちょうばる）地熱発電所」（大分県九重町）は直線距離約5kmの位置にあります。同発電所の1号機は1977年操業（日本で5番目に古い）、2号機（1989年よりフル操業）との合計出力11万kWはわが国最大の地熱発電所です。黒川温泉では、2号機の操業の頃から温泉の水位の低下、泉質の変化、泉温の低下が起こり始めました。当初、旅館関係者は周辺の別荘開発などによるボーリングの影響と考えていましたが、福岡大学の調査により温泉の泉源は八丁原発電所の3km手前であることがわかりました。発電所から1kmの温泉地（大分県内）では温泉が枯れる事態となり、温泉地にとっては大打撃でした。

隣町でのこうした事案がある中、小国町わいた地区では、1996年頃から大手事業者による地熱発電所計画があったものの、温泉資源の枯渇が懸念されて、地区内でも賛成派と慎重派に二分してしまいました。しかし、地域社会を維持するために新しい産業を導入する必要があるとの思いから、地区の全世帯が役員となる合同会社「わいた会」を設立し（2011年）、基本的な開発方針として、大規模な掘削が伴わない発電出力とし、周辺温泉事業者の源泉についてはモニタリングを実施することを取り決めました。そして、2015年6月に日本では16年ぶりとなる地熱発電所の商用運転を開始しました。発電事業はわいた会から受託した会社が実施しています。

地熱発電は大別して、大型のフラッシュ式と小型のバイナリー式があります。小国町では、フラッシュ式はわいた地熱発電所が唯一で、他にバイナリー式が3事業者あり、計4カ所の地熱発電所があります。しかし、わいた地熱発電所に続く形で、新たに5事業者のフラッシュ式地熱発電（合計出力約15,000kW）の計画が動き出しました。地熱発電所は、熊本県の環境アセス条例では出力5,000kWを超えるものですが、いずれもそれを下回る規模に抑えているために、事前配慮や住民説明などが不十分なまま進展することへの不安が町民の間に広がりました。

こうした動きを受けて、小国町では「小国町地熱資源の適正活用に関する条例」を制定し、地熱資源の適正利用を図るために発電事業者に対して計画の届出と町長の同意を必要とするとともに、町長の諮問機関「小国町地熱資源活用審議会」を設置するなどを定めました（2016年1月施行）。同審議会は、2016年2月から2022年7月までに17回開催し、11事業者からの申請を審議しています（うち1社は事業撤退、3社は小規模発電）。

しかし、わいた地熱発電所が操業して約1年後には近隣のバイナリー式地熱発電を行っている温泉施設で水蒸気量が半減する現象が起こりました。続

小国町内の地熱発電所

傘木撮影

山中にある試掘井

傘木撮影

いて、わいた地熱発電所が第2還元井を掘削すると、近隣の旅館2社で温泉水の濁りなどの問題が発生しました。また、他の地熱発電事業者による掘削も周囲で動き出し、農作物に恵みをもたらす「神の水」と言われた「熱田神宮水源」の湧き水も枯渇して、地熱発電事業との関係が疑われています。

(3) 住民団体の取り組み（表2－24）

こうした事態を受けて「小国郷の自然を守る会」（以下、守る会）が発足しました。主要なメンバーは温泉事業者や町議及び町議経験者、自然保護活動の実践者などです。

表2－24　小国町と周辺地域での地熱発電をめぐる経緯

年	開発動向など	小国郷の自然を守る会の取り組み
1989	八丁原地熱発電（11万kW）が稼働 黒川温泉で温泉水位低下、泉温低下等	
2011	地区の全世帯が役員となる地熱発電の合同会社「わいた会」設立（1月）	
2015	①わいた地熱発電所稼働（6月）	
2016	小国町地熱資源の適正活用に関する条例施行（1月） H社の蒸気量が半減（6月）	
2017	①よりH社に温泉水の供給（4月） ②T社が生産井の掘削開始（10月）	
2018	①で第2還元井の掘削開始（1月） ①第2還元井近くの旅館2軒で温泉水の濁り等（A社1月〜、B社10月〜） H社の蒸気が途絶、自費回復（5月） ③F社が調査井の掘削開始（10月） A社とB社が仮処分申請（12月）	
2019	④S社が生産井の掘削開始（2月） 町内「熱田神宮水源」が枯渇（10月）	「守る会」発足 小国町地熱発電事業組合設立や基金制度などを求める署名活動開始（7月）
2020	町議会が請願を「趣旨採択」、町長提案「小国町地熱恵み条例」を制定（3月） H社の蒸気が再び途絶、自費回復（5月） ⑤M社が生産井を試験開放（7月） 小国町地熱資源活用協議会設立（8月）	小国町議会に署名617筆提出（3月）
2021		条例改正の請願と記者会見（9月） シンポ「地域と温泉と地熱開発の共生を図る」開催（11月）
2022		日本温泉地域学会にて発表（6月） 熊本県地熱資源の適正利用に関する条例（案）の提案 シンポ「（第2回）地域と温泉と地熱開発の共生を図る」開催（12月）
2024		シンポ「（第3回）地域と温泉と地熱開発の共生を図る」開催（3月）

報道資料、小国郷の自然を守る会提供資料などにより傘木作成

守る会では、先の条例では不十分として、①新たな協議組織の設置、②売電収入の一部を基金として積み立てて被害があった場合の補償対応にあてる、③適正開発に向けて罰則を強化した条例に改正するなどを求めて請願署名を開始し（2019年7月）、町内人口の約1割にあたる617筆を議会に提出しました（2020年3月）。

町議会特別委員会では、この請願の採択をめぐり「趣旨採択」と「採択」で同数となり、委員長判断で「趣旨採択」となり、町長提案の「地熱の恵み基金条例」が採択されました。請願の趣旨からすると積立金の金額や使途があいまいなため、修正動議も出されましたが否決され、守る会として「不十分な条例」ではあったものの「一定の前進」となりました（表2－25）。

条例制定後、小国町地熱資源活用協議会が発足し（2020年8月）、民間事業者5社と町の間で「小国町地熱活用協議会に係る協定」を締結し、以下の4項目を定めました。

①共通モニタリングの実施と独自モニタリングの報告義務

②地域振興策や事故発生に対応するための地熱の恵み基金制度の確立

③地熱開発事業から生じた損害を補償する保険への加入

④保険に加入できない場合等の代替措置

しかし条例制定後もトラブルが発生しており、守る会は、寄付金に頼る運用では温泉の湯量減少などの被害が発生した場合に確実に拠出される保証がない上に、使途が抽象的で実効性に欠けるとして、「地熱の恵み基金条例」の改正を求める請願を提出しました（2021年9月）。

この請願に対して、町議会では、基金の使途を損害補填に限定することへの反対意見などから、賛成少数で否決されました。しかし、町長は、既存温泉事業者の湯量減少などと地熱開発の因果関係を調査する費用を基金から一時的に支出することを含め検討していく旨を表明しています。

守る会では、小国町での到達点を広く発信しつつ、より充実させていく観点から、「地域と温泉と地熱開発の共生を図るシンポジウム」（2021年11月）を開催しました（表2－26は第2回概要）。シンポジウムには、守る会メンバーのつながりを活かして、幅広い分野からパネリストが登壇しました。

表2－25　小国町地熱の恵み基金条例（令和2年3月18日条例第5号）と修正案

条文	修正案（2020年3月定例会）
第1条（設置）　地熱関連事業者からの寄附によって得た資金を、小国町の豊かな未来を創ることを目的として、地域振興と地域の資源や環境を保全するために要する経費の財源に充てるため、小国町地熱の恵み基金（以下「基金」という。）を設置する。	第1条　本条例は、地熱資源の適正活用に関する条例（以下「適正活用条例」という。）第6条1項にいう「必要な措置」並びに同条第2項にいう「地熱資源の保護に関する措置として、小国町の地熱発電事業者（以下「事業者」という。）による地熱発電に伴い生じ得る当該地域住民の生活権、財産権の棄損に対して損害を補填し、もって地域の資源や環境を保全するため、小国町地熱のめぐみ基金（以下「基金」という。）を設置する。
第2条（積立て）　基金は、寄附金及びその他の収入をもって積み立てるものとし、その額は、一般会計歳入歳出予算で定める額とする。	第2条　事業者は、適正活用条例第8条の「事業計画」又は同第10条の「変更事業計画」に基づき、新たな掘削を開始するとき又は現行の掘削を拡大するときは、地熱発電の規模、方式及び売電金額その他の事情を考慮して、その都度、町長が適正活用条例第7条の小国町地熱資源活用審議会（以下「審議会」という。）への諮問を経て決定した金額を拠出しなければならない。（以下「拠出金」という。） 2　事業者は、前項の拠出金をその金額に満つるまで、毎月分割して拠出することができる。但し、当該毎月の拠出金の額は、当該事業者における毎月の売電金額の10％を下回ることはできない。 3　小国町は第2項の拠出金及び寄付金その他の収入をもって基金とする。
第3条（管理）　基金に属する現金は、金融機関への預金その他最も確実かつ有利な方法により保管しなければならない。	
第4条（運用益金の処理）　基金の運用から生ずる収益は、一般会計歳入歳出予算に計上して、地域振興と地域の資源や環境を保全するために要する経費に充当し、この基金に繰り入れるものとする。	第4条　町長は、議会の承認を得て、本条例の基金を拠出する。但し、地域住民の生活権、財産権に生じた損害を補填する場合には、審議会への諮問を経なければならない。

<table>
<tr><td>第5条（繰替運用）　町長は、財政上必要があると認めるときは、確実な繰戻しの方法、期間及び利率を定めて、基金に属する現金を歳計現金に繰り替えて運用することができる。</td><td>第5条　基金が第4条の支出額に不足する場合は、前条の損害と因果関係を有する事業者は当該不足額を全額拠出し、それでも不足する場合又は前条の損害と地熱開発との因果関係が不明確である場合は全ての事業者において各自の地熱開発の規模に応じて按分のうえ全額拠出しなければならない。</td></tr>
<tr><td colspan="2">第6条（処分）　基金は、地域振興と地域の資源や環境を保全するために要する経費の財源に充てるため、必要があるときは、その一部又は全部を処分することができる。</td></tr>
<tr><td colspan="2">第7条（委任）　この条例に定めるもののほか、基金の管理に関し必要な事項は、町長が別に定める。</td></tr>
<tr><td colspan="2">附則　この条例は、公布の日から施行する。</td></tr>
</table>

小国町地熱の恵み基金条例（令和2年3月18日条例第5号）及び守る会提供資料より傘木作成

「地域と温泉と地熱開発の共生を図るシンポジウム」チラシ

表2－26　地域と温泉と地熱開発の共生を図るシンポジウム（概要）

催事名　（第2回）地域と温泉と地熱開発の共生を図るシンポジウム
開催日　2022年12月4日（日）
会　場　小国町町民センター
主　催　小国郷の自然を守る会
構　成　基調講演①　「地熱資源と観光資源の共生」
　　　　秋葉賢也（復興大臣、超党派地熱発電普及推進議員連盟）
　　　　基調講演②　「地熱発電開発と温泉地の現状」
　　　　佐藤好億（日本温泉協会副会長）
　　　　パネルディスカッション
　　　　司　　会：西田直美（小国町町議会議員）
　　　　パネリスト：佐藤好億（日本温泉協会副会長）
　　　　渡邊誠次（小国町長）
　　　　中坊　真（九州バイオマスフォーラム事務局長）
　　　　森田憲右（弁護士、筑波大学教授）
　　　　廣瀬　勝（小国郷の自然を守る会会長代行）
　　　　橋場芳文（エネルギー・金属鉱物資源機構特命審議官）

※敬称略、肩書はすべて当時のもの。

パネリストの森田憲右さん（弁護士）は「地熱開発事業者共済制度」を提案しています。これは鉱業法109条（開発事業者が周辺の被害発生に就き連帯保証債務を負うべく立法措置を整備）を参考に、因果関係の立証能力や訴訟費用の捻出において不利な温泉事業者や農業関係者、住民の法的保護を目的としたもので、発電事業者には基金の拠出を義務化する半面、FITによる買取制度終了後に当該事業者に周辺地域への影響がない旨の立証がなされれば拠出金は返還される仕組みとなっていて、財源の安定性や公平性を維持しようという考えによるものです。

地熱開発での井戸掘削の許可は都道府県事務です。市町村単位での制度ではおのずと制約が生じます。八丁原発電所のように県域を超える場合もあります。本来は、国や県単位での制度構築が必要です。守る会では、森田弁護士の起草を参考に、国や県への働きかけも行っています。

このように守る会の活動は、専門家の協力を得ながら、「小国モデル」と全国的に注目されている制度を実現させつつ、国・県に波及させるために、守

表2－27　小国郷の自然を守る会の取り組み

調査・学習、世論喚起	温泉施設での被害状況の調査
	他地域の状況把握、温泉協会などとの情報収集など
	シンポジウムの開催
関係機関への働きかけ	町に対する条例制定及び条例改正の請願署名
	国・県、推進機関、国会議員連盟との情報交流

小国郷の自然を守る会提供資料などにより傘木作成

る会のメンバーのつながりをいかして、発信力のあるパネリストを招聘してシンポジウムを開催していることも特徴的です。

(4) 今 後 の 課 題

小国町は、先述のように、学びあいや住民主体を重視したまちづくりで知られています。小国町発足（1935年）当時より「大字協議会」が6つの大字に、町の補助金もない住民の自主的な組織としてあります。「みんなで考えみんなで創る小国町まちづくり条例」（1996年10月施行）は「大字まちづくり協議会」を規定（第17条）し、①町長への意見具申、②土地のあっせんや調整、必要な事業の提案、③開発事業監視員を兼務して無断開発事業等について調査・報告することとしています。また、大字まちづくり協議会が認める地域団体が行う、開発や営業施設及び営業行為については、事前協議や事前届出を必要としない（第9条）という権限も与えています。

こうした伝統が、「わいた会」による日本で初めての住民主体の地熱発電所が生み出されたことや、地熱発電所開発に伴って生じたと思われる地域課題の合理的な解決方法のあり方を学習・提案し、制度化する住民運動が育ったことにもつながっていると考えられます。「地域と温泉と地熱開発の共生」には、まだ多くの紆余曲折が予想されますが、地域主体で課題解決しながら、持続可能な地域社会をめざす将来が期待されます。

一方、小国町の枠内だけで、地熱開発に伴う諸問題に対応していくことは難しいことは自明です。守る会が提唱している事業者による「共済制度」のような仕組みが国や都道府県の調整により実現させていく流れを生み出していくのが、今度の課題です。

2020年時点で、地熱発電を含む再生可能エネルギーの規制に関する条例などを制定している市町村は178（条例77、ガイドライン93、両方8）あります（全市町村の1割余）。また、地熱発電事業に特化して規制を目的とした条例は6市町村（制定順に熊本県南阿蘇村、鹿児島県霧島市、大分県九重町、熊本県小国町、大分県別所市、北海道弟子屈町）が確認されています。

地熱発電は、地域的な偏在があるため、全国的な制度に結びつけていくためには、地域での実態とその克服に向けた関係者の努力が知られていく必要があります。また、やはり地域的な偏在がみられ、自治体の境界を越えて環境や地域社会への影響が起こりうる風力発電事業なども視野に入れた制度化を求める運動が必要になるかもしれません。

こうした状況は、「列島改造論」（1972年）に象徴される乱開発で、全国各地で公害問題が発生し、被害者・住民運動の力によって自治体による独自の救済策が誕生していく中から、公害健康被害補償法（1973年10月制定）が誕生した経緯と似たものを感じます。

また、小国町の事例からも、地元主体であったとしても、周囲への環境影響が発生する可能性は否定できないので、事前の環境配慮（アセスメント）と事後調査（モニタリング）は欠かせないことを再認識させられます。

環境省「温泉資源の保護に関するガイドライン（地熱発電関係）」（2012年3月）や資源エネルギー庁「事業計画策定ガイドライン（地熱発電）」（2023年10月改定）、独立行政法人石油天然ガス・金属鉱物資源機構「小規模地熱発電プラント設計ガイドライン」（2020年7月）などが整備されています。しかし、環境アセス制度のような情報交流については任意のものとなっているため、なかなか実践されていません。

アセスメントの思想や仕組みを、環境アセス制度が対象としているよりも小規模な事業に波及していくことが求められています。

コラム⑦ 温泉宿の悩み

私は、仁科三湖のひとつ木崎湖のほとりにある旅館で生まれ育ちました。築100年余の建物には「氷室」があり、昔は湖の氷を貯蔵して夏にかき氷も売っていました。今も風情はありますが（写真）、湖畔の弱い地盤で傾き、父の死去を機に廃業しました。旅館を始めた祖父は、戦前に、引湯元の葛温泉の開発を手掛けた事業家であるとともに、労農党や青年団の支援を受けて「翼賛破り」で村議に当選したものの大政翼賛会からの弾圧により辞退させられたような変わり者でした。私が生まれる前に他界しています。

7部屋の小さな旅館を家族できりもりしていましたが、おおぜいの他人を同じ屋根の下に泊めることはストレスが多く、廃業したときの母の「火事と食中毒を出さなかったことが何より」という言葉が印象的でした。また、温泉の配湯施設の不調などで湯温が低かったり濁ったりすると、お客さんに申し訳なく、こちらも切なくなったことが幾度となくありました。

そうした経験から、日本温泉協会の資料で各地のトラブル現象を知り、温泉宿の方々のご苦労はさぞかしと胸が痛みました。

1980年代まで木崎湖畔には19軒の旅館がありましたが、今では1軒もありません。私の家も3分の1が河川区域の上にあって建替えも容易ではなく、そのような事情からボロボロな建物が湖畔に軒を連ねています。

厚生労働省のホテル・旅館業の統計（表）によると、ホテルは増えて、旅館は激減し、ホテル・旅館ともに客室数が増加して、大型化の傾向にあります。中小企業基盤整備機構の調査によると（2017年3月）、旅館の47.5%は1970年代までに建てられ、客室数20室未満が37.1%を占め、経営者は60歳代以上が57.9%で、50.6%は後継者が決まっていないという状況にあります。そして、経営上の最大の課題は規模を問わずに「施設・設備の老朽化」がトップです。また、インバウンド対応を背景に、人材の育成・確保に苦労している姿も浮かび上がっています。

温泉宿の多い小国町では、「21世紀シナリオ」（2001年策定）で「小国町ポリシー」として「スモール・イズ・ビューティフルのまちづくり」を第一に掲げていました。しかし、全国的に進行しているのは小規模・零細な温泉宿の淘汰であり、その波は小国町にも押し寄せているのだろうと思います。

地熱発電開発を誘引しようとする地域の側の事情には、温泉地の実態があるのだろうと思います。同じように、農山漁村において、なりわいや田畑・山林の維持が困難になっていることを背景に、太陽光や風力などの再生可能エネルギー開発が押し寄せています。

大量生産・大量消費を維持するために再生可能エネルギーを爆発的に開発させながら、足元のなりわいを崩壊させ、食糧や森林資源、そして観光客を国外に依存していく先に、持続可能な社会は描けるのでしょうか。

客間から見える木崎湖

ホテル・旅館等施設数の推移

営業形態		1997年度	2007年度	2017年度	2017-1997差
ホテル	件　数	7,769	9,442	10,402	+2,633
	平均客室数	75.0	80.1	87.2	+12.2
旅　館	件　数	68,982	52,295	38,622	−30,360
	平均客室数	14.2	15.7	17.8	+3.6
簡易宿泊所		25,324	22,900	32,451	+7,127

※2018年度からホテル・旅館の区分が統合された。
厚生労働省「衛生行政報告例」第8表「ホテル－旅館営業の施設数・客室数及び簡易宿所・下宿営業の施設数」より傘木作成

第8章　バイオマス発電

バイオマス発電の原料や発電方式は多種多様であり、バイオマス（生物由来の有機性資源で化石資源を除いたもの）という用語でひとくくりにすることは、かえって環境対策への理解を阻害するかもしれません。

また、バイオマス発電所における火災などの事故が報じられることが多くなりました。環境の保全と地域の安全・安心を確保する観点から、事業者に対する地域社会からの働きかけが必要となっています。

1. 開発と環境影響の傾向（図2－25）

(1) バイオマス利用の特徴

①多様な資源物

バイオマスは幅広く存在し、その種類（表2－28）も利用方法も多様です。バイオマス発電の場合、ガス化または固形燃料や原料のまま（直接）、燃焼により蒸気を発生させてタービンを回して発電します（表2－29）。いずれの場

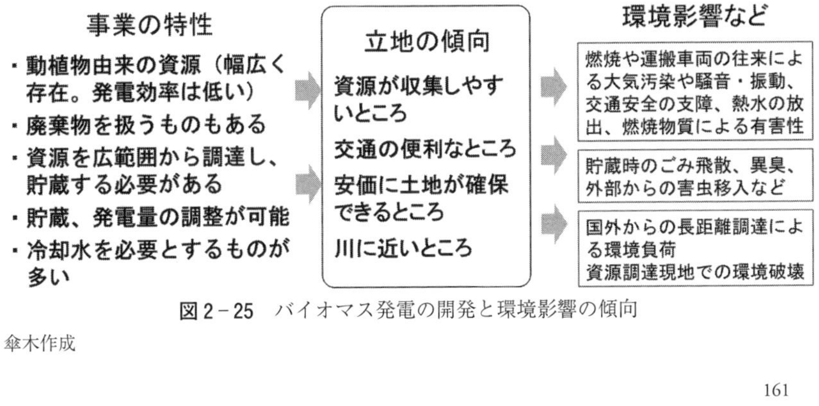

事業の特性

- 動植物由来の資源（幅広く存在。発電効率は低い）
- 廃棄物を扱うものもある
- 資源を広範囲から調達し、貯蔵する必要がある
- 貯蔵、発電量の調整が可能
- 冷却水を必要とするものが多い

立地の傾向

資源が収集しやすいところ
交通の便利なところ
安価に土地が確保できるところ
川に近いところ

環境影響など

燃焼や運搬車両の往来による大気汚染や騒音・振動、交通安全の支障、熱水の放出、燃焼物質による有害性

貯蔵時のごみ飛散、異臭、外部からの害虫移入など

国外からの長距離調達による環境負荷
資源調達現地での環境破壊

図2－25　バイオマス発電の開発と環境影響の傾向

傘木作成

表2－28　バイオマス資源物の種類

区分	資源物の例
廃棄物系	家畜排せつ物、食品廃棄物、廃食油、建設発生木材、製材工場残材、パルプ工場廃液、下水汚泥、し尿汚泥など
未利用系	農作物非食用部（稲わら、麦わら、もみ殻、剪定枝など）
	林地残材（営林事業の際に発生した枝や葉、間伐材、被害木等）
資源作物系	でんぷん・糖質系作物（さとうきび、とうもろし、イモ類など）
	油糧作物（なたね、大豆、アブラヤシなど）

傘木作成

表2－29　バイオマス発電における資源物の利用

区分		方法	
ガス化	メタンガス化	嫌気性微生物で有機物を分解させて発生（メタン発酵）	
	燃分解ガス化	高温で熱処理することでガスを発生	
燃焼	固形燃料化	RDF	一般廃棄物を加熱・粉砕・乾燥させてクレヨン状に
		RPF	産業廃棄物のうち再資源化が難しいものを固形化
	直接燃焼	チップなどにして燃やしやすくして直接燃やす	

傘木作成

合も発電効率は高くなく20％程度とされています。そのため、資源物を効率よく大量に収集し、処理する能力が必要となります。

ガス化にはメタンガス化と熱分解ガス化があります。

メタンガスは、酸素のない状態（嫌気環境）で働く微生物が、生ごみや紙ごみ、家畜のふん尿などの有機物を分解したときに発生します。ガスを発生させる過程をメタン発酵といいます。メタンガスは、前処理してガスタービン発電機に使われます。発酵により発生するガスは、メタンガス（CH_4）6割、二酸化炭素（CO_2）約4割、他に微量の硫化水素（H_2S）が発生します。二酸化炭素についてはカーボンニュートラルと位置付けられています。

熱分解ガスは、食品残さや木質ペレットなどを高温で熱処理することでガス化し、ガスタービン発電機などに使われます。燃焼温度が高く、直接燃焼

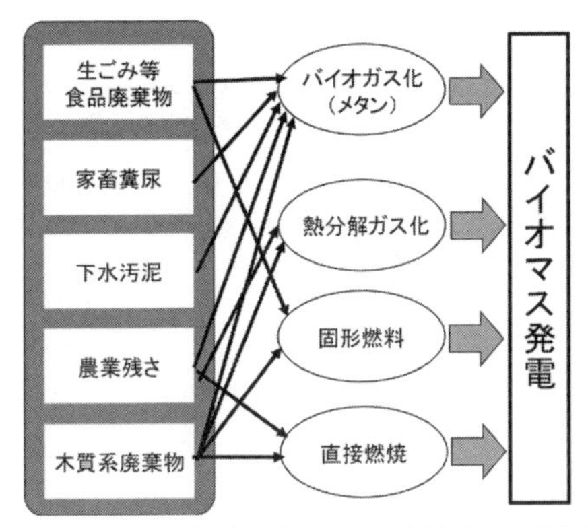

図2－26　廃棄物系バイオマスの種類と発電利用
傘木作成

方式よりも小さな設備でも高い発電効率が得られるため、バイオマス発電所の小型化に貢献しています。

廃棄物の固形燃料には、RDF（Refuse Derived Fuel）とRPF（Refuse derived paper and plastics densified Fuel）の二種類に大別されます。RDFは、生ごみや紙、プラスチックごみなどを自治体が収集した一般廃棄物を加熱・粉砕・乾燥させて、クレヨン状に固めた燃料です。直接燃焼より高温・均質な燃焼が得られます。RPFは、産業廃棄物のうち、再資源化が難しい古紙や廃プラスチック類などの固形燃料で、一般廃棄物からつくるRDFとは違い、原料の廃棄物の内容が明らかにされているため不純物が少なく、ダイオキシン原因物質の除外も可能です。品質の優位性からごみ固形燃料はRDFからRPFに移行しつつあります。いずれも燃焼させて発電します。

直接燃焼方式は、木材や可燃ごみ、廃油などを燃焼しやすいように加工したものをボイラーで燃やして発電します。燃焼効率が良くないので、大型の設備で行われる傾向があります。

②収集範囲の広さ

バイオマスは、一般的に、資源の量に対する発電効率が高くなく、資源は薄く広く存在するため、広範囲から収集・運搬する必要が生じます。

また、存在していても、間伐材などの林地残材は、林業の衰退を背景にし

表2－30　バイオマスの年間発生量・賦存量、利用量及び利用率

（2020年度）

	バイオマスの種類	発生量・賦存量 t	利用量 t	利用率
未利用	林地残材	11,774	4,663	40%
	竹	28,892	1,417	5%
	もみ殻	18,720	14,682	78%
	稲わら	69,120	67,738	98%
廃棄物系	生ごみ	248,788	206,716	83%
	廃食用油	6,332	2,287	36%
	食品加工残さ	40,568	39,849	98%
	下水汚泥	51,237	27,456	54%
	建設廃材	31,660	27,989	88%
	製材工場廃材	15,000	14,415	96%
	家畜排せつ物	236,000	236,600	100%

農林水産省資料より傘木作成

て、賦存量に比べると40%程度の利用にとどまっています。竹は5%の利用しかありません。他に、下水汚泥の利用も半分程度ですが、小規模な下水処理場では緑農地利用や建設資材利用が大半を占めているため、全体的にはエネルギー利用はわずかとなっています（表2－30）。

資源作物系のバイオマスでは、既存の用途と競合する場合もあります。たとえば、可食のバイオマス種（さとうきび、とうもろこし、いも類、大豆など）の場合、食料利用との競合があります。また、儲かるからと、エネルギー利用の非可食のバイオマス種の栽培が広がった結果、可食物の生産が減少することも考えられます。

そして、国内で効率よく十分に調達できない場合、国外から調達して、運搬することも行われています。

③立地の傾向

大きな工場や工場群、下水処理場、大規模な牧場などから発生するバイオマスを利用する場合、発電設備もそれらに隣接して整備されます。

しかし、バイオマスを広範囲から収集・運搬する必要がある場合は、交通の便の良いところで、かつ冷却水を必要とするために河川などの近くに発電所が建てられる傾向があります。

また、発電所の規模が小さくなると、住宅地に近くなる傾向があります。

(2) バイオマス発電の環境影響

①大気汚染

一般的には、昔と違って、環境対策技術が進んだため、火力発電所の煙突からでる排気のほとんどは水蒸気で、それが白く煙のように見えます。その上、バイオマス発電は「カーボンニュートラル」なので、石炭や天然ガスによる火力発電所よりは地球環境にやさしいと言われています。

しかし、コストを下げるために十分な技術を導入できていなかったり、保全管理が不十分であったりすると、燃焼させる原料（たとえば廃棄物系）によっては、有害物質が排出されることもあります。

あるバイオマスコンサルティング会社のWEBサイトでは「バイオマス発電だから大気汚染の心配はほとんどない」ことを説明し、「周辺住民の方々のなかにある先入観を取り除き、正しいデータに基づいて説明」するよう勧めています。このような無責任なコンサルティングがまかり通っています。

実際には、排煙設備のメンテナンスが不十分だったり、原料を大量に積み上げて保管していて発熱・発火したり、備蓄施設から異臭がもれたりすることがあり、消防庁や環境省では安全上の基準を定めています。

たとえば、固形燃料のRDFは、一般廃棄物由来で塩素分や重金属などの不純物が多く、燃焼状態によってはダイオキシンの発生も考えられます。RPFの場合も塩素系プラスチックを混ぜてあるとダイオキシンや塩素系ガスを発生させる可能性があります。さらに、直接燃焼でも、建築廃材や間伐材の燃焼効率の低さを補うために、廃プラスチックを混入させる事業者もあります。燃料としての利用は廃プラスチックの再資源化（サーマルリサイクル）になるということですが、適切な燃焼設備で処理しなければ、大気中に有害物質が排出される可能性があります。

②臭気

ガス化による発電施設でも、また、原料の搬入から発電に至る過程で原料や変換工程における悪臭が発生する可能性があります。

バイオマス利用手段として古くからある堆肥化施設は人里離れたところにあって、ある程度臭くても当たり前のような風潮がありました。今では、人里離れた場所にも家が建てられるようになり、観光施設や道路などのインフラも整備されて、臭くて当たり前は通用しなくなりました。堆肥化工程の臭気にはアルデヒド類や低級脂肪酸類がわずかながらも含まれて、これらは臭覚閾値（しゅうかくいきち、においが感知されうる化学物質濃度の境界値）がとても低いため、堆肥化施設からかなり離れた場所でも臭く感じられることがあります。

近年、食品リサイクル法制定（2000年5月）などを背景に、食品系バイオガス化施設が普及し始め、FITを機に急速に増加しています。バイオガス化の施設では、原料に由来する「生ごみ臭」、発酵や残さ処理の工程で生じる「硫黄臭」、乾燥させる工程での「焦げ臭」などが発生します。やはり、これらの臭いも臭覚閾値が低いため、十分対策をしているつもりでも臭いに敏感な人には被害として受け止められます。

バイオガス化の臭気に対する対策の蓄積も多くないため、今後のバイオマス利用のためにも研究の進化が期待されます。基本的な対策としては、臭気が発生する工程を建屋内に収めて、密閉構造にしつつ、脱臭ファンにより負圧化して、室内の臭気が漏れないようにします。また、搬入車両の運行（一台ずつ建屋に入れるなど）やにおいの原因となる汚水の漏洩の防止など、細心の配慮が必要です。

木質バイオマス発電所の場合も、住宅地に近接して建てられた場合、その燃料置き場に野積みされている木材の臭気、木くずやほこりの飛散、害虫の発生などに苦情が寄せられている事例があります。発電のためのボイラーを効率的に稼働させるには燃やす木材の含水率を下げる必要がありますが、自然乾燥では1年間程度は必要となります。その際の管理状態が良くないと、においやほこり、虫の発生などにつながるおそれがあります。

③騒音・振動

バイオマス発電所の騒音・振動のトラブルは、他の工場や発電所などと同様に、建設中と稼働時に発生する可能性があります。

建設中では、トラックや建設重機の出入りや運転、地盤固めのためのパイルの打ち込み、ボーリングなど、大きな音と振動が発生します。

稼働後も、ボイラーや発電装置のタービンなどからの騒音や振動が発生します。発電設備からの騒音は低ベルであっても24時間続くことがあり、周囲に不快感を与える可能性があります（コラム④参照）。

発電所の騒音対策では内面に収音材を張った建屋内に発生源を納めます。しかし、タービンからの熱で建屋内が高温になるため、建屋には数多くの収排気口が設置され、そこから騒音が近隣に広がることもあります。音は距離で減衰するので、発生源を住宅地などからなるべく離したレイアウトを採用してもらうなど、建設計画での早い段階での情報交流が必要です。

また、広範囲からバイオマスを収集運搬する事業の性格上、木材などを大量に積んだ大型トラックがひんぱんに出入りする場合は、沿道や発電所周辺に騒音・振動と交通安全上の問題を引き起こす可能性があります。通行ルートと通行時間帯を地域の状況（たとえば沿道に学校や保育園があるなど）に合わせて設定してもらう必要があります。また、木材の運搬などでは、燃料置き場からトラックが出る際に木くずや泥などが付着して、構外の道路を汚して、ほこりなどを飛散させることがあります。車両やタイヤの洗浄も地域社会には切実な環境対策となります。

④処理水の放出

燃焼型のバイオマス発電所は、他の火力発電所と同じように、水蒸気を発生させてタービンを回します。その高温の蒸気を水で冷やした後に、海や河川に流します。

水源から直接水を引き込んで熱を回収し、そのまま排水する放水冷却方式は冷却塔や別置き水槽などのスペースを必要とせず、メンテナンスの手間が少ないので、採算性の観点から採用されています。しかし、大量の水を必要とし、川や海に温排水を放出することで、生態系などに影響を与える可能性があります。発電所から温排水が流れ込む川の流量が多くない場合は特に注意が必要です。また、地震で給水設備が破損した場合は大きなトラブルになる可能性もあります。

近年増えている小規模火力発電所（10,000〜112,500kW）では、温排水の影響を回避する観点から冷却塔を導入しています。この場合、設備費やスペースを要するので、相対的に経営基盤が弱いバイオマス発電所では避けられる傾向があります。冷却塔方式の場合、水蒸気の白煙や景観面、騒音などから苦情が出ることがあります。

なお、バイオマス発電所は、上記の事情から、河川沿いに建設される傾向があります。しかし、気候変動の影響のためか、近年の「記録的な」豪雨により河川が氾濫するおそれが高まっています。その際、集積させたバイオマスが流出・漏出する可能性もないとは言えません。災害対策についても、地域社会との情報交流が必要です。

(3) 相次ぐバイオマス発電所の事故

この原稿を書いているさなか、武豊火力発電所（愛知県）での火災発生が報じられました。2024年1月31日に構内から煙が発生し、消火活動により鎮火が確認されたものの、翌2月1日になって燃料を搬送するベルトコンベア付近で再び出火しました。同発電所は石炭と木質バイオマスとの混焼型で、過去にも2度、施設内から煙が発生する事故を起こしています。

近年、バイオマス発電所からの出火・発煙などの事故が立て続けに起きています（表2−31）。この事態を受けて、経済産業省は「バイオマス発電所における安全確保の徹底及び事故発生時の報告のお願いについて」を全国のバイオマス発電設備設置者に通知しました（2024年2月1日）。約1カ月前の2023年12月に「電力安全小委員会・電気設備自然災害等対策ワーキンググループ」を開催して、相次いで起きているバイオマス発電所の事故について専門家グループより警鐘がならされたばかりでした。

表2−31の推定原因を見ると、「公表なし」は論外ですが、木質チップなどからの自然発酵・発火という事案が多いことは、バイオマス発電所の特徴で

表2－31　バイオマス燃料を貯蔵する設備等の関連事故

発生年/月	発電所(専焼･混焼の別)	操業年/月	事故概要	推定原因
2019/ 2	山形バイオマスエネルギー発電所（専焼）	試運転中	ガスレシーバタンクの爆発（1名負傷）	公表なし
2020/10	ひびき灘石炭・バイオマス発電所（石炭と混焼）	2018/12	燃料搬送用ベルトコンベヤーの火災	ローラ設備の摩擦等
2022/ 2	CEPO 半田バイオマス発電所（専焼）	2019/10	燃料チップ搬送コンベヤ付近の火災	燃料チップの粉塵が付着し短絡により発火等
2022/ 9	常陸那珂火力発電所（石炭との混焼）	2003/12 2013/12	バイオマス受入ホッパー建屋での発煙	公表なし
2022/ 9	武豊火力発電所（石炭との混焼）	2022/ 8	燃料を搬送するベルトコンベアの建屋内で煙の発生	公表なし
2023/ 1	袖ケ浦バイオマス発電所（専焼）	試運転中	燃料貯蔵設備（サイロ）火災	貯蔵中のペレットが自然発酵の可能性
2023/ 1	下関バイオマス発電所（専焼）	2022/ 2	ペレットバンカーの火災（運転停止後）	ボイラーからの逆火
2023/ 1	武豊火力発電所（石炭との混焼）	2022/ 8	桟橋上の燃料を搬送するベルトコンベアからの煙の発生	公表なし
2023/ 3	舞鶴発電所（石炭との混焼）	2004/ 8 2010/ 8	燃料供給設備（サイロ、運搬設備）火災	木質ペレットが発酵・酸化してガスが発生し、自然発火
2023/ 5 2023/ 9	米子バイオマス発電所（専焼）	2022/ 4	バイオマス燃料受入搬送設備火災	木質ペレットが自然発酵して発火等（調査中）
2024/ 1 2024/ 2	武豊火力発電所（石炭との混焼）	2022/ 8	燃料搬送用ベルトコンベアからの出火	公表なし

経済産業省「米子バイオマス発電所における爆発・火災事故について」（2023年12月4日）に武豊事例を追加して傘木作成

あり、重大な問題です。管理が不十分であったり、収集と利用（燃焼）のバランスがとれていなかったり、粉塵が発生しやすい環境に放置されていたりなど、さまざまな問題が想起されます。

バイオマス発電（未利用材）のFIT買取価格（2023年度）は、2,000kW以上では32円/kW、2,000kW未満は40円/kWとなっています。そのため、全国各地で2,000kW未満ぎりぎりの発電所が計画されています。

しかし、国が示すガイドラインは、小規模・低圧であることで、住民説明会の開催を努力事項にとどめています。また、環境対策や安全対策への投資が相対的に不十分なものとなる可能性もあります。小規模なものほど住宅地などに近くなる傾向があるので、事業内容や立地に即した指導が行政には求められています。

(4) 国外依存問題

長野県と塩尻市が民間企業と連携する木材活用事業「信州F・POWERプロジェクト」により整備された木質バイオマス発電所（2020年稼働）に燃料の木材チップを供給する企業（松本市、1977年設立）が、2023年8月、経営破たんにより民事再生法の適用を申請しました。負債総額約65億円は、2023年度中において長野県内最大額でした（帝国データバンク）。その原因の一つには世界的な木材価格の高騰「ウッドショック」が影響していると報じられています。同発電所の出力は14,500kWで、使用燃料は国産木質バイオマス（未利用材、製材端材）で約14万t/年と計画されていました。

長野県内には、同発電所を最大規模として、他に2社3基の小規模な木質バイオマス発電所があります。それらの合計出力19,290kWにより使用される木材量は507,500m^{3}で、2020年内における長野県の木材生産量446,000m^{3}よりも多くなります（表2－32)。これら発電所は一様に地産地消による「森林の保全育成」を事業理念として掲げています。しかし、林業の生産量を上回る木材をどのように確保するのでしょうか。

経済産業省「第33回総合資源エネルギー調査会基本政策分科会」(2020年11月）によると、全国的にも、木質バイオマス発電に利用される間伐材等に

表2－32　長野県内の木質バイオマス発電所の年間使用木材量

	所在地	稼働年	出力 kW	使用木材量 t	体積換算 m^3
A	長野市	2005年	1,300	15,000	37,500
B	長野市	2014年	1,500	18,000	45,000
C	塩尻市	2020年	14,500	140,000	350,000
D	東御市	2020年	1,990	30,000	75,000
		計	19,290	203,000	507,500

長野県木材生産量（2020年）	446,000

※ＡとＢは「平成26年度森林・林業白書」p167 事例Ⅳ-7より引用。
ＣとＤはそれぞれの会社概要より引用。
体積換算はスギの密度 $0.4t/m^3$ を使った。
長野県木材生産量（2020年）は令和3年度「長野県木材統計」より。
傘木作成

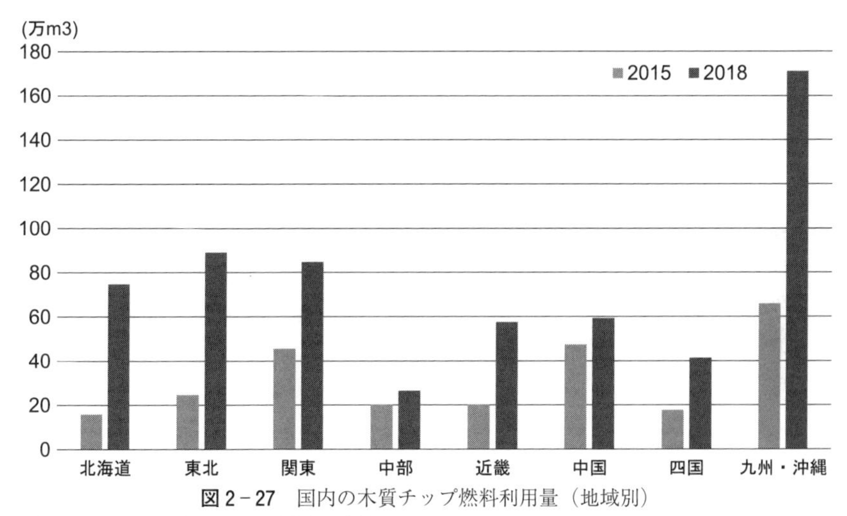

図2－27　国内の木質チップ燃料利用量（地域別）
「木質バイオマスエネルギー利用動向調査」

由来した木質チップ燃料の利用量は急増しています。特に、九州・東北・北海道での伸びが著しくなっています（図2－27）。

一方で、同資料によると、木材やバイオマス液体燃料を使うバイオマス発電所（FIT認定）の76％が輸入材を使用しています（図2－28）。輸入材の多

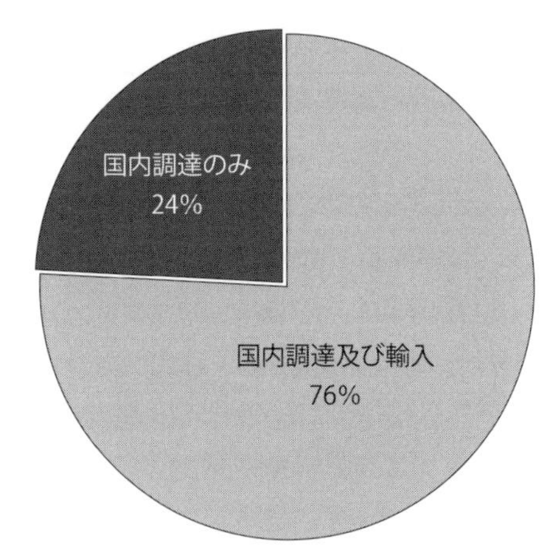

図2－28　木質及びバイオマス液体燃料のFIT認定内訳
FIT認定情報より傘木作成

くは、PKS（Palm Kernel Shell：パーム椰子の殻）やパーム油です。そのため、「国内木質燃料の間伐材は利用量に限りがある」「原料の7割以上が輸入材を活用しており国外への依存が顕著」と警告しています。

木材やPKSの輸入量はFIT導入後、急速に増えています。2020年データでみると、木質ペレットはベトナムとカナダで8割以上を占め対2012年比で61.2倍に、PKSはインドネシアとマレーシアでほぼ全量を占め同比で196.3倍に、それぞれ急増しています（図2－29）。

こうした中、2022年10月、ベトナムの木質ペレット最大業者が、国際的な森林認証制度を偽装表示していたことが判明しました。同業者のペレットは、大手商社を通じて、日本への輸入の大半を占めています。さらに、偽装企業からのペレットを抱えた日本の大手商社は、手持ちの約3万トン分を韓国の企業に転売したことも報じられました（いずれも一般社団法人環境金融研究機構ホームページ参照）。森林認証制度とは、適正に管理された認証森林から生産される木材等を生産・流通・加工工程でラベルによる表示管理することで、選択的な購入を通じて持続的な森林経営を支援する仕組みです。

前著で紹介した環境NGOの共同声明「大規模な燃料輸入を伴うバイオマス発電は中止すべき」（2020年10月）などが指摘したように、木質ペレット

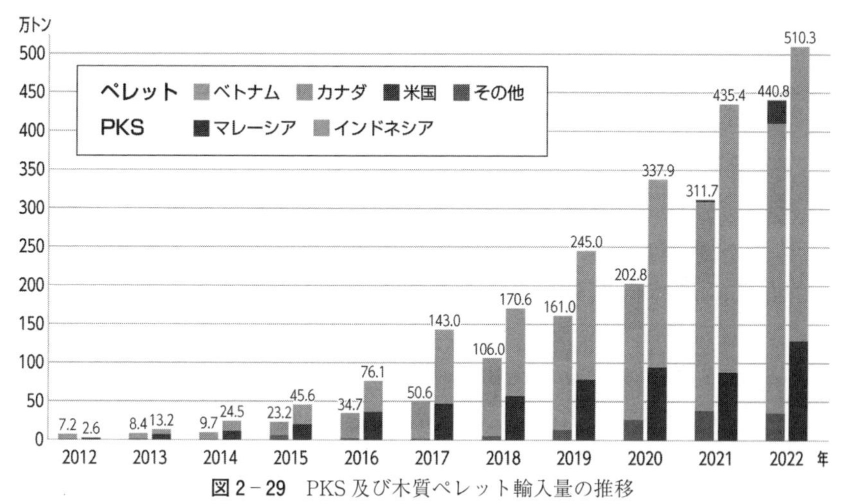

図２－29　PKS 及び木質ペレット輸入量の推移

『バイオマス白書 2023』（特定非営利活動法人バイオマス産業社会ネットワーク）

生産のための森林伐採が生態系の破壊や先住民族の追い出し、加工工場などでの子どもを含む奴隷的な就労などにつながっています。その現状を改善するための森林認証制度への信頼がベトナムの事件でゆらぎました。

木質バイオマス発電は、「地産地消」とか「里山資本主義」といった耳ざわりのいいキャッチコピーが使われていますが、個々の事例はともかく、全体としては「現実を反映していない（ウソがある）」と言わざるをえません。

国内での林業の厳しい現状は放置したまま、燃料調達を国外に依存し、輸入先での環境破壊や人権蹂躙には目をつむって、国内の足下では生活環境や安全面の不安を地域社会におしつけながら発電を行う事業のどこにSDGsとの整合性があるのでしょうか。バイオマスの有効活用は循環型社会の形成に必要不可欠ですが、それを大規模かつ短期間に推し進めることは、現代社会が抱えている問題をより深刻化させるものです。

2. 田川市内の住民の活動（福岡県）

(1) 地域のようす

田川市（人口約44,000人）は、福岡県の中央部に位置して、東西南方向が山で囲まれた盆地にあります。炭坑節の発祥地であり、筑豊最大の炭都として栄えて、最盛期（1950年代）には人口10万人を超えました。石炭から石油への転換が進む中で大幅に人口は減少しましたが、地域内の産業構造の転換や北九州市大都市圏への地の利を生かして工業団地や住宅団地の整備が進み、現在では全国的な傾向と同じように緩やかな人口減となっています。

バイオマス発電所を見おろす星美台は、田川市がボタン山を造成・分譲した台地に開発された住宅団地です。彦山川及びバイオマス発電所建設地の先に、田川市のシンボルとされる香春岳（かわらだけ、標高509m）が見渡せます。香春岳は五木寛之『青春の門』（1969年連載開始）の舞台として知られています。

田川市立病院駅のリノベーション

花石さん提供

星美台区長の花石さん（背景に建設中の発電所と香春岳）
傘木撮影

星美台（245戸）とその周辺には、田川市立病院（342床）をはじめ、民間の診療所2軒や各種福祉施設、高齢者住宅（3軒約200戸）、学校・保育園、高校・大学や商業施設も立地する良好な住宅街となっています。

彦山川沿いを走る平成筑豊鉄道は、石炭全盛期をしのばせる複線で、「田川市立病院駅」は今も多くの利用者があります。星美台自治会では古くなった駅舎（田川市立病院駅）にレストラン観光列車がとまるようになったことを機に、住民や市立病院職員、高校生、鉄道社員などとの協働でリノベーションしました（写真）。この活動は第18回マニフェスト大賞特別賞を受賞しました（2023年11月）。区長の花石恵子さんは、コミュニティラジオ局（インターネット配信あり）のパーソナリティも務める活動的な方です。

(2) 開発事業の概要と経緯（表2－33）

建設中のバイオマス発電所（出力1,999kW）は、星美台から200mの至近距離にあり、住宅団地から見下ろす彦山川沿いの耕作地をつぶして建設中です(2024年12月稼働予定)。高さ18mのプラントから煙突20mが出て、河川側に木質チップを保管する施設が配置されています。24時間330日稼働で、1日10台以上の大型トラックが往復する計画とパンフレットに書かれています。事業者は、鹿児島県内では有名な会社です。

表2－33　田川市におけるバイオマス発電所建設をめぐる経緯

年	開発の動き	住民団体等
2019	近隣3区長を招いた料亭での会合で部外秘資料により計画が示される（11月）	3区長より再三にわたり説明会の開催を求める（計画はなくなったと思っていた）
2020	（音沙汰なし）後に国の認定を受けたことが判明	
2021	造成工事が始まる（6月） 簡易パンフレット配布 星美台での初めての説明会が紛糾（11月）	糒地区住民の経済産業局への情報公開請求により地元説明ないまま国許可があったことが判明 九州経産局に相談、質問書を事業者に仲介（12月） 「考える会」発足（12月）
2022		星美台全戸に書面で意思を確認（83%反対署名）（2月） 市議会に建設反対の陳情（3月） 市長に反対署名持参するも受取拒否（3月） 集会に70人参加後、スタンディングデモ開始（8月、月2回） 九州経産局に認定取消要望書提出（8月） 国への意見書と決議可決（12月）
2023		九州経産局に再度要望書提出（3月） 市長選挙に向けた候補者の意向確認（4月） 環境保護条例を公約した市長候補が当選（4月） 田川市政策勉強会で報告（7月）
2024	稼働予定（12月）	「考える会」小集会（2月）

報道資料、田川バイオマス発電所を考える会資料などにより傘木作成

建設中の田川バイオマス発電所

花石さん提供

2019年11月、発電所予定地の隣接3区長による集まりが料亭でもたれ、事業者より「部外秘」と記された資料が配布されました。

後に情報公開請求により、同年2月より諸手続きは進められていて、市との協定書が庁内稟議なしで市長決裁がなされていました。その後、音沙汰なく計画はなくなったと思っていたところ、2021年6月に造成工事が突然始まりました。これも後に、事業者は、説明会を開催しないまま料亭の件をもって「開催した」こととして、国の認定を受けていたこと、設備整備計画も未提出のまま着工していたことなど、ずさんな手続きが露呈しました。

なお、事業計画では、地域農業の促進のために廃熱利用もうたっていますが、周辺農業従事者には何の説明もなく、既存の農業用ハウスに供給する計画も一つもないので、実際にはどのように廃熱が処理されるのか、関係者は注視しています。

星美台と発電所建設地の位置関係（図2－30）は、約16m標高差があるため、高さ20mの煙突が住宅街や市立病院に対して真横の高さになります。

発電所は星美台に対して東側になるので、東風の発生状況を調べました。田川市内には気象観測点は設けられていませんが、Weather Sparkの気候レポートによると、1時間あたり平均風向は1年を通して変化が多い中で、5月27

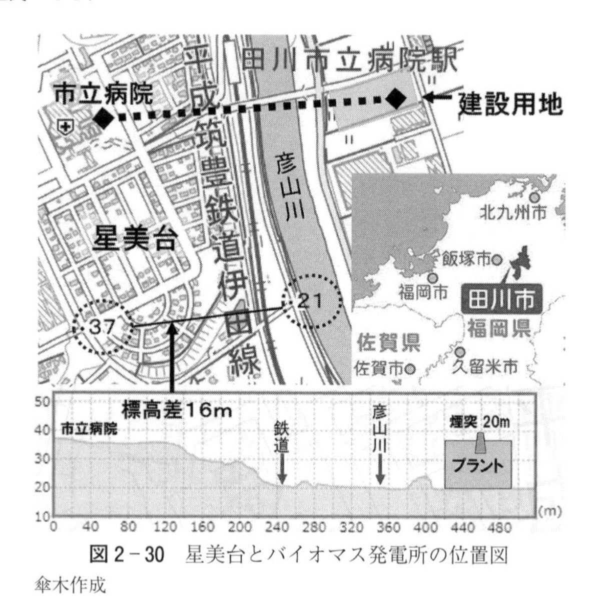

図2－30　星美台とバイオマス発電所の位置図

傘木作成

日から6月15日までの2.7週間と、8月4日から8月22日までの2.6週間においては東風の頻度が高く、6月8日に29%と最大になります。風速も季節変動が大きく、1年間のうちより穏やかな期間は4月14日から11月15日の7.0か月です。最も穏やかな月は8月で、時間当たりの平均風速は10.8km/h（3.0m/s）です。煙突の煙は、温度や湿度にもよりますが、風力1（0.3m/s～1.5m/s）の至軽風から煙がなびき、軽風（1.6～3.3m/s）では真横に流れやすくなる傾向があります。

そうした位置関係からも住民が不安に思うことは当然です。

(3) 住民団体の取り組み（表2－34）

バイオマス発電所をめぐる住民運動は、隣接する糒（ほしい）地区の有志から始まり、田川バイオマス発電所を考える会（岡部康紀代表）が中心的な役割を担っています。

星美台は新しくできた街なので、分譲当初は自治会もなく、加入者も多くありません。そうした中で区長の花石恵子さんは、区内の住民全体での取り

表2－34　田川市内の住民運動の特徴

住民自治	・星美台区全世帯の意向を確認して、区長が先頭に立って活動 ・有志による「考える会」を設けて市内からの協力を広げる活動 ・市長選挙及び市議選挙で公約を引き出し、支援する活動 ・新しい市政における政策実現に向けた学習活動
関係機関 働きかけ	・国機関への要請や相談、市への要請、市・県議会への陳情 ・事業者への要請、質問 ・国会議員、環境 NGO による視察受け入れ
交流・発信	・建設地でのスタンディングデモ（月2回） ・活動の様子や事業の問題点などを SNS や YouTobe 等で発信

傘木作成

組みを意識しながら、考える会と連携して住民運動を展開しています。花石さんは、紛糾した説明会以来、事態を問題視して、説明会の開催を再三事業者や市役所関係者に求めました。現地は、市立病院もある大きな住宅団地に向かう橋のたもとで、あらゆる交通が集中するため慢性的に交通量の多い場所です。しかも、通学路でもあるにもかかわらず、専用の歩道はなく、50cm の路側帯を子どもたちは狭そうにして歩いています。また、大気汚染や河川氾濫の心配もあり、「なぜ林業のないまちの住宅地の脇に？」という疑問に答えてほしいと切に思っていました。

しかし、コロナ禍もあって対面対話が難しい中でようやく開催された説明会（2021年11月）は、造成工事の終了後でした。配布資料もすでに全戸配布した簡易なパンフレットのみで、説明会は紛糾しました。事業者代表は「どれだけ反対されても事業はやる」と言明し、これにびっくりした花石さんが九州経済産業局に相談し、事業者への質問状を取り次いでもらい、翌月（2022年1月）には説明会を開催するとの回答を得ました。しかし、その3月に一方的な回答はあったものの、完成を目前としている2024年3月末においても説明会は開催されていません。

星美台区は、バイオマス発電所建設反対の活動を行うことについて、全戸に書面で賛否を問い、83％の賛同署名（建設反対署名）を得て、区長として反対運動を進めることの了承をとるとともに、広範な市民との連携を図るた

月2回のデモ

花石さん提供

めに、「考える会」を発足させました（2021年12月）。

2022年8月からは、勉強会参加者の提案でスタンディングデモを始めることとなり、月2回の行動は2024年4月末までに42回を数えています。

あわせて、市議会議員も積極的に取り上げ、毎議会で計9回、一般質問に取り上げられました。また、国会議員の視察を受入れたり、国機関への要請に同行してもらったりしながら、国への対応を迫りました。2022年12月の市議会では、国への意見書と市に対する決議を求める議員提案が採択されました。意見書及び決議の採択は、田川市民の全体に問題を知ってもらうきっかけになりました。

こうした中で、市長選挙と市議会議員選挙が同時に行われ、「考える会」では候補者の政策を聞くための集会を持ち、先の意見書及び決議の提案議員でもあった新人候補から「環境保護条例制定」の公約が示されました。ある公開討論会では、現職（当時）に気兼ねした主催者が、「一部地域の問題を持ち出さないでください」と、質問者の発言をさえぎる場面もありましたが、選挙戦を通じてバイオマス発電所問題は市民に浸透していきました。

新人候補は「ガラス張りの市政」を掲げ、3選をめざす現職に大差をつけて当選しました。地元テレビ局も「ライバル同士の共闘」と報じたように、保守系・革新系の市議候補が連携して新市長誕生に奮闘しました。

新市長の公約実現を後押しするための有志による市政政策勉強会でもバイオマス発電所建設をめぐるこれまでの市政の問題を指摘し、今後同じようなことが起きないように乱開発を未然に防ぐための条例制定を訴えました。

2024年2月に入って「考える会」では、これまでの活動や全国の木質バイオマス発電所の相次ぐ爆発火災事故の状況、今後の活動などについて報告や提案、意見交換するための小集会を開催しました。「小集会」といいながら満席となり、花石さんは「これからも、地道に、実直に、活動を続けていきます！」と抱負をSNSに記しています。

(4) 今後の課題

発電所の完成を間近にして、環境問題や交通安全対策、災害時の対応などについて、事業者と自治体ないし自治会などとの協定の締結とその履行を点検していくことについて、合意を形成する必要があります。

「考える会」は、活発かつ十分に地域社会に反響する活動を展開されてきました。その機動力を、発電所が操業された後も監視しつつ、より良い地域づくりにつなげていくことが課題となります。

花石さんは、「こういう問題に住民が直面したときに頼れるところがない。開発事業者と地元政治家・有力者が結託している状況では自治体はまったく頼りにならない。国機関は、真摯に耳を傾けて助言や関係機関につないでくれる職員もいたが、異動されてしまうと一からやり直しとなる」と、住民運動の難しさを指摘されていました。

そうした中、舞鶴西地区の環境を守る会（京都府）の代表・森本隆さんは、活動の立ち上がり段階からオンラインのやりとりでアドバイスをくださり（直接お会いしたことはない）、環境NGOメンバーや草の根活動を支援するLUSHチャリティバンクの活用も紹介してくれました。

全国各地で再生可能エネルギー開発に伴う問題が発生している中、各地の運動と情報を交流していく必要があります。その上でも、これまでの発信力とつながりが生かされるのではないでしょうか。

マスコミは取材には来るものの取り上げることはなく、インターネットニュースが何度も足を運んで、自ら情報公開請求で裏付けをとりつつ、全国に発信してくれたことが力になりました。

花石さんは「再生可能エネルギーといいながら、事業の実態は大手企業や政治家、地元有力者の結託により進められている。開発をめぐる諸問題の構造は変わっていない。地域性もあるかもしれないが、こういう構造を変えていかないと、持続可能な社会に向けた開発とは言えない」と話されました。小規模な開発事業では、地域の有力者と結びついて、一般住民からは見えない形で進められていくことが少なからずあります。場合によっては、地域の有力者からの同意を得ていることをもって「地域社会の理解を得ている」と、国などに報告されているケースを私も見聞きしています。

たとえ小規模な事業であっても、地域社会に与える影響が少なからずある場合は、環境アセスメントを簡易にしたような透明性と科学性に基づいた情報交流の機会を住民等に提供する必要があります。今後整備させていく市環境保護条例の中で、そのような手続きが具体化されることを期待します。

3. 梁川地域市民のくらしと命を守る会（福島県）

(1) 地域のようす

伊達市（人口約56,000人、図2－31）は、福島県北部に位置し、地名は戦国大名・伊達政宗に由来しています。

梁川地区は、伊達市の東北端に位置し、古くは「蚕都梁川」と言われ、車でご案内いただいた方のご実家や「守る会」のみなさんと昼食をいただいた古民家カフェも養蚕農家特有の2階構造になっていて、そうした建物が随所に見られる田園地帯です。近年は果樹・野菜の栽培が盛んで、あんぽ柿、桃、さくらんぼ、いちご、きゅうりなどが有名です。

梁川地区の西端を流れる阿武隈川は、福島県中通りを縦貫して北に流れ、暴れ川としても有名です。1998年8月の洪水を機に中上流部で「平成の大改修」が実施されましたが、治水対策が困難な場所もあり、その後も氾濫が起きています（表2－35）。また、福島県内で1時間雨量が50mmを超える集中豪雨の発生回数は、全国的傾向と同様に、増加傾向にあります。

やながわ工業団地は、阿武隈川右岸に面する約60haに、電気機械器具、紙製品、食品加工、リサイクルなど14社が立地しています。農村地域の産業の導入の促進等に関する法律（農村産業法）に基づき整備されました。断面図で見ると、造成された団地は、住宅や農地のある地区より若干高くなっていま

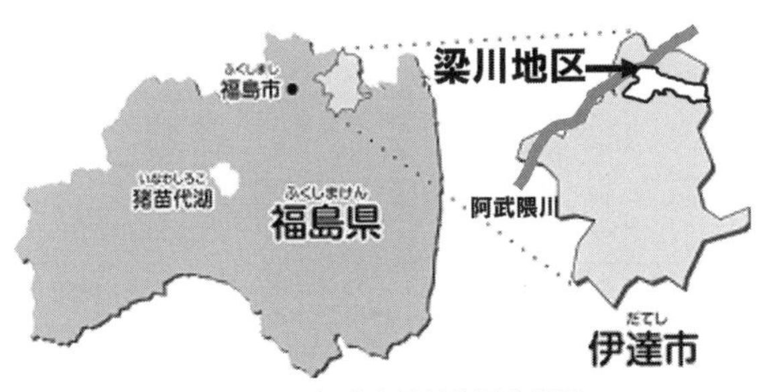

図2－31　伊達市梁川地区位置図

表2－35　阿武隈川での洪水記録

発生年	発生原因	被災市町村	被害状況
1938年	台風	伊達市他	死者・負傷者25名、全半壊79戸、床下浸水2,918戸、床上浸水1,068戸
1941年	台風8号	郡山市、福島市、伊達市他	死者・負傷者69名、全半壊208戸、床下浸水16,582戸、床上浸水17,708戸
1947年	カスリン台風	郡山市、福島市、伊達市他	死者・負傷者38名、全半壊209戸、床上床下浸水合計33,470戸
1948年	アオイオン台風と低気圧	福島市、伊達市、角田市他	死者・負傷者95名、全半壊737戸、床下浸水24,558戸、床上浸水18,834戸
1950年	台風11号	福島市、岩沼市、伊達市他	死者・負傷者115名、全半壊686戸、床下浸水17,097戸、床上浸水8,414戸
1958年	台風21号 台風22号	伊達市他	死者・負傷者68名、全半壊707戸、床下浸水29,233戸、床上浸水9,549戸
1966年	台風4号	玉川村、伊達市他	死者・負傷者0名、全半壊0戸、床下浸水0戸、床上浸水0戸
1966年	台風26号と温帯低気圧	郡山市、福島市、伊達市他	死者・負傷者0名、全半壊338戸、床下浸水0戸、床上浸水1,935戸
1971年	台風23号	福島市、白石市、伊達市他	死者・負傷者0名、全半壊1戸、床下浸水357戸、床上浸水37戸、浸水家屋394戸
1981年	台風15号	福島市、伊達市、角田市他	死者・負傷者0名、全半壊0戸、床下浸水176戸、床上浸水24戸
1982年	台風18号	本宮市、福島市、伊達市他	死者・負傷者0名、全半壊23戸、床下浸水4,204戸、床上浸水675戸
1986年	台風10号と温帯低気圧	郡山市、福島市、伊達市他	死者・負傷者4名、全半壊111戸、床下浸水11,733戸、床上浸水8,372戸
1989年	台風13号	福島市、伊達市、角田市他	死者・負傷者0名、全半壊16戸、床下浸水668戸、床上浸水412戸
1991年	台風18号	郡山市、福島市、伊達市他	死者・負傷者0名、全半壊1戸、床下浸水273戸、床上浸水79戸
1998年	停滞前線と台風4号	郡山市、福島市、伊達市他	死者・負傷者20名、全半壊69戸、床下浸水1,713戸、床上浸水1,877戸
2002年	台風6号	郡山市、福島市、伊達市他	死者・負傷者0名、全半壊0戸、床下浸水886戸、床上浸水605戸
2011年	台風15号	郡山市、本宮市、伊達市他	死者・負傷者0名、全半壊0戸、床下浸水873戸、床上浸水1,665戸
2019年	台風19号	郡山市、本宮市、伊達市他	死者・負傷者92名、全半壊14,049戸、床下浸水443戸、床上浸水1,161戸

国土交通省ホームページ「日本の川」、福島県ホームページ「県内における主要災害」、内閣府「防災白書」より傘木作成

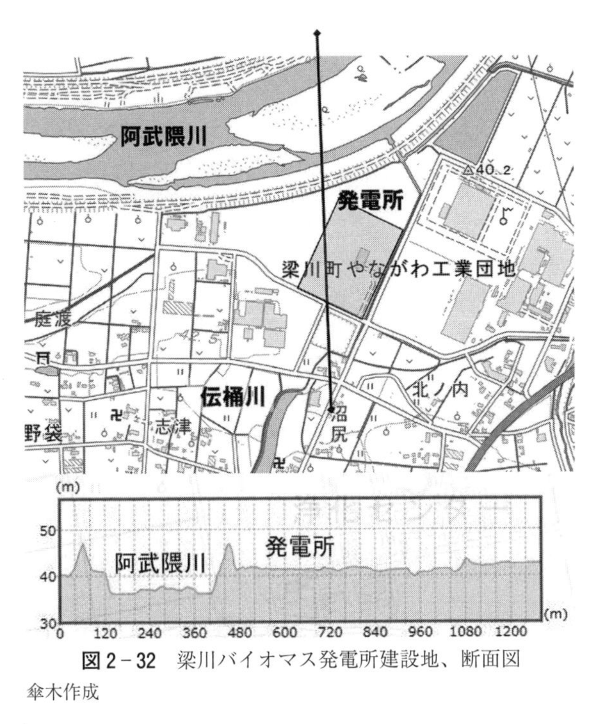

図2－32　梁川バイオマス発電所建設地、断面図

傘木作成

す（図2－32）。

(2) 開発事業の概要と経緯

やながわ工業団地内に建設中のバイオマス発電所の概要は以下の通りです。

・名　称：バイオパワーふくしま発電所

・事業者：一般及び産業廃棄物処分業及び収集運搬業（本社・群馬県）

・出　力：13,500kW

・設備等：衝動式復水タービン1基、流動床式ボイラー1基（単胴自立型、自然循環・強制循環併用式）、バグフィルター（煤塵）、消石灰吹込み（塩化水素）、活性炭吹込み（ダイオキシン）等

・燃　料：建設廃材60％＋廃プラスチック40％

・運搬等：日量約260トンを大型車50～70台で運搬

事業の特徴は、廃棄物処分業者による廃棄物（建設廃材及びプラスチック）

梁川工業団地に建設中のバイオマス発電所

傘木撮影

の焼却による売電用発電です。住民団体が「再生可能エネルギーとは言えない。“廃棄物発電所”というのが正しい」と主張するゆえんです。

事業者は、2018年1月に土地を購入し、復興庁より東日本大震災復興特別区域法の指定（優遇税制措置等）を受けて計画の具体化を進め、2020年5月には東北経済産業局より事業計画の認定を受けていました。こうした経過を住民が知るのは認定後の同年7月のことでした。

伊達市から促される形で住民説明会が開かれました。配布資料では「説明不足で近隣の皆様にご心配、ご不安をおかけしたことを深くお詫び申し上げます。今後は真摯に対応させていただきます。」と弁明しました。しかし、住民や工業団地内の企業から反対や異論が噴出し、住民団体の署名活動や地方自治法に基づく請願書を受けて市議会は全会一致で事業の全面撤回を求める決議を行うとともに、関係機関への意見書を採択し、送付しました。

工業団地に立地する既存の企業にとっての一番の問題は、発電用に地下水を大量に（1日平均2,400トン）取水されることで、地下水の枯渇、地盤沈下など、事業の継続に与える影響が強く懸念されます。地下水は、発電時の冷却水として使用され、都市計画法の開発基準を無視して、直接隣接する公共用の粟野農業排水路に排水される計画です。

工業団地から流出される雨水、排水をはじめ、工場の製造で使用した排水も含めて、全ての排水は、都市計画法の定める開発許可基準によって工業団地用下水を経由して調節池に放流しなければならないとなっています。しかし、この排水処理問題については、伊達市が合理的判断だとして粟野農業排水路への放流を許可しました。これによって、1日720トンの温排水が公共排水路を経由して阿武隈川に流れ出すことによる生態系保全等への影響も懸念されています。

また、事業者は、発電所から最寄の国見インターチェンジからすぐの場所に農地転用許可（2021年12月）を受けて資材置場を整備しました。そこには大量の廃プラスチック類が積み上げられ、風などで飛散したことで周辺からの苦情があり、福島県の指導により、今は撤去されています。

こうした中で、同12月になって、伊達市長（当時）は事業計画を「認めることはできない」と市議会で表明しました。しかし、翌1月に市長選挙で再選されると、市は事業者による地下水取水用井戸築造工事を認め、着工され

敷地に積み上げられている廃材らしき物

廃プラ類が風で散らかっている内部
塀の外にも飛ばされている（現物あり）

国見IC近くの資材置場に積まれた廃プラ
2022年11月30日撮影、梁川地域市民のくらしと命を守る会提供

ました。住民らは「市長は選挙のためだけに反対を表明した」と反発しましたが、市は「調査のための井戸」と説明しました。

同6月には杭工事が着工され、11月には事業者による地下水の揚水試験と市による水位観測が行われ、市は「周辺井戸への水位変動は極めて小さい」との結論を広報「だて市政だより」（2023年2月）で周知しました。

発電所は2024年5月稼働予定で工事が進められています。

(3) 住民団体の取り組み（表2－36）

梁川地域市民のくらしと命を守る会（以下、守る会）は、2021年3月の説明会の内容に反発する中で発足しました。会の構成員は、7つの自治会長と梁川町内会長連絡協議会長から代表・副代表（2名）として、理事に農業委員、工業団地会、農業生産者などが務め、地域社会をあげた組織をつくりあげました。

翌4月には署名活動を開始し、10日間で8,778筆（梁川地区住民の約7割）を集め、それをもとに梁川地区選出の伊達市議会議員6名を紹介議員として反対決議と関係機関への意見書の提出を求める請願を行いました。市議会はこれを全会一致で採択し、意見書を送付しました。

守る会は、学習などで専門家の助言を受けながら、事業者や関係機関に次々に質問状や請願、陳情を重ね、その状況を会報や新聞折込みチラシなどで地域に周知してきました（表2－37）。

東北経産局には事業者が地域への説明なしに事業認可したことの取消しを求めました。

農林水産省には、梁川工業団地への発電所の導入が農村産業法に適合しているのかを問合せ、「福島県及び伊達市では、これを導入業種とする計画は定められておらず、同法に基づき産業導入地区に立地することはできません」（2022年1月）との見解を引き出しました。これを受けて伊達市は農林水産省に問合せて、「望ましい状況とは言えず」としながらも「農産法上立地を止める規定はないため、市町村にも強制的に止めることはできないと考えます」との回答を得て、これを根拠に「特定業種の立地の可否について述べている

表2－36　梁川地区でのバイオマス発電所をめぐる経緯

年	開発動向など	梁川地域市民のくらしと命を守る会
2018	事業者が土地を購入（1月） 東日本大震災復興特別区域法（優遇税制措置等）の指定を受ける（2月）	
2020	伊達市より事業者に「早期に地元説明会の開催」要請（1月） 東北経産局「事業計画の認定」（5月） 一部住民（17名）に口頭説明会（7月）	
2021	伊達市より「地域住民、工業団地内の企業に対して説明会の開催」要請（1月） 地元住民（150人限定）説明会（3月） 事業者説明会（6月） 市議会全会一致で請願採択、国・県への意見書送付（6月） 事業者より工業団体会に市所有の水源地の水量調査の計画が示される（8月） 最寄インターチェンジ近くに資材置場として農地転用許可を受ける（12月） 伊達市長「認めることはできない」と議会で表明（12月）	「守る会」発足（3月） 署名活動開始。10日間で8,778筆が集まり、市長と懇談（4月） 市議会に全面撤回決議と国・県への意見書提出を求める請願（4月） 市長へ全面撤回を求める陳情（5月） 東北経産局に認定取消を陳情（7月） 市議会議長との懇談。市長に対する2回目の陳情（8月） 会報第1号（9月） 国会議員、県会議員への陳情（10月） 会報第2号（11月） 会報第3号（12月）
2022	市長選挙で現職再選（1月） 事業者による地下水取水用井戸築造工事を市が認め、着工（4月） 杭工事着工（6月） 事業者による揚水試験と市による水位観測（11月）	農水省に問合せ、農村産業法（工業団地への立地）との不適合を確認（1月） 各所に立て看板を設置（4月） 会報第4号（5月） 会報第5号、活動募金よびかけ（9月）
2023	市広報にて周辺井戸への影響結果（水位変動は極めて小さい）を周知（2月）	意見広告チラシ発行（2月） 守る会の新体制発足（3月） 公害防止協定に関する学習会（4月） 意見広告チラシ発行（9月） 市に対して公害防止協定案に関する見解と協定項目案の提示（10月）
2024	一般住民向け説明会（1月） 操業開始予定（5月）	説明会で判明した地下水取水の技術的問題について市長に質問状（2月） 意見広告チラシ発行（2月）

報道資料、梁川地域市民のくらしと命を守る会提供資料などにより傘木作成

表2－37　梁川地域市民のくらしと命を守る会による要請書等の例

発行日	題名	提出先等
2021. 4. 4	産業廃棄物中間施設及びバイオマス発電所建設計画の白紙撤回を求める署名活動について（お願い）	梁川町各自治会・町内会1
2021. 4.27	産業廃棄物中間処理場及びバイオマス発電施設建設の反対決議と意見書の提出を求める請願	伊達市議会
2021. 5.19	産業廃棄物中間処理場及びバイオマス発電施設計画の白紙撤回に関する陳情書	伊達市
2021. 7. 2	ログ社説明会（6月18日）での回答に対する「守る会」の見解	伊達市
2021. 7.14	福島県伊達市やながわ工業団地におけるバイオマス発電計画認定の取り消しを求める陳情書	東北経済産業局
2022. 1.28	農村地域への産業の導入に関するガイドラインの「農村に賦存する地域資源を活用した産業」についての問い合わせ	農林水産省
2023. 4.12	バイオマス発電施設建設に伴う排水工事に関する法的問題について（事前調査資料）	関係機関 地域住民等
2023. 5. 8	「有価物」に関する見解の問い合わせ	福島県
2023. 9.26	協定締結に当たって協定書に反映させていただきたい問題点	伊達市
2023.10.10	公害防止等に関する協定項目（案）に対する守る会の見解及び協定項目（案）	伊達市

梁川地域市民のくらしと命を守る会提供資料より傘木作成

ものではないと考えます。」と解釈し、守る会に回答しています（2月）。

福島県環境部には、県環境課の「バイオマス発電所の使用燃料は廃棄物ではなく、有価物であり、廃棄物処理施設の許可は必要としない」との回答に対して、事業者の操業実態に関する資料や弁護士の見解などを添えて、県としての見解をただしています（2023年5月）。

発電所の稼働を目前にして開催された事業者の説明会（2024年1月）では、事業者において地下水取水の実績がないことが判明し、これに伴う技術的な問題について伊達市に質問状を提出しました。

さらに、事業者がISO（国際標準化機構）14001を認証取得していることか

表2－38　梁川地域市民のくらしと命を守る会の取り組みの特徴

住民自治	・周辺自治会や工業団地会、農業団体など地域ぐるみの組織 ・積極的に活動する有志にも開かれた活動
調査・学習	・専門家の助言による調査や関係機関への要請活動 ・焦点となる課題での学習会の開催
関係機関働きかけ	・国機関への要請や相談、県・市町への要請、議会への請願 ・事業者への要請、質問 ・国会議員や県会議員等による視察受け入れ
交流・発信	・会報や意見広告チラシの発行 ・地域内への立て看板の設置など

傘木作成

ら、認証機関に事業の内容及び地域社会との関係性がISOの理念にそぐわないのではないかと問い合わせました。応対者は、「認証の適用範囲は、会社の事業全体となる場合と、事業所単位となる場合があり、当該発電所についてはまだ認証申請が来ていないので、申請があった時点で提供いただいた地元の情報を参考としたい」と回答がありました。

このように、守る会の取り組みは、地域社会をあげた運動に展開しつつ、学習と専門家の協力によって問題点を明らかにし、関係機関をただしていくとともに、会報等を通じて地域関係者に周知しています。

2023年3月からは、地区単位の活動から、市域に広げた運動となるように新しい体制を発足させています。

(4) 今後の課題

しかし、このような取り組みにもかかわらず、ほぼ計画通りに発電所は稼働されます。

このことに対して、守る会では伊達市に対して公害防止等に関する協定の締結を求め、学習会を開催するとともに（2023年4月）、市の協定案に対しては見解と修正案を提出しています（同10月）。

市の協定項目案に対する守る会の提案には以下のような項目が含まれて、より実効性のある協定となるよう働きかけています。

・ボイラーの燃焼温度の自動計測と常時監視
・地下水取水の常時監視と被害が生じた場合の補償
・トラック単位での搬入燃料及び焼却灰の放射能測定
・通学時、夜間、休日の定義付けと交通安全対策の履行
・第三者による損害賠償の審査
・設備機器の設計図書の公開
・環境マネジメントシステムの履行
・協定への違反があった際の市民への情報公開
・市の指示に事業者が従わない場合の運転停止措置
・協定事項を点検する第三者委員会、住民代表を含む４者協議会の設置等

事業者と自治体による協定の場合、協定の根拠となる条例や要綱などが必要になる場合があります。また、罰則は難しいが、裁判に訴える根拠とはなりうるという考え方があります。自治体の側が積極的に協定の履行を求めない場合に、住民がその履行を求めることができるかについては、否定的な判例もあり、難しいと言われています。そのため、事業者と自治体の協定に住民団体が関与する、または、事業者と住民団体が協定を結び自治体が関与するなど、住民の関与を確立させる検討も必要になるかもしれません。

いずれにしても、住民による継続的な監視活動が必要になります。そうした環境保全努力を持続していくためには、自治体などが支え、協力する体制が欠かせないと思われます。

コラム⑧　有価物、逆有償、植物油脂

伊達市のバイオマス発電所の燃料となる廃プラスチックは「有価物」であるという福島県の見解がありました。

東京都（資源循環推進部）のQ&Aには以下のように解説しています。

《A1：有価物は廃棄物ではないので、廃棄物処理法が適用されません。国の通知では、有価物か廃棄物かは、物の性状、排出の状況、通常の取扱い形態、引取価値の有無及び占有者の意思等を勘案して総合的に判断するとされていますが、「売却代金と運搬費を相殺しても、排出側に収入があるか否か」というものが、判断の大きな目安となっています。ただし、売却の形式をとっていたとしても、使用方法や流通ルートが現実的でない場合は、「産業廃棄物として処理すべき物を有価物と称して不適正な処理をした」と判断されることがあります。》

私が代表を務めるNPO地域づくり工房では、10年間にわたり「菜の花エコプロジェクト」として地域内ホテル・飲食店・学校などから廃食油を回収して、バイオ軽油に精製して地元市のゴミ収集車やNPO会員の自家用車、農機具などに使ってもらう事業を行っていました。

当初は、廃食油を「有価物」として位置付け、「逆有償」という考え方で回収していました。それは、回収するコストの方がモノ（廃食油）の値段より高くつくので、廃食油の提供者からは代金をいただかない（実質有価物として買ったことになる）というものです（図）。

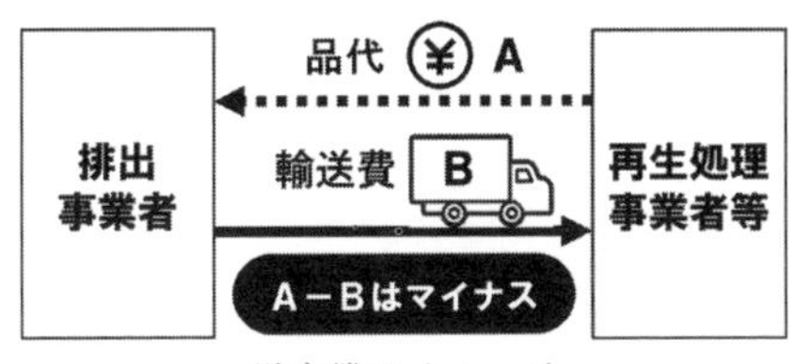

逆有償のイメージ

傘木作成

しかし、途中から県の方針が変わり、それまで有価物とみなされていたものが不法放棄されるなどの問題がひん発していたことを背景に、産業廃棄物の厳格化が図られました。それにより、廃食油も産業廃棄物扱いとなり、私

は廃棄物再生事業者の登録が必要となり、けっこう高い費用を払って講習や試験を受けて登録しました。

限られた区域の廃食油を収集・運搬し、少量危険物取扱（消防法）の範囲内で製造して再生利用することにさまざまな規制が課されることに強い抵抗感がありました。

一方で、ホテルや飲食店の方々における廃食油の扱いの実態はたしかに厳しいものがありました。出す方は「ごみ」と考えているので、廃食油が入った一斗缶には天かすや肉・魚の切り端、雑巾やネズミ、ゴキブリ、雨水などが混入していることが少なからずあって、バイオ軽油に精製するための前処理は本当に大変でした。

産業廃棄物の扱いは都道府県事務なので、有価物の判断も地域によって違うことがあります。建設廃材にしても、プラスチックにしても、排出する方は「ごみ」扱いなので、その形状は衛生的なものではないだろうと容易に想像できます。「使用方法や流通ルートが現実的」、つまり有価物にふさわしいものとして管理されているのか、自治体や住民のチェックが必要です。

ところで、どうしようもない廃食油は専門の産業廃棄物業者に引き取ってもらいました。その社長さんに「こんなきたない油は何になるのですか？」と伺ったところ、「沈殿濾過などをして、比較的にきれいな３分の１ぐらいはまた食用油に、残りの３分の１はソイインク（インキ）に、どうしようもない３分の１はたい肥になる」と言っていました。

スナック菓子などの裏ラベルをみると「植物油脂」と書かれています。原材料がはっきりしているものは大豆油やひまわり油などと書かれていますが、総称で「植物油脂」と書かれたものの実態は不明です。そういうところにあのきたない廃食油がまわっているのではないかと思うと、それ以来スナック菓子がどうも苦手になりました。

第3部

地　域　の　力

「資本家の圧迫に対する真に正しい救済策は、仕事をしないというストライキではなく、真の仕事をするというストライキであり、この最後の打撃に対して圧迫者は武器を持たない。」

ハワード『明日の田園都市』（鹿島出版会SD選書、175頁）

第９章　再生可能エネルギー開発の３原則

私は前著で「再生可能エネルギー開発の３原則」を提起しました。

再生可能エネルギーの開発が、自然環境との調和を図りつつ、地域社会の利益につながることで、持続可能な社会の建設に寄与するための、あらゆる関係者に共通する行動規範の基本原則です。

私は、第２部でご紹介した各地の状況からして、この３原則の重要さについていっそう思いを強くしました。

1. ３原則の基盤

(1) 地　域　の　力

エネルギーは何らかの事業を行うための手段です。

再生可能エネルギーは事業をより良く行う上で、地球温暖化防止や地域資源の活用などの観点から選択され、その利用が環境や地域社会に負の影響が及ばないように努める姿勢が、持続可能な社会における事業者の倫理として求められます。

もちろん、理念上は「手段」であるとしても、エネルギーの開発と流通を「目的」とした事業形態の専門性が適切な開発を担保するという側面もあります。いずれにしても、地域の資源を利用するという点において、上記の姿勢はいっそう重視されてしかるべきです。

一方、自然資源を無形・有形の共有財産とする地域社会は、それらが適切に利用されるように管理する立場です。再生可能エネルギーを利用しようとする事業に対して監視し、必要に応じて意見し、管理に参加するなどの努力が求められます。

事業者と地域社会のこうした緊張関係を含むやりとりが「地域の力（自治力)」を育て、持続可能な社会の基盤となります。

(2) 3原則の基盤

再生可能エネルギー開発の3原則は、その事業が「地域の力」を育てる方向で社会に作用することを念頭に、以下の3つの考え方を基盤として提起するものです（表3-1)。

①地域が資源を管理する

再生可能エネルギーの開発を行う事業者を含め、地域の関係者がそれぞれの立場から、または協働して、地域の資源を適切に管理することで、後世に負の影響を与えないためにより良い判断を導くことです。そうした社会的な営みをアセスメントといいます。

②地域に仕事を取り戻す

地産地消型の事業とすることで、再生可能エネルギーに係る地域での仕事をおこし、雇用につなげ、地域にお金の循環を形成して、地域内に投資する力（地域内再投資力）を育てるようにすることです。

③地域と地域の連携を進める

地域の過不足を補い合うとともに、連帯して政府や経済界に対して地域を育てる観点からの政策を提案し、その実現を図ります。また、エネルギーの圧倒的な不足から貧困や未権利な状態にあえぐ地球上の各地域に視野を広げ

表3-1　再生可能エネルギー開発の3原則

<table>
<tr><th colspan="2">基盤となる考え方</th><th>3原則</th><th>手段（例）</th></tr>
<tr><td rowspan="3">地域の力を育てる</td><td>地域の資源を管理する</td><td>アセスメント</td><td>事前配慮
モニタリング</td></tr>
<tr><td>地域に労働を取り戻す</td><td>地域内再投資力</td><td>マイクログリッド
地域（自治体）新電力</td></tr>
<tr><td>地域と地域の連帯を進める</td><td>国際連帯</td><td>地域間電力提携
途上国支援</td></tr>
</table>

傘木作成

て、連帯した活動を進めます。

2.【第1原則】アセスメント

アセスメントは、再生可能エネルギーを地域に導入し、適切に管理する上で欠かせない事前配慮及びモニタリング（監視）の営みです。

国際影響評価学会（IAIA）は、「インパクトアセスメント（影響評価）とは、策定中・実施中の開発計画が将来的に及ぼす影響を特定するプロセスである。」（2012年、FASTIPS No.1）と定義づけています。

日本の環境影響評価法及び条例等に基づいて行われている環境アセスメントは、重要ながらも、その一側面にすぎません。

本書における「アセスメント」の定義を表3－2に示します。

以下に、アセスメントの観点から、再生可能エネルギー開発に関わる事業者や行政（国・自治体）に求められる役割について提案します。住民団体の役割や具体的な活動例については第10章に記します。

(1) 事　業　者

事業者は、「再生可能エネルギーだから環境にやさしい」のではなく、「再生可能だからこそ環境への十分な配慮が必要」との認識に基づき、適切な事

表3－2　本書におけるアセスメントの定義

〈アセスメントの定義〉

■目的

現在及び将来の地球上のあらゆる人が健康で文化的な生活を営むことのできる健全な環境と社会基盤への負の影響を回避し、それらを維持・回復することにより、環境・社会・経済の統合を図ることを目的に取り組まれるもの。

■方法

さまざまな計画や事業の意思決定において、重要な持続可能性との関わりを特定し、扱う情報を整理し、評価項目と評価手法を選定し、関係者を巻き込みながら、点検と改善を行う。その際、複数案の比較検討を繰り返し、より持続可能性に資する計画・事業の実現を図る。

環境アセスメント学会「持続可能性アセスメント研究会」報告参照

前配慮とモニタリングを、地域住民等との情報交流を図りながら、進めていく必要があります。そして、環境への影響が大きい場合や地域社会の合意が得られにくい場合は、撤退する判断を、経営上の損失が少ない段階で行います。そのためにも、計画の熟度が低い段階でアセスメントを行います。

①制度アセスへの対応

環境影響評価制度（法や条例等）に基づく手続きの中で、住民等より災害や交通安全、歴史・文化への配慮などを求められたときに、「制度の対象ではないから」と説明を避けるようであれば、再生可能エネルギーを扱う事業者として不適格です。少なくともSDGsを口にすべきではありません。

制度アセスの機会を活かして、地域固有の情報を引き出し、積極的に地域社会とのコミュニケーションを図ります。

配慮書の作成に向けては、事前に地域で活動している自然保護団体や住民団体などから地域の課題を聞き出すことで、調査や情報交流の焦点が絞り込まれたアセスメントにつなげます。また、事業の実現可能性を早い段階で判断する機会にもなります。

②自主アセス

制度の対象ではない場合も、アセスメントの考え方（図3－1）に基づき、科学的な調査と情報交流により、事業の実現可能性を判断します。

自主アセスは、制度アセスに縛られることなく、地域の課題にそくして、調

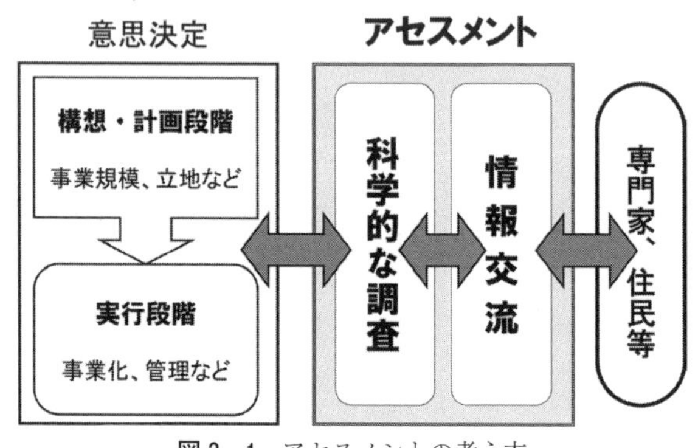

図3－1 アセスメントの考え方

傘木作成

査や情報交流の重点を絞ることで、簡素化することもできます。

NPO 地域づくり工房では、制度アセスにおける第二種事業の半分以下の規模を目安にして、「自主簡易アセス」を提案し、各地でお手伝いしてきました。最初は地元自治体が開発許可を出さなかった太陽光発電所計画が、自主簡易アセスにより 3D-VR 技術を使って可視化し、住民等との情報交流を図ったことで、開発が可能になった事例もあります（コラム⑨参照）。

③協働アセス

事前配慮のための調査やモニタリングを、地域で活動している自然保護団体や住民団体等との協働により進める取り組みです。特に、継続的な調査を必要とするモニタリングでは有効です。

京都府丹後半島での市民風力発電所の実践例はトラブルを未然に回避しました（コラム⑤参照）。

④事業者間の連携

近い場所で発電所が計画されている場合（エネルギー種が太陽光と風力というように別々であっても）、事業者間で情報交流し、アセスメントや地域社会への還元などについて連携することで、複合的な環境影響の回避・低減や事業の効率化を図ることができます。

(2) 国

国は、気候変動対策と生物多様性保全を両輪として持続可能な社会の構築を図ることを基本戦略に据え、自然環境よりも再生可能エネルギー開発を優先する政策を抜本的に見直し、大量生産・大量消費の社会構造の変革により、人口減少に向かう社会に軟着陸する方向にけん引していくべきです。

そうした方向性のもとでこそアセスメントは本来の機能を発揮します。

①エネルギー基本政策のアセスメント

エネルギー基本政策の策定に際して、従来のパブリックコメント（意見募集）を改良し、政策判断に際しての科学的な情報を公開し、評価項目や手法を含め国民が関与する手続きを確立すべきです。その際、生物多様性国家戦略との整合性を重視し、環境 NGO との対話に努めることが重要です。

②環境影響評価制度の抜本的な改善

事業の規模や立地などに応じて、環境項目だけではなく、地域の社会・経済、災害リスクなどに及ぼす影響を含め、横断的かつ柔軟な対応を事業者に促す制度に改良し、その取り組みを支える関係省庁間の連携を構築することは急務です。

複数の都道府県域にまたがるものや、住民等からの要請のあるものについては、公害等調整委員会のように専門家が関与し、独立した審査により事業者に意見し、必要に応じて事業の中止・廃止等を勧告できる機関を介在させる必要があります。

③事業者負担による国主導のアセスメント

洋上風力発電をはじめ、複数の自治体にまたがって影響が及ぶ可能性のある山間地などの陸上風力発電や地熱発電などが、複数の事業者によって計画されている場合には、事業者の負担金拠出により、国が関与してアセスメントを実施することができる制度とすることを提案します。

また、複数の事業が隣接して計画される場合の複合影響や累積影響の評価が国や自治体の関与で実施できるようにするべきです。

④環境影響評価図書のアーカイブ化

再生可能エネルギー開発に係るすべての環境影響評価図書（条例や自主的なものを含め）を国が収集・公開し、データベース化することで、今後のより良いアセスメントに向けた情報基盤の整備が欠かせません。そのための機関をエネルギー対策特別会計により整備し、広く国民が利用できるようにするべきです。

(3) 自　治　体

自治体（都道府県、市区町村）は、住民の福祉の増進と環境保全に対する責任を担う立場から、再生可能エネルギー開発のあり方について適切に誘導する役割を担います。とりわけ、民間（事業者と住民等）との円滑な情報交流を促し、住民をサポートしていく必要があります。

①土地利用に関する誘導・規制

自治体区域内への再生可能エネルギーの導入及び制限について、土地利用計画（国土利用計画法に基づく土地利用の最上位計画）に位置付け、より具体的な方針を以下の計画で示すことを提案します。

イ）地球温暖化防止対策地方公共団体実行計画「区域施策編」（促進区域の設定など）

ロ）生物多様性地域戦略（対象区域の設定と施策の設定など）

ハ）再生可能エネルギー開発の適正立地等に関する条例等（制限区域の設定と地元同意に向けた手続きの設定など）

ニ）その他関係計画等（景観計画や林地開発手続きなど）

②自主アセスメントの促進

環境影響評価条例等の対象とならない規模であっても、事業者が自主的にアセスメントを実施するように促し、実施に際して役立つ情報を提供する役割を提案します。たんに住民説明会の開催だけではなく、科学的な調査とそれに基づく参加の機会となるように、情報提供（関連する地域情報など）や情報発信（広報や回覧の利用など）、対話支援（場所の提供、運営支援など）を行うことが期待されます。

3.【第2原則】地域内再投資力

地域内再投資力は、地域社会が主体となって、再生可能エネルギーを開発し、活用することで、地域に仕事をおこし、お金の循環をつくり出す力のことです（岡田知弘『地域づくりの経済学入門～地域内再投資力論～』自治体研究社、2005年）。

これは、再生可能エネルギーの発電所の建設により自動的に派生するものではなく、資金の地域内循環を促しながら、地域が主体となった産業振興・環境保全・福祉施策を一体的に展開するマネジメント力が地域社会に育つ必要があります。

再生可能エネルギーの販売・消費には「環境価値」を伴わせることができ

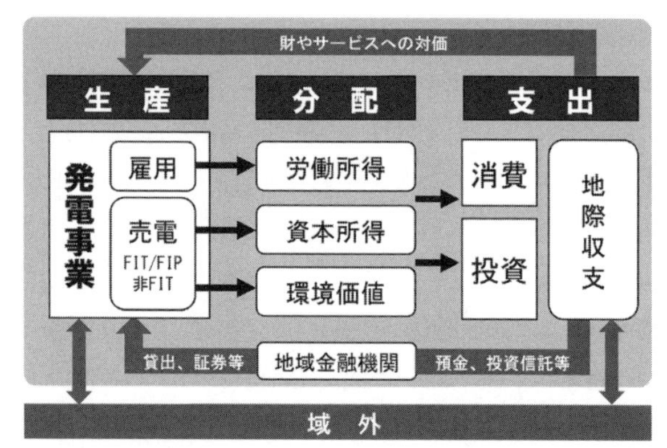

図3－2　再生可能エネルギーにおける地域経済循環のイメージ
平成27年版『環境白書』を参考に傘木作成

ます。代表的な環境価値には、3種類の証書（J-クレジット、グリーン電力証書、非化石証書）があり、取り引きが可視化されています。企業が環境への貢献をアピールすることで、市場における優位性を確保し、新たな投資を呼び込むことが可能になります（図3－2）。

以下に、地域内再投資力を育てる観点から、事業者や行政（国・自治体）に求められる役割について提案します。

(1) 事　業　者

再生可能エネルギー開発は、地域固有の資源を利用して、地球温暖化防止に資する事業を行うという趣旨から、コミュニティ・ビジネスとしての側面と、ソーシャル・ビジネスとしての側面とを両輪で進められていくことが理想的な姿です。つまり、事業化に際しては、「地域への貢献」と「社会への貢献」を組み入れていくことが求められます。

①地域での協業をつくる

再生可能エネルギー開発は、他の開発行為と同様に、さまざまな業種・業態の協業により進められます。地域内再投資力を高めていく上では、以下のいずれかの協業により開発が進められることが前提となります。

イ）地域に根ざした企業が、ノウハウを持つ地域外の企業と協業する。

ロ）地域外の企業が、地域に根ざした企業と協業する。

ハ）地域内外の企業が出資し合って、地域内に新しい企業を設立する。

熊本県小国町の「わいた地熱発電所」（第７章3.参照）はイ)に分類されますが、地区住民がすべて参加する企業という特徴を持っており、一つのモデルとなりうるものです。

②地域の環境価値を高める

地域内での再生可能エネルギー利用の環境を整え、地域に根ざした事業との連携を図ることで、地域に環境価値を広め、連携先の事業の財やサービスの付加価値を高めるとともに、地域の環境ブランド力を発信することにつながることが期待されます。

私たちが実践している「風穴熟成」もささやかな試みですが、全国各地で再生可能エネルギー開発と結びついた地域おこしの取り組みも見られます。ソーラーシェアリング（太陽光発電事業と農業の連携)、バイオマス発電の排熱による農業や公共施設等での利用などに、地域内再投資力を引き出す可能性が見出されるのではないでしょうか。

(2) 国

今の再生可能エネルギー開発は、地域固有の資源を、FIT を介して電力消費の中心地（大都市圏）に集中させることを、消費者負担を財源とした実質的な補助金制度で推し進めています。かつてのダム開発や原発開発と似ていて、地方を植民地的に扱って、地域社会にあつれきをもたらしています。

私は、FIT は廃止し、地域社会の経済的な自立に資するエネルギー政策へ転換すべきだと考えます。その方向として、一定のまとまりのある地域経済圏での再生可能エネルギーの利用を容易にし、そのことが事業者の利益や住民の福祉の向上につなげていくために、以下の３つの改革を提案します。

①送電距離に応じた賦課金制度の導入

地方で生産した電力を長距離で送電する際に、距離に比例した賦課金を設定して、地域経済圏内での消費を比較優位にすること（251 参照)。

②地域内での自営線整備に対する優遇制度を創設

上記賦課金などを財源に、地域内消費を進めるための自営線の整備を促す優遇制度を設けることを提案します。

③送配電部門の国営化

現在進められている「送配電部門の分社化」は、国鉄分割民営化におけるローカル線のように、いっそう中山間地や離島などを置き去りにする可能性があります。むしろ送配電部門は国営化し、地域間の電力融通を円滑化しながら、上記のような分散型エネルギーシステムを支える施策を進める機関とすることを提案します。

(3) 自　治　体

一定のまとまりのある地域経済圏を単位とした分散型エネルギーシステムを構築する上で、自治体の役割は決定的に重要です。それは、行政区域を超えた自治体間はもとより、圏域内外のさまざまな主体の連携を必要とするものになります。その推進機関としては公社（第三セクター）方式が考えられます。公社には悪いイメージが付きまといますが、官民協働は地域づくりには必要な手段であり、民主的で透明性のある運用が求められます。

①自治体関与の地域新電力の推進

自治体が出資し、監督する地域新電力会社の設立を促し、地域に責任を負う再生可能エネルギー開発とその利用を図ります。

②スマートグリッドを利用した地域福祉の推進

分散型エネルギーシステムはICT利用の送配電系統であるスマートグリッドにより支えられます。それを担う機器として、各家庭などのスマートメーター（デジタル計測の電力メーター）やHEMS（Home Energy Management System）があり、各家庭と通信機能でつなげて、地域の課題に即して、地域での見守りや快適な生活に役立てる可能性があります。

③仕事おこし活動の醸成

再生可能エネルギーを地産地消することによる仕事おこし・地域おこしの活動を育む取り組みを地域に広げます。

4. 【第3原則】国際連帯

本書における「国際連帯」とは、再生可能エネルギーによる自立分散型の地域づくりを、地球上の他の地域の人々に犠牲を転嫁することなく、それぞれの地域が抱える課題を共有し、協力しあいながら進めていくことです。

前著では「再生可能エネルギー開発における国際連帯の7原則」(表3－3)を提起しました。これは、アジア・アフリカ連帯会議（1955年）の「バンドン宣言」を土台にしたものです。戦禍がウクライナや中東地域から世界に波及しつつある中、あらためてバンドン宣言の理念に立ち返り、再生可能エネルギーをはじめさまざまな分野で、国際連帯の旗の下、国・自治体・事業者・国民がそれぞれに役割を担い、連携しあえる関係を構築したいものです（図3－3)。先進国から途上国への支援のあり方をめぐってはさまざまな問題も指摘されていますが、それは先進国の私たちが解決すべき課題です。

(1)「拡充から段階的廃止まで」

エネルギー問題において国際的な観点から最重要視すべきは、途上国・低開発国で圧倒的に多くの人びとが、エネルギーから疎外されていて、健康で文化的な生活を営む権利が奪われていることです。そして、小島しょ国のように、そうした人びとが地球温暖化の影響を最も受けています。

表3－3　再生可能エネルギー開発における国際連帯の7原則

①国の内外を問わず基本的人権の尊重を第一に据える。
②資源に対する地域の自治を尊重する。
③地域社会における民主的な自治行為に対して干渉しない。
④暴力的な手段を用いて開発を行ってはならない。
⑤開発に伴う紛争を、利害関係者との対話により、未然に防ぐ。
⑥お互いの不足を補完し合い、相互の利益の増進を図る。
⑦それぞれの地域のルールと正義、国際義務を尊重する。

アジア・アフリカ連帯会議（1955年）「バンドン宣言」の10原則を土台に傘木作成

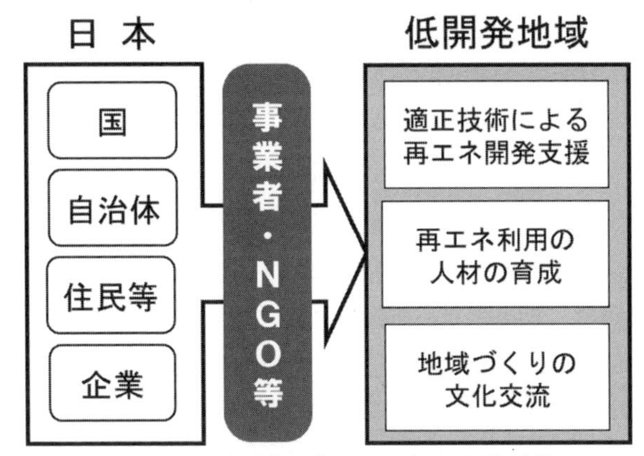

図3－3　再生可能エネルギー分野の国際連帯

傘木作成

世界銀行は、2023年4月、「途上国は、エネルギー移行において三重の不利益をこうむっており、これが貧困の罠となっている」との認識の下、再生可能エネルギーの拡充から石炭火力発電の段階的廃止に至るまで、電力部門インフラの前例のない変革が必要になるとして、新枠組み「拡充から段階的廃止まで」を打ち出しました。

世界銀行総裁は、「低炭素型エネルギー源への移行を加速する一方で、企業や個人に信頼できる電力アクセスを提供するには、排出削減に向けた検証可能な形での資金調達、民間部門との緊密な連携、そしてはるかに多くの資金、特に譲許的資金（無利子またはごく低金利の融資など）が必要になる」とよびかけています。

(2) 停滞する途上国支援

先進国から途上国への支援形態のひとつであるODA（政府開発援助）は、二国間援助（貸付または贈与）と多国間援助（国際機関への援助）の2種類があります。ODAは、OECD（38カ国）に設けられた開発援助委員会（DAC：31カ国とEU委員会）が担っています。1970年、国連総会はODAの目標をDAC各国の国民総所得（GNI）の0.7％に定めましたが、2021年実績で達成しているのは5カ国のみです（図3－4）。日本のODAのGNI比率は0.34％と低

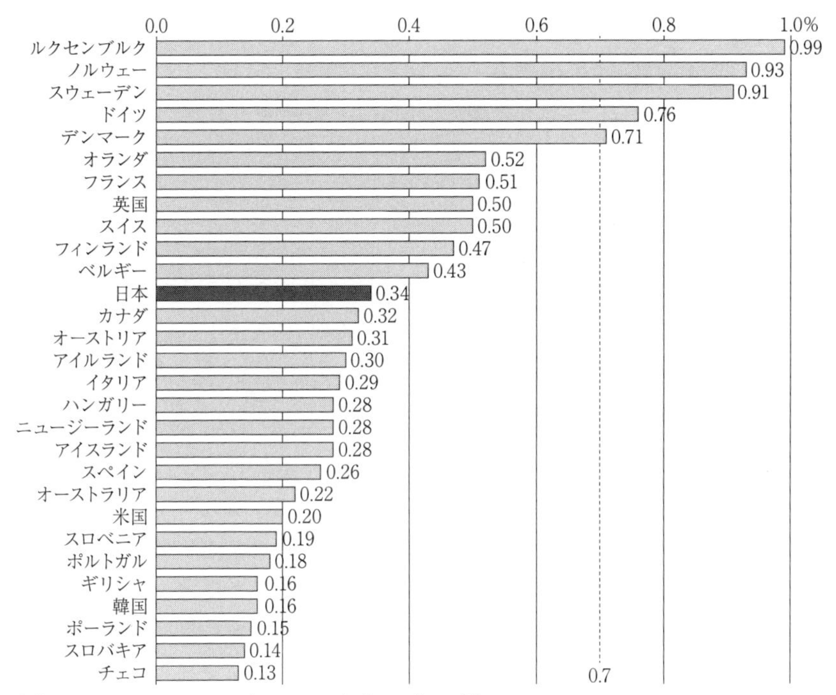

出典：OECD データベース（OECD.Stat）（2022年12月）
（注）・贈与相当額ベース。
・1970年、国連総会は政府開発援助の目標を国民総生産（GNP）（現在は国民総所得（GNI））の0.7パーセントと定めた。
・ポルトガルの実績については、暫定値を使用。

図3－4　DAC諸国における政府開発援助実績の対国民総所得（GNI）比（2021年）
外務省―2022年版開発協力白書

く、2021年にコロナ対策支援で増えましたが、全体としては横ばいないし減少の傾向にあります。DAC諸国全体の金額も減少傾向にあって、ウクライナ問題はその傾向を強めていると言われています。

日本のODAの内容にはさまざまな課題も指摘されています。前著ではアフリカ農村部に日本の大手商社がSHS（ソーラー・ホーム・システム）の普及に努めたものの、一部富裕層の手に入ったのみで、「農村部には皆無」（JICA報告書2008年）といったミスマッチを紹介しました。

国の内外を問わず、再生可能エネルギーは、そこの自然環境や社会の状況に見合った導入をするのではなければ、定着しないどころか、環境破壊や地域社会の分断を招きかねません。

大枠として、途上国等への支援額を増やしつつ、それが最終目的地である地域社会の自立につながるものとなる改良を重ねていく必要があります。

(3) 環境社会配慮の推進

開発援助が地域の環境や社会の課題に即した適切なものであるかどうかを点検・評価する取り組みとして、JICA（国際協力機構）は「環境社会配慮ガイドライン」と「異議申立手続要綱」を2010年4月に公布しました。

環境社会配慮とは、「人間の健康と安全、自然環境、社会への影響を配慮すること」（JICA）で、環境項目だけではなく、人びとの健康や安全、文化面も含めて、幅広くアセスメントを行うものです。また、協力準備段階では、事業段階より上位の調査が含まれる場合や技術協力のマスタープラン調査において、戦略的環境アセスメントを適用しています。

日本国内の環境アセスメント制度は、OECD諸国で最も遅れての法制化であり、評価項目は環境に限定し、事業化段階からの手続きです。国外においては国際標準に合わせる必要がありました。

しかし、アセスメントは制度が整備されていても、地域の声を引き出す努力が伴わなければ機能しないのは、国の内外を問いません。地域の声の引き出し役としての国内外のNGOや現地で地域活動する人たちとの連携がいっそう必要になります。私は、日本の住民運動の伝統である「住民アセス」の取り組みが参考になりうるのではないかと考えています。

(4) 環 境 監 視

JICAの「異議申立手続要綱」は、環境社会配慮ガイドラインの不遵守を理由とする異議申立が行われた場合、事実を調査し、その結果をJICA理事長に報告し、紛争解決のために当事者間の対話を促進するものです。これも日本国内には整備されていない制度です。

JICAプロジェクト以外にも、日本におけるバイオマス発電やバイオプラスチック生産が原材料を国外からの輸入に依存することで、その生産地における環境破壊や人権の蹂躙という問題が指摘されています。

日本政府は、NGOやNPOが、日本企業による調達が結果的に現地の環境破壊や人権蹂躙につながっていることはないかなどを調査・告発する活動を保障し、支援すべきです。

(5) 草の根連帯の育成

ともに地域の課題に向き合う仲間として、先進国と途上国等の再生可能エネルギーによる地域づくりを担う住民団体、中小企業関係者、自治体などが交流する取り組みを育てていくことが重要です。

そうした事業を応援するものとして、地球環境基金（独立行政法人環境再生保全機構）は利用しうるものです。

また、途上国等における再生可能エネルギー普及の事業を担う商社やNGOが草の根交流のコーディネートを担うことを期待します。

コラム⑨ 自主簡易アセス

法律や条例などに基づく制度アセスの対象とならない規模や種類の開発行為について、事業者が自主的に行う環境アセスを自主アセスといいます。

自主アセスの中でも、規模が小さいもの（条例アセスの半分以下）を想定し、実施方法も自由度が高く、簡易な方法で調査し、事前配慮のあり方を検討する取り組みを「自主簡易アセス」と呼んでいます（図）。

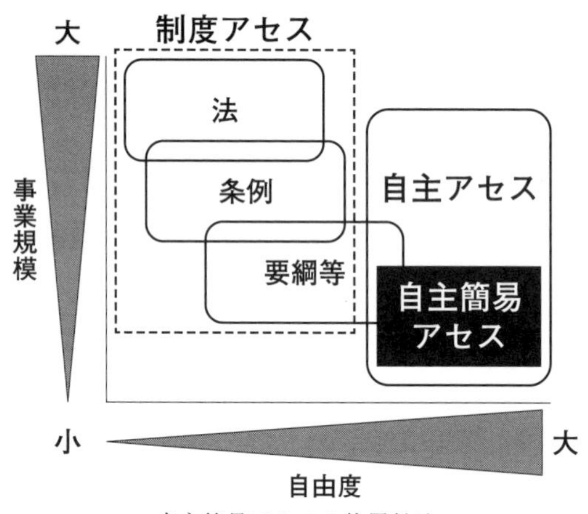

自主簡易アセスの位置付け

傘木作成

NPO地域づくり工房は、2012年、地元での土石採取事業（県アセス条例の対象の3分の1規模）について事業者からの相談を受けて、初めて自主簡易アセスと名付けて実施しました。

以来、いろいろな中小規模の開発事業で自主簡易アセスのお手伝いをしてきました。もっとも多いのは太陽光発電所に関するものです。そのひとつ、「養魚場跡地太陽光発電所計画」の事例は、環境省『環境配慮で三方一両得〜自主的な環境配慮の取組事例集〜』（2015年6月）で紹介されました。

この事業は、開発面積13,362m^{2}の元人工池に太陽光パネル3,480枚を設置して総出力904kWの売電を行う事業です。予定地は、地元自治体による「土地利用及び開発指導に関する条例」に基づく土地利用制度における「田園環境保全地域」に位置することから、自治体は「用途に適さない」「景観に支障をきたす」といった理由から、設置は認めない判断が示されました。

しかし、事業者は、深さ2mの人工池跡に設置するものなので、景観的にも突出せず、影響は少ないと考え、本事業を行うことの適否について、町と再度協議を行うために、自主簡易アセスを実施しました。

本件では、①景観への影響、②隣接するレジャー用釣り堀利用者のＡＭラジオ波への影響、③近くにある保育園に配慮した工事車両の運行について重点をおいて、3D-VRシミュレーターを使って予測評価し、住民説明会を行うとともに、WEB上に評価書案と3D-VRシミュレーション動画を公開し(図)、一般からの意見も聴取しました。そのような対話努力を通じて、この発電所の建設について自治体から同意が得られることとなりました。

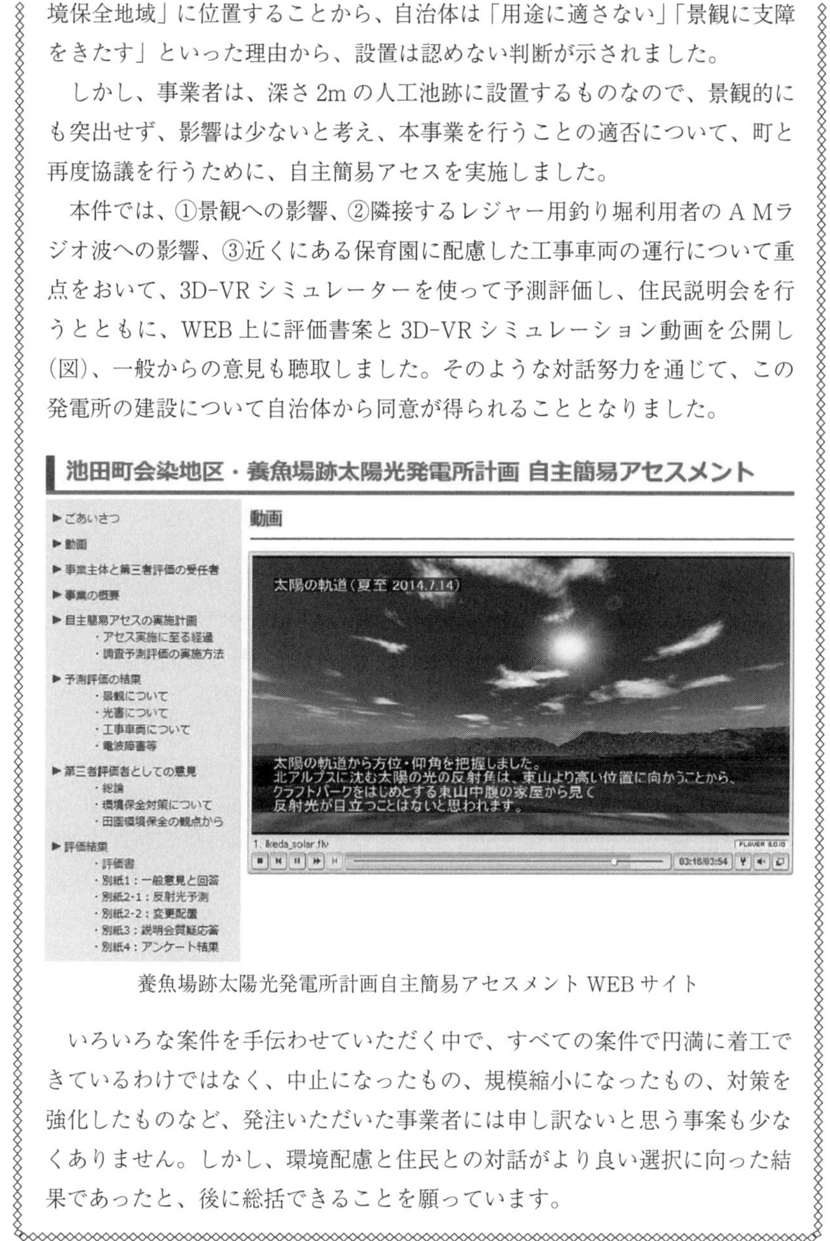

養魚場跡太陽光発電所計画自主簡易アセスメントWEBサイト

いろいろな案件を手伝わせていただく中で、すべての案件で円満に着工できているわけではなく、中止になったもの、規模縮小になったもの、対策を強化したものなど、発注いただいた事業者には申し訳ないと思う事案も少なくありません。しかし、環境配慮と住民との対話がより良い選択に向った結果であったと、後に総括できることを願っています。

第 10 章　住民運動の参考に

第 2 部の各地の事例は、再生可能エネルギー分野に限らず、さまざまな分野の住民運動で参考となる経験がちりばめられています。

これらを土台に、私の経験も含めて、再生可能エネルギーによる乱開発に立ち向かう住民運動の参考となりうる話題を提供します。

1. 事業者に働きかける

再生可能エネルギー開発は、多くの場合、民間事業者が担います。説明責任という点においては、公共事業に比べて、任意の対応となります。そのため、住民側から求めないと情報が提供されない傾向があります。また、求めても、「企業秘密にかかわる」といった口実により、提供しようとしない事業者も少なくありません。

一方、事業者の立場からは、円滑に事業を進める上で、地域関係者との円滑な情報交流は欠かせないはずです。開発計画の規模や内容、計画の熟度に合わせた働きかけが必要です。

FIT 法の改正（2024 年 4 月施行）により、地元説明会の実施が義務化されました（37 頁）。しかし、適用除外のものもあり、易きに流れる可能性もあります。

(1) 情報提供を求める

開発計画を察知する機会は、うわさのレベル、事業者からの配布物または取得した開発用地に建てられた掲示、報道によるものなどがあります。その計画の熟度も、可能性調査の段階、環境アセスの手続きによるもの、着工前の段階など、さまざまです。なるべく計画熟度の低い段階で情報を把握することが、計画に地域の声を反映する上では重要です。

事業者からの配布物や開発用地への掲示物などで連絡先が把握できる場合は、そこに問合せます。そうした情報がまだない場合は、市町村の開発行為の届出を担当する課に問い合わせます。

事例（第8章2.）のように、事業者が自治会長だけに「部外秘」資料を配布して、一般住民に知らせないまま、「地元説明は済んだ」ことにしようとすることもあります。しかし、自治会長としては、自分のところで情報をとどめていたことが後から批判されるリスクもあります。情報を把握したら、一日も早く開かれた場での住民への説明を求める必要があります。

私は今、地元の自治会長をしています。この原稿を書いているさなか、町内の大型店舗の解体工事を行う事業者から挨拶に来たいという電話連絡がありました。近隣には工事期間と時間帯を記した挨拶文書を配布するということでしたので、①往来の多い交差点に面しているので近隣だけではなく自治会全体に工事計画を配布すること、②工事計画には防音・粉塵・交通安全などについての配慮を記すことを要望しました。事業者は少し驚いた様子でしたが、対応を約束してくれました。

事業者からの情報提供では、住民に開かれた方法で、事業内容とそれに伴う事前配慮についてなるべく具体的に示してもらうことが大切です。

(2) 住民運動団体と自治会

開発計画が地域社会に与える影響が懸念されるのに、事業者が情報交流に前向きではないとき、問題意識のある有志で住民団体を組織し、世論を喚起し、自治体も動かしながら、事業者との交渉にのぞみます。

しかし、事業者によっては、任意団体を相手にしない（質問などに答えない）という態度をとることもあります。さまざまな開発行為において事業者が求められる「地元同意」や「地元説明」が対象としている「地元」は、多くの場合、「自治会」と解釈されています。

一方、自治会は、さまざまな立場の住民がいることを前提に、意思決定や何らかの行動を起こすことには慎重にならざるをえません。自治会長にすれば任期の間は仕事を増やしたくないものです。自治会長が聞き置いて了として、自治会には事後報告とすることも少なくありません。ましてや、自治会が先導して住民運動を起すことは難しいと言えます。

そうした中、事例（第4章2.、第4章3.、第5章3.、第8章2.、第8章3.）のように、自治会と住民団体が連携し、役割分担しながら住民運動を展開するのは、とても有効な方法です。

なお、長野県内市町村で策定されている再生可能エネルギー開発の事前配慮に関する条例のうち、9市町村では開発地から一定の距離内の住民から同意等を求めています（表3-4）。長野県内では、移住者や別荘居住者も多く、自治会の同意だけでは問題が生じる可能性があります。

長野県内のある村では、一般廃棄物処理施設をめぐって、村が「予定地の近隣には住民がいない」と言明したことに、そこに住んでいる自治会未加入の住民や別荘居住者が反発し、大きな反対運動に発展して、計画は見直しとなりました。

前著でふれたように、太陽光発電所をめぐる反対運動は、「新住民」に担われることが多く、「旧住民」の場合は「土地が売れたらありがたい」事情もあって、反発しあうこともあります。自治会として太陽光発電所計画に反対したことがきっかけで相当数の住民が自治会を脱退する事案もあり、地域社会は複雑です。

そういう複雑さをかかえながら、地域の声を形成していくことは大変労力を要します。事業者もそのような事情に配慮し、ていねいに情報交流を図る必要があります。

(3) 説明責任を問う

事業者がなかなか情報提供や説明会の開催などに応じない場合、その姿勢を問う手段として、2つ紹介します。

①本社社長宛に手紙を出す

現場で起きていることが本社の経営陣に知られていない場合、この方法はかなり有効です。「現場の担当者が地域の声を聞こうとしない、改善してほし

表3－4　長野県内市町村における再生可能エネルギー導入に関する条例の例

市町村名	条例名称	対象事業	施行年月	住民対応
松本市	松本市の豊かな環境を守り適正な太陽光発電事業を推進する条例	太陽光発電、野立式、10kW 以上	2024/ 4/ 1	抑制区域では環境影響調査や近隣住民以外の意見を申し出た者とも協議
茅野市	生活環境保全条例	10kw 以上の太陽光発電	2020/ 1/ 1	抑制区域外は 50m 以内の住民等、抑制区域内は 100m 以内の住民等に説明義務
安曇野市	太陽光発電設備の設置等に関する条例	太陽光発電、野立式、10kw 以上または 1,000m² 以上または土地の高低差 13m 以上	2023/ 6/20	30m 以内居住者や影響を受ける者の同意
小海町	自然保護条例	太陽光発電、野立式 10kw 以上	2023/10/ 1	説明会の参集範囲：水平距離 50m 以内
青木村	太陽光発電設備の適正な設置及び維持管理に関する条例	太陽光発電、野立式、敷地面積・発電出力を問わない	2022/ 4/ 1	近隣住民（50m 以内）の 3 分の 2 以上の同意
富士見町	太陽光発電設備の設置及び維持管理に関する条例	太陽光発電、野立式、10kw 以上	2019/10/ 1	近隣住民（50 m以内）の 3 分の 1 以上の同意
飯島町	地域自然エネルギー基本条例	10kW 以上の太陽光・小水力・風力・バイオマス・その他自然エネルギーによる発電	2014/ 2/14	100m 以内（風力発電は 600m 以内）の住民等に十分な事業説明を行う
阿智村	太陽光発電施設の設置等に関する条例	太陽光発電、野立式、10kW 以上または 300m² 以上	2023/ 4/ 1	周辺住民（50m 以内）の求めがあった場合、協定書締結が義務
信濃町	太陽光発電設備の設置と地域環境との調和に関する条例	太陽光発電、野立式、20kw 以上または 400m² 以上	2022/ 6/15	事業区域から 100m 以内の住民等及び利害関係者に説明義務

傘木作成（長野県住民と自治研究所「研究所だより」NO.195, 2024 年 1 月号より）

い」の一点で訴えます。私が知っている範囲では、事業者の規模が大きくない場合、こうした働きかけは意外と有効です。

②サステナビリティ報告書を糸口にする

大きな事業者の場合、自社が持続可能な社会の実現に向けてどんな取り組みをしているのかをサステナビリティ報告書などとして公表しています。これは、株主や取引先、消費者などの幅広い利害関係者に開示することで、信頼獲得につなげるとともに、自社の役員や従業員の意識づけにもなります。

以下の報告書も同様の趣旨で作成されています。これらも含めてサステナビリティ報告書として位置付けられています。

ESG報告書：Environment環境・Social社会・Governance管理
CSR報告書：Corporate Social Responsibility企業の社会的責任
統合報告書：知的資産と財務のデータを統合
環境報告書：環境への取り組み

これらはWEB上で公開し、報告書への意見を募集している企業もあります。また、第三者の立入り調査や助言を求めて報告書を作成している企業もあります。KPMG「日本におけるサステナビリティ報告書2020」によると、日本の代表的銘柄である日経225を構成する225社のうち99%がサステナビリティ情報を公開し、第三者保証を受けた企業は138社あると報告されています。また、サステナビリティ報告書の内容について項目別に記載状況を紹介しています（表3-5）。

報告書の記載内容を分析し、質問や感想を届けることで、対話の糸口になるかもしれません。

③ISO認証を糸口にする

国際標準化機構（International Organization for Standardization：本部スイス）が、国際間の取り引きを円滑にするために共通の基準（ISO規格）を定めています。国際規格はそのまま国内規格となるので、国際取引がない企業にも適用されます。

ISO規格は番号によって整理されており、それぞれに組織が行うべき事柄

表3－5　サステナビリティ報告書の記載内容の傾向

個別報告項目	記載状況	備考
温室効果ガス排出量の削減目標	190社（85％）	サービス50％や鉄道・バス50％での開示は低い
気候変動リスクの識別・評価・管理	112社（50％）	2℃シナリオ下の影響を開示96社（43％）
水使用量	190社（85％）	水使用量の目標設定82社（37％）
人権の保護・尊重の方針	203社（91％）	「ビジネスと人権に関する指導原則」104社（47％）
人権リスクの評価とモニタリング	98社（44％）	モニタリング結果の開示46社（21％）
サプライヤー行動規範	168社（75％）	サプライヤー調査の結果や是正措置78社（35％）
ダイバーシティに関する方針	203社（31％）	性別96％、障がい者85％、国籍81％、年齢63％、LGBT59％
管理職の男女比率	201社（90％）	従業員194社（87％）、新入社員154社（69％）
SDGsに基づく目標	83社（38％）	自社活動をSDGsに関連付けて説明183社（82％）

KPMG「日本におけるサステナビリティ報告書2020」（2021年6月）より傘木作成

が「ISO要求事項」として示され、これに基づき自社の状況に合わせてISOシステムをつくります。それを審査機関によって規格に適合していると判断されたら認証取得となります。企業は「Plan→Do→Check→Act」を回していくことでISOシステムを構築していきます。

このうちISO14001（環境）は、企業活動における環境に及ぼすリスクを分析・低減する仕組みを構築するガイドラインとして、ISO9001（品質）と並ぶ代表的な規格です。ISO9001とISO14001の両方を標準規格として使用する企業等は世界175カ国で100万機関を超えています。

2006年には環境コミュニケーション規格であるISO14063が発表されました。これは、自社の多様な利害関係者に対して自社の環境活動について情報共有を図るためのもので、サステナビリティ報告書や環境報告書などの発行もその一つです。ISO14063は認証取得を推進するものではなく、企業がよりスムーズに環境コミュニケーションを図る指針として6つの項目（範囲、用語と定義、原則、方針、戦略、活動）を提示しています。

企業が取得しているISOを把握し、そこに持続可能性への配慮や利害関係者とのコミュニケーションについて規定がある場合は、それを糸口に対話を働きかけることも一案です。

事例（第8章3.）では、国内のISO審査機関にメールで情報提供しました。「事業所単位で認定しているので、当該案件の申請があった際に参考にさせていただきます」という回答がありました。

(4) 自主アセスを働きかける

自主アセス（200参照）は、制度に縛られず、自由に設計できることが最大の特徴です。

事業者からすると、制度アセスのような調査方法や手続きが事細かに規定されたものをあえて自主的に実施することは負担感が多く、わざわざ制度アセスの対象とならないぎりぎりの規模で事業計画を立てるくらいです。

住民運動の立場からすると、自主アセスは「手前味噌」な印象があるかもしれません。

しかし、「制度の対象だから」ではなく、自主的に調査して、それに基づいて説明責任を果たそうとする事業者は、私の経験の範囲では、地域の声に真摯に対応する姿勢と能力を持っています。ここでいう「能力」とは、事業計画を地域社会の要請に最大限に近づける対応力のことです。自主アセスを実施してほしいという働きかけに応じるかどうかは、事業者の資質を見定める判断材料ともなります。

自主アセスを行う意義は以下の4点です。

イ）住民等の関心事に絞り込んだ調査ができる
ロ）調査に基づく情報交流ができる

自主簡易アセス支援サイト
NPO 地域づくり工房

ハ）情報交流のやり方も状況に応じて設定できる ニ）相互理解が容易になり、対策につながる

環境省『環境配慮で三方一両得～自主的な環境配慮の取組事例集～』(2015年6月 WEB 公開）などを参考に事業者に働きかけてみましょう。

(5) 公害防止協定（環境保全協定）を働きかける

事業開始前に、事業者と住民との間に環境保全協定を締結させ、環境対策の履行を監視するという対策も考えられます。開発計画を断念させる直接的な効果はありませんが、環境アセスメント手続きと同様に、こうした「事業化のハードル」を早めに示すことで、プレッシャーを強めるとともに、結果的に採算面などから断念させることにつながる可能性もあります。

公害防止協定とは、地方公共団体や住民団体などが企業の間で交わした公害防止に関する約束で、法律に基づくものではありません。

協定には、地域実情を踏まえて法律による規制を補完する形できめ細かな内容が盛り込まれます。特に、大都市や工業地域では、排煙脱硝装置、水質の三次処理、炭化水素類の排出防止装置など先進的な対策を先導したと言われ、日本の公害対策とその技術の進歩に大きく貢献してきました。

公害防止協定の歴史は古く、1952年に島根県と製紙会社2社の間で、それぞれ「覚書」と名付けられた協定が結ばれた（会社名以外は同一文言）のが始まりと言われています。地域住民と企業との間で結ばれた協定としては、1970年の「いわき市小名浜地区公害対策連合委員会」と日本水素工業株式会社との協定が初期のものとして知られています。

協定の型式には、環境保全協定、公害防止協定、協定書、覚書、公文書、誓約書、契約書などがあり、近年では「環境保全協定」が一般的です。

協定の当事者としては、①事業者と自治体、②事業者と住民団体の2つのパターンがあります。

①事業者と自治体による協定は、基本的に基礎自治体（市町村）との協定となり、国や都道府県の規制を超えた対策の手段として用いられます。その場合は、協定の根拠となる条例や要綱などが必要になることがあります。平成4年版環境白書には「平成3年9月30日現在、有効な公害防止協定数は約37,000件」と書かれています。

②事業者と住民団体による協定の場合、自治体が直接に関与する（協定の仲介、立ち合い、監視への協力等）ものと、間接に関与する（情報共有、監視への協力等）ものとがあります。

協定を締結することの効果は、事業者の自主的な管理と対策の透明性を高め、地域社会が関与する条件を確保する役割があります。

協定違反があった場合、自治体との協定では、国の法令を超える規制について罰則規定の設定は難しいのですが、裁判に訴える根拠とはなります。

一方、住民団体との協定の場合は、私法上の契約のため、履行請求や損害賠償を請求できるとする判例もあります（高知地裁S56.12.23、奈良地裁五条支

判 H10.10.20、山口岩国支判 H13.3.8)。

協定は、自治体や住民団体による監視能力を高めることが期待されます。それはまた持続可能な監視体制を必要とします。イタイイタイ病の対策では、事業者負担で、専門家の立ち合いで毎年立入り調査を行ってきました。このことで、事業者の側もまた職員教育の機会になっていると言われています。

私は、太陽光発電所計画をめぐって、事業者と自治体、事業者と住民団体(自治会)の2パターンの環境保全協定締結をお手伝いしましたが、締結に至る上で最も重要なことは、地域社会の側において、守りたい環境について明確な意思と運動があっての協定であるということです。

(6) 公害紛争処理制度を利用する

事業者が、情報提供の働きかけに応じなく、適切な環境保全対策を講じようとせずに実施しようとしているときに、公害の発生を未然に防ぐ手段として、公害紛争処理制度の利用が選択肢としてあります。

公害紛争処理制度の管轄は、国(公害等調整員会)が重大事件や県際事件などを扱い、都道府県の公害審査会等はその他の事件を扱います。ただし、「裁定」については、すべての事件を公害等調整委員会が管轄します。都道府県の公害審査会等では「あっせん」「調停」「仲裁」を扱います。

東京都の場合では、都公害審査会(15名)の中から会長が指名する3名の委員(弁護士や有識者)が担当します。

「あっせん」は、当事者による自主的な解決に比重が置かれています。これによる和解契約書に強制力はなく、強制執行を求めるには改めて訴訟が必要となります。

「調停」は、調停委員会が紛争の解決に向けて働きかけるものです。調停書に強制力はなく、強制執行には改めて訴訟が必要となりますが、義務の履行を求める制度として「義務履行勧告」があります。

「仲裁」は、裁判を受ける権利を放棄し、仲裁委員に判断を委ねるものです。仲裁判断は確定判決と同様の効力を有します。しかし、強制執行には執行判決を求める訴えを提起する必要があります。

「裁定」は、法律的判断を行うもので、「責任裁定」では損害賠償責任の有無及び賠償額を判断し、「原因裁定」では加害行為と被害発生との間の因果関係について判断する手続きです。

申請は一人でも可能です。個人、法人または法人に準じた団体（つまり住民団体）としても申請できます。「参加の申立て」により、同一被害を主張する人が手続きに参加することもできます。代理人（弁護士や適切な第三者）に調停手続きを代行してもらうことも可能という位置づけで、弁護士は立てなくても申請することができます。

なお、公害発生源側からも申請できますが、参加の申立てはできません。

この制度は、裁判と違って、費用の安さが特徴です。東京都の場合、「あっせん」の手数料は無料で、「調停」の場合は想定する被害の価額が100万円以下は1,000円で、100万円を超える部分には追加があります（例：1万円までごとに7円など）。たとえば、騒音など価額の算定が不可能な場合は500万円とみなし、3,800円となります。

扱う紛争は、「相当範囲にわたる典型7公害で、かつ、民事上の紛争（公害紛争処理法第2条）」とされています。公害紛争処理制度における「公害」とは「環境基本法第2条第3項に規定する公害をいう。」（第2条、ただし、防衛施設に係る公害は扱わない）となっています。

環境基本法第2条第3項は以下のように「公害」を規定しています。

> この法律において「公害」とは、環境の保全上の支障のうち、事業活動その他の人の活動に伴って生ずる相当範囲にわたる大気の汚染、水質の汚濁（水質以外の水の状態又は水底の底質が悪化することを含む。）、土壌の汚染、騒音、振動、地盤の沈下（鉱物の掘採のための土地の掘削によるものを除く。）及び悪臭によって、人の健康又は生活環境（人の生活に密接な関係のある財産並びに人の生活に密接な関係のある動植物及びその生育環境を含む。）に係る被害が生ずることをいう。

この制度は、公害の恐れがある場合も対象となります。そのため、開発行為が住民等に公害をもたらすことが明らかな場合には、調停などを申し立てることが可能になります。

また、上記の「公害」の定義には、「人の健康に密接な関係のある動植物およびその生育環境」が生活環境の中に含まれるという規定があります。つまり、人の健康や財産への直接的な被害がなくても生き物に被害が生じるような典型7公害に当たる侵害があれば、それも「公害」と位置付けられます。

たとえば、「人と自然との豊かな触れ合い」（環境基本法第14条3）により支えられている健康づくり活動や余暇活動が、動植物の生育環境の破壊により奪われるとした場合は、公害紛争処理制度の利用が考えられます。

住民運動の関係者の中には、「公害紛争処理制度は結局行政寄り、事業者寄りになってしまう」と考える人が多いと思います。そうした面は否定できませんが、環境保全や住民参加などに対する社会的な認識の変化の中で、その機能について改めて見直してもいいのではないかと思っています。

その一例として、神戸市の西須磨公害紛争調停では、震災復興を名目とした巨大な3本の道路計画に疑問を抱き、3日3晩の住民アセスの結果に確信を持って、兵庫県公害審査会に対し3,745名によるマンモス調停を申し立てました（第一次1997年）。公害審査会から指名された3名の調停委員は、住民アセスの実績を評価し、事業者である神戸市と住民からなる調停団とによる「協働型環境調査」を提起しました。これにより、現状の大気汚染調査（年4回）を、事業者と調停団が一緒に計画して、それに基づき測定器（公定法と簡易法を併用）を設置し、汚染物質の濃度判定やコンピューターへの入力なども住民が検査機関に乗り込んで実施しました。こうした中で対話が生まれ、住民主体の道路設計という画期的な整備が実現しました。

調停委員任せにするのではなく、住民が主体的な力量を見せながら働きかけることで、思いがけない展開もありうることを示しています。

2. 行政に働きかける

再生可能エネルギー開発は、多くの場合は民間事業であるため、行政（特に自治体）には健康で文化的な生活を営む権利を擁護するためにも、以下の

3つの役割が求められます。

①開発行為が適正に行われるように誘導ないし規制する。

②開発行為の動向をいち早く知りうる立場にあることから、適宜地域社会と情報を共有し、適切な対応となるように心がける。

③開発行為に伴う地域社会への影響が懸念される際には、未然防止のための対策（環境保全協定など）を講じる。

しかし、第2部でみたように、国が産業界とともに再生可能エネルギー開発を強力に推し進める中で、多くの自治体はその圧力に巻き込まれているのが現状です。

自治体は、地域社会からの働きかけがなければ、自らは動きません。そこで働きかけの方法について例示していきます。

(1) 事前配慮を促す制度の拡充を求める

第2章4.(3)で紹介したように、各地の自治体で再生可能エネルギー開発における事前配慮を促す条例等の制定が広がっています。しかし、全体からみれば約16%にすぎず、その内容も太陽光発電に関するものが多く、地域的な偏在もみられます。

こうした条例の効果には制約もありますが、その存在は地域社会としてのスタンス（何を大切にしているのか）を示すものとして、開発行為に大きな影響を与えることができます。

長野県ホームページ「太陽光発電を適正に推進するための市町村対応マニュアル～地域と調和した再生可能エネルギー事業の促進～」（長野県環境部環境エネルギー課）からは以下のサンプル文書（Worfファイル）がダウンロードできます。

- 事業者に対するお知らせ例（ワード：31KB）
- 市町村地域の健全な発展と調和のとれた再生可能エネルギー事業の促進に関する条例モデル（案）等（ワード：54KB）
- 太陽光発電事業に関する協定書（案）（ワード：61KB）

こうしたサンプルも利用しながら、地元の自治体に条例等の制定を働きかけましょう。

働きかけの方法は、首長や議員への要請、議会への陳情、さらに直接請求も考えられます。直接請求については、かなり労力を必要とし、住民（有権者）の中で大きく世論が盛り上がっていないと難しい面があります。少し遠回りでも、環境対策の担当部署の職員と対話・学習を重ね、担当部署から原案が持ち上がっていくようにすることが近道です。

(2) 情報提供を働きかける

自治体は、多くの場合、住民よりも早く開発の動きを把握することができます。しかし、守秘義務などもあり、担当職員から住民等に情報提供を積極的に行うことは期待できません。むしろ、住民の側からアンテナを張って、情報収集することが必要となります。ふだんから情報交流をしていると、関連する動向を教えてくれることがあります。

事業者が開発行為に際して届け出る文書は、行政機関が受け取った時点で行政文書となります。そのため、情報公開制度を利用して把握することも可能です。情報公開制度では、個人情報をはじめ公開されない部分（いわゆる黒塗り）がありますが、なんらかの事業が動いていること、それに対して自治体がどのように決済したのかなどを知ることができます。

情報公開請求をするときは、ピンポイントではなく、たとえば「再生可能エネルギーに関する文書一式」など広めに対象文書を設定して情報公開を求め、閲覧した中から関連しそうなものを調べ、必要なものを複写してもらうようにします。報告書など紙数の多いものは電子交付（CDに複写）してもらうと費用が少なくなります（一部の自治体では電子交付に対応していないところもあります）。

(3) 事業者に情報交流を促すよう働きかける

行政は、いち早く開発の動きを知ることができるので、少なくとも事業者に住民への周知、説明会などの情報交流をなるべく早くするように促すことは最低限必要なことです。

ふだんから、市町村などに対して。そのような動きがあったときには、事業者に住民との情報交流を促すことを働きかけておきましょう。

できれば、長野県内の再生可能エネルギー適正立地に関する条例（第2章4.(5)）のように、条例で定めておくことが望ましいと言えます。

(4) 議会を味方につける

行政がなかなか動かない。もしかしたら、首長と事業者が結託しているのでは、などと勘ぐってしまうような状況もありえます。

そのようなときは、議会に働きかけて、住民の心配を伝え、行政が住民の代理者としての役割を果たせるように促してもらいます。最初は、議会のあらゆる会派の議員に同様に働きかけましょう。そのうち、真摯に対応してくれる議員とそうでない議員は区別されてきますが、住民から働きかける姿勢としては議会全体を味方につけたいというスタンスが重要です。

(5) 協定の締結を促す

環境保全協定などについては、事業者への働きかけ（第10章1.(5)）でふれました。協定の主体（行政または住民団体）がどうなるかは別として、行政から地域社会との協定を促すことは重要な働きかけです。

これも、(2) 同様に、適正立地条例などで規定しておくことが望ましいと言えます。

(6) 住民監査請求を利用する

住民の多くが反対しているにもかかわらず、自治体が事業者に有利となるように道路や下水道などのインフラ整備に財政負担をしたり、関連する行政計画の変更をコンサル業者に委託して行ったりした場合、そうした支出の可否を問うて住民監査請求を行うことも考えられます。

住民監査請求（地方自治法第242条）は、公害紛争処理制度と同様に、住民一人でも申し立てることができます。監査請求の対象は、①公金の支出、②

財産の取得・管理・処分、③契約の締結・履行、④債務その他の義務の負担、⑤公金の賦課・徴収を怠る事実又は財産の管理を怠る事実の５つで、①～④はその行為がなされることが相当な確実性をもって予測される場合も含みます。ただし、その行為のあった日又は終わった日から１年を経過したときは請求できません。

請求が受理されると、請求を行った人（請求人）は監査委員に対して証拠提出や陳述の機会が与えられます。監査結果は60日以内に通知されます。これに不服がある場合、請求人は30日以内に住民訴訟を起こすことができます。住民訴訟は（同法第242条2）は、「監査請求前置主義」と言って、住民監査請求の結果を待たなければ提訴することはできません。また、住民訴訟を構えることなく、問題点を明らかにし、住民に広く発信する手段として監査請求だけを取り組むという考え方もあります。

大阪自然環境保全協会は、大阪・関西万博に伴う土地の造成により、大阪府が「生物多様性ホットスポット」に指定された貴重な生態系が失われることから、100回を超える現地での生き物調査の結果を踏まえて、大阪市条例に基づく環境アセス手続きにおいて意見しました。そのことが反映され、市長意見では生き物の生息地の「保全・創造」を図ることが事業者である万博協会に求められました。しかし、港湾局が生息地を埋め立てる工事を継続していることから、「市長意見を反故にするもの」として、埋め立て工事の差し止めを求めて住民監査請求を行いました。監査結果において監査委員は、「市長意見が求める内容を不可能にするものであれば契約は不当」との見解を示しました（2022年５月）。

この事例のように、首長には、開発行政と環境行政の双方を担う二面性があるので、その矛盾をついて、対策を引き出す作戦もありえます。

3. 住民アセスのすすめ

(1) 住民アセスとは

「住民アセス」とは、「住民等が、専門家やNGOの協力を得ながら、自主的な調査・学習活動を通じて、開発行為が地域社会に及ぼす影響と対策を事前に検討する取り組み」と私は定義しています。

第2部の事例の多くは、比企の太陽光発電を考える会（第4章2.）をはじめ、様々な方法で住民の立場からのアセスメントが取り組まれました。

住民アセスは、海外では事例がみられない、日本の住民運動において伝統的な運動方法のひとつです。

(2) 住民アセスの歴史

日本における住民アセスは、1970年代になってからの国や自治体による環境アセスの制度化に先んじて生まれました。住民アセスの運動が広がるきっかけとなったのは、1960年代の兵庫県西宮市と静岡県三島・沼津地域でのコンビナート建設反対運動です（コラム⑩）。

住民が自ら調査・学習し、問題提起する運動は、1970年代の山岳地帯や住宅街での大規模道路開発に反対する取り組み、1980年代からの干潟や湿地を開発から守る取り組み、1990年代からは再開発事業や里山開発に反する取り組みに引き継がれ、大きな成果をあげてきました。

たんに反対の声を上げるだけではなく、自ら地域の現状を調べ、開発の影響を想定しながら、対策のあり方や反対する論拠を示す活動は、粘り強い学習と実践を必要としますが、それだけに大きな力を発揮します。

近年では、非営利事業の広がりを背景に、住民団体が自ら実施するイベントや地域開発の提案について、自主的にアセスメントを行って、地域の関係者に説明する取り組みも見られます（コラム⑤参照）。

(3) 住民アセスの進め方

住民アセスはすべてオーダーメイドです。対象とする事業、地域の特性、住民団体の組織力（調査への動員など）や得意技（生き物に詳しい人がいるなど）によって、効果的な方法を考えます。

主な手順を以下に示します。

①住民にとって心配なことを整理する（制度アセスの配慮書に該当）
②自分たちで調べられることを考え、計画する（方法書）
③調査への助言を NGO や専門家に求める
④調査結果に基づき開発に伴う影響を洗い出し、対策を考える（評価書）
⑤それぞれを簡単な文書にして公開する

大事なことは、地域に根差した、実直な調査であることです。制度アセス

パンフレット『市民からの持続可能性アセスメント～実践の手引き～』
NPO 地域づくり工房、2023 年 3 月

でコンサルタントに委託して行う調査が一番不得意にしていることだからです。足で稼いだ調査結果は必ず住民の多数を味方につけます。

NPO地域づくり工房では、パンフレット『市民からの持続可能性アセスメント～実践の手引き～』(2023年3月）を発行しています。ご希望の方に配布しますので、お問合せください。

コラム⑩ 日本で初めての住民アセス

第1号は、兵庫県西宮市が誘致した石油コンビナート計画に対するものです。当初、酒造業者らは「条件付き賛成」でしたが、大学で醸造学などを学んだ労働者の働きかけにより反対に転じ、その論拠とした事由書（1961年10月、写真）をまとめました。これを配布し、広範な住民による反対運動に論拠を与えたものです。住民運動の盛り上がりは選挙で市長を交替させ、議会での「文教住宅都市宣言」（1963年）をかちとり、今日のまちづくりに引き継がれています。

第2号は、静岡県による三島・沼津コンビナート建設計画に関して、三島市の委託による松村調査団（1964年5月中間報告）による環境アセスです。これと通産省の委嘱による黒川調査団（同年7月結果発表）との論争が有名です（1965年2月、一橋大学講堂での公開討論会）。黒川調査団が日本で初めての風洞実験を取り入れたのとは対照的に、松村調査団は地元高校教員など地域に根ざした研究者で組織されました。高校生による鯉のぼりを使った風向調査などの住民参加手法も話題となりました（写真）。

これらは、当時、四日市での大気汚染公害の深刻さが知られるようになる中で、住民が立ち上がり、国家的プロジェクトを断念に追い込んだことで、その後の住民等の運動に大きな影響を与えました。

西宮日石コンビナート住民アセス
『事由書』
辰馬考古資料館所蔵、傘木撮影

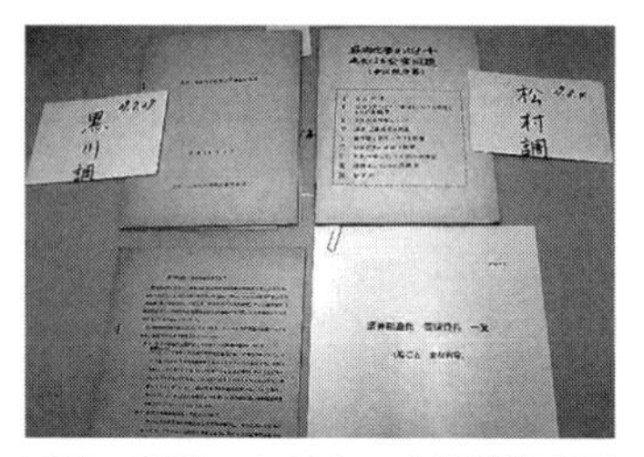

三島・沼津コンビナート松村調査団
報告書と黒川調査団報告書
三島市図書館所蔵、傘木撮影

第11章 「持続可能な社会」への希望

第9章で提起した「再生可能エネルギー開発の3原則」は、開発のあり方に軌道修正を加えようとするものです。しかし、先進国が先導して世界中を巻き込む大量生産・大量消費型（大量・高速の交通・通信、大量廃棄・大量リサイクルなども含む）の社会経済システムをそのままにして、これを支えるための再生可能エネルギーの利用は「持続可能な社会」の構築に逆行するものとして、矛盾を拡大し続けることになるでしょう。

私たちはどんな社会をめざしていけばいいのか、誰にも正解は得られない問いではありますが、一人ひとりがイメージを持って、世の中に問いかけていくことは大事なことです。その議論の先に、本来の再生可能エネルギー利用のあり方が見えてくるのだろうと思います。

本章では、「持続可能な社会」に対する私の希望を紹介し、読んでいただいた方々のご意見を伺うことができればと願います。

1. 持続可能な社会への再生可能エネルギー

(1) 新しい生活の質

世界市民会議（World Wide Views）という地球規模の課題を扱う国際交渉に市民の意見を届けるために、デンマーク技術委員会が開発したワークショップの手法があります。

2015年12月の国連気候変動枠組み条約締約国会議（COP21）に向けて同年6月に開催された世界市民会議は「気候変動とエネルギー」をテーマに、76の国と地域の96カ所で同日開催され、各国・地域の縮図となる100人の非専門家（市民）が議論し、議論を踏まえて投票（質問に回答）しました。

各地の会議では少人数グループでテーブルを囲んで、ファシリテーターの進行により、6つのセッションテーマ（①気候変動対策の重要性、②気候変動対策の手段、③国連交渉と各国の貢献、④負担の分配と公平性、⑤気候変動対策の約束合意と維持、⑥自由意見）を各60〜90分間討議し、それを踏まえていくつかの質問に投票しました。

投票結果は、世界全体と日本の間に明確な違いが表れています（表3－6）。

日本の一般市民は、世界の平均に比べて、気候変動への危機感は顕著に低く（設問1－2）、化石燃料をもっと探索して掘り起こすべきと考え（設問2－5）、長期的に温室効果ガスの排出をゼロにするという長期目標に対しても懐疑的（設問3－5）であることが伺えます。

とりわけ「あなたにとって、気候変動対策はどのようなものですか？」（設問1－2）の問いで、世界全体では「生活の質を高める」と66％が回答しているのに対して、日本では「生活の質を脅かす」が60％で、「生活の質を高める」という回答は17％にとどまりました。日本人は気候変動対策について悲観的に受け止めている人が多いことが伺えます。

しかし、変化も見られます。私は長野大学の講義で上記の設問1－2と同じ質問を学生にしてきました。2020年度まではほぼ世界市民会議での日本人平均の結果と同様でしたが、少しずつ変化し、2023年度では世界全体に近い結果となりました。環境教育の蓄積が反映されてきたのでしょうか。それともCOVID-19パンデミックの経験が影響しているのでしょうか。

現実には、地球温暖化防止のための実践には不便さや手間を伴います。しかし、そのことも含めて「新しい生活の質」を希求する営みであると位置づけられれば、人間の生き方に変化をもたらす可能性があるかもしれません。

そのような生き方の選択が比較的容易なのが、私が住む人口3万人足らずの田舎町かもしれません。田舎者からすると、エネルギーや食糧など、あらゆるモノを集中させることで成り立っている大都市圏を中心とした国土構造は持続可能なものではないように見えます。少子化問題も、大都市圏に若者が吸収されることに大きな要因があると指摘されています。

「コロナ後」の今、ふたたび大都市圏への人口集中となり、地方から若者の

表 3－6　世界市民会議での設問に対する回答の比較

設問	選択肢	回答（%）		
		世界	日本	差
1－2 あなたは気候変動の影響をどれくらい心配していますか？	a. とても心配している	79	44	－35
	b. ある程度心配している	19	50	＋31
	c. 心配していない	2	5	＋3
	d. わからない／答えたくない	1	1	0
2－5 新たな化石燃料埋蔵量の探査に、世界はどう対処すべきと思いますか？	a. あらゆる化石燃料埋蔵量の探査を中止すべき	45	29	－16
	b. 石炭の探査のみ中止すべき	17	14	－3
	c. 世界は探査を続けるべき	23	39	＋16
	d. わからない／答えたくない	15	18	＋3
3－5 パリ合意には、今世紀末には排出をゼロにするという長期的目標が含まれるべきだと思いますか？	a. はい、含まれるべきで、すべての国に対して法的拘束力があるものにすべきです	68	46	－22
	b. はい、含まれるべきだが、先進国および新興国のみに法的拘束力があるものにすべきです	17	16	－1
	c. はい、含まれるべきだが、すべての国に対して自発的な目標とすべきです	11	31	＋20
	d. わからない／答えたくない	4	6	＋2
1－2 あなたにとって、気候変動対策はどのようなものですか？	a. 多くの場合、生活の質を脅かすものである	27	60	＋33
	b. 多くの場合、生活の質を高めるものである	66	17	－49
	c. 生活の質に影響を与えないものである	4	19	＋15
	d. わからない／答えたくない	3	4	＋1

「行動科学を活用した家庭部門における省エネルギー対策検討会」（第 2 回、2017 年 10 月）資料 2－5（熊谷香菜子委員）より傘木作成

流出となっています。しかし、これまでと違った生き方を模索して地方に出てくる若者も少なくはありません。「新しい生活の質」は、地方から創造され、都会に問いかけるものとなることを願います。

そのように言うと、ロバート・ウォーエン（1771-1858）の「工場村」や武者小路実篤（1885-1976）らの「新しき村」運動を想起させます。理想を「空想」にとどめず実践した先人らの模索は、今もなお持続可能な社会のあり方

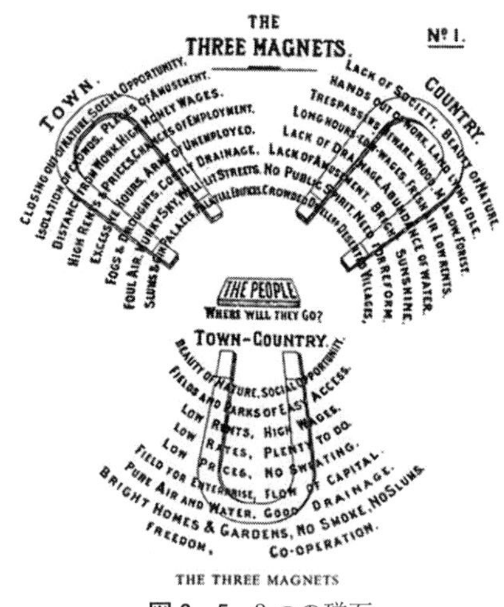

図3-5 3つの磁石
『明日の田園都市』の挿絵より

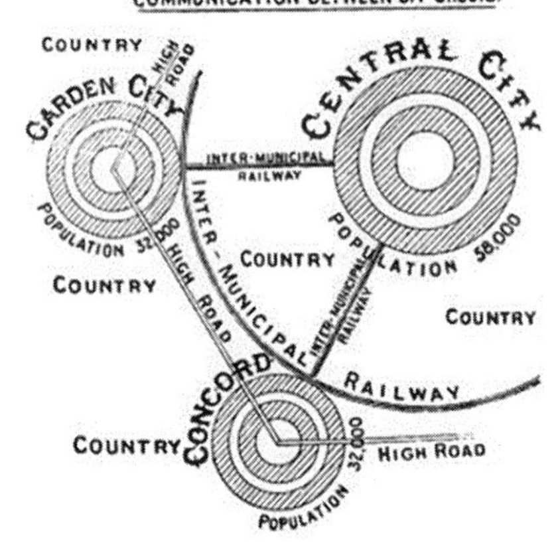

図3-6 社会都市のダイヤグラム
『明日の田園都市』の挿絵より

を考える上で大きな示唆を与えています。

私が強く影響を受けたのは、ハワード（1850-1928）の『明日の田園都市』に示された「都市と農村の結婚」（図3－5）の提起です。都市と農村が持つそれぞれの利点を、人口3万人程度の職住近接型の田園都市に統合して、その運営が住民の協同事業によって担われるものです。そうした田園都市群が人口5万人程度の中心都市とネットワークを形成する社会が描かれています（図3－6）。こうした国土構造を支えるものとして再生可能エネルギーは最適なのだろうと思います。

再生可能エネルギーは、「新しい生活の質」を希求する人たちとともにあると言える社会であってほしいと思います。

(2) 新しい技術

科学技術は急速に進歩し続けますが、政治経済や社会科学は試行錯誤の繰り返しです。福島第一原発の災害は、その差が限界にまで達していたことを示しているように思えます。私は、原子力技術の研究そのものを否定するものではありませんが、原子力を実社会の中で制御できる能力（特に社会面）を人類はまだ持ち合わせていないと考えています。

一方で、いろんなところで見聞きする「原発をやめて再エネ100％で」というスローガンに対して、その思いはわかるものの、私には違和感があるというのは、本書の趣旨からご理解いただけると思います。大量生産・大量消費型の社会経済システムの維持を前提に、温暖化効果ガスの排出量を減らすのであれば、原子力発電に頼らざるを得ません。

社会経済システムはすぐには変えられないので、段階的な原子力や火力の廃止とともに、再生可能エネルギーをはじめ、新しい技術を開発していくことが現実的なのではないかと思います。

「新しい技術」への期待という言い方は、気候変動への危機感からすればあまりにも楽天的かもしれません。そうした批判を受けることを承知で、「ニューヨークの馬糞」というたとえ話を紹介します。

19世紀末、大都市ニューヨークは10万頭の馬が毎日約110万kgの馬糞を生産し、街のいたるところに馬糞があふれ、深刻な公衆衛生上の危機を招きました。ニューヨークで開催された世界初の国際都市計画会議でも議論になりましたが、解決策を見出すことはできませんでした。研究者らは100年後のニューヨークは馬糞にうずもれてしまうと警告しました。しかし、自動車の登場は、こうした予想を覆してしまいました。

自動車社会の登場は、便利な生活とともに、交通戦争や大気汚染など、これも深刻な社会問題を引き起こしています。そして、多くの犠牲を払いながら、技術や制度の改良により、少しずつ改善が図られています。気候変動問題は、自動車依存社会そのものの見直しを迫っていますが、交通のあり方を根本から変える新たな技術が変革をもたらすのかもしれません。

ウイリアム・モリス（1834-1896）が夢想したユートピアでは、煙の出ない工場や騒音も出さない新技術で推進する船などが登場します（コラム⑪）。そんな未来を夢想することは非科学的で「センチメンタル」との批判を受けるのは当然かもしれませんが、科学技術が「新しい生活の質」を実現させるものとして生かされる社会であってほしいと願います。

(3) 平和のためのエネルギー

ウクライナとガザ地区での戦火に心を痛める日々です。こうした紛争の背景として、必ずと言っていいほど、エネルギー問題が指摘されます。

ウクライナは、ロシアとの天然ガスの輸出入をめぐる対立が続いていましたが、2000年代にシェールガス開発が可能になったことから、欧州において３番目に大きな埋蔵量が国内にあると見込まれ、状況は変化しました。シェールガスとは、油やガスのもととなる有機物に富んだ泥質岩（シェール）の中に貯留されていて、技術開発により採掘が可能になり、世界的に大きなブームを巻き起こしています。2012年に、ウクライナ政府は英国及び米国の企業との共同で開発することを発表しました。しかし、埋蔵量の約７割がウクライナ東部にあり、ロシア系住民が多く、シェールガス開発への反対運動も過激化する中、国際的なガス価格の低迷もあって、経済性の確保が難しいと判断され、2015年には英米の企業が撤退し、とん挫しました。

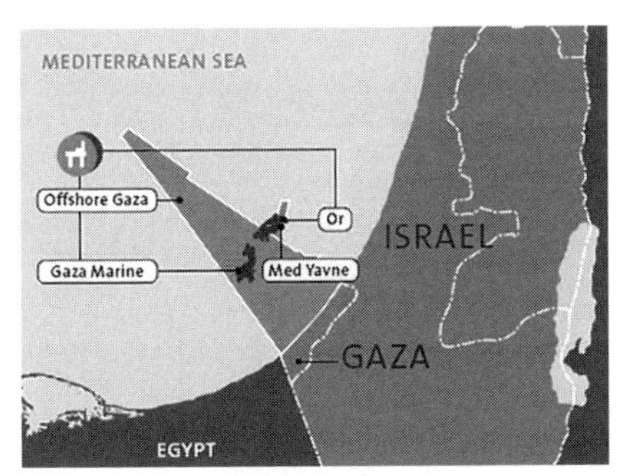

図3－7 ガザ沖のガス油田
Av Thomas Fazi「イスラエルの石油・ガス戦争に勝つのは誰か？」（2023年11月5日付、https://steigan.no/）

ガザでは、沖合に膨大な埋蔵ガスが2000年に発見されました（図3－7）。英国のガス会社とそのパートナーであるレバノンやエジプトの富豪や企業が共同して、パレスチナ自治政府からの探査権利を得て開発していたものです。イスラエル政府は、ハマス政府やパレスチナ自治政府を無視して、英国企業との直接契約を結ぼうと画策していました。2008年12月から3週間にわたるガザ戦争は、「ガザの大虐殺」とも言われ、イスラエル政府は「ガザ地区からのテロ活動とミサイルの脅威」を理由に侵攻（キャスト・リード作戦）を正当化していました。しかし、ミシェル・チョスドフスキー氏（オタワ大学名誉教授、『グローバル・リサーチ』誌編集長）は、侵攻の真の目的は、ガザ地区沖合の天然ガス埋蔵量を没収することだったと指摘しています。このたびの侵攻による破壊行為はもっと凄まじく、その狙いは領土そのものの奪取にあるのではないかと思わせるものがあります。

大量生産・大量消費型の社会におけるエネルギーの獲得をめぐる争いは、おのずと大規模かつ暴力的にならざるを得ないのは、歴史が証明しています。化石燃料に依存する社会は、つねに世界のどこかに「火薬庫」をつくりだし、その地域の人びとを不幸に巻き込んでいきます。

その悪循環を断ち切るためのエネルギーとして再生可能エネルギーの利用が広がることを願うものです。再生可能エネルギーは、自律・分散型の地域経済を支える役割が最も適しており、国家的収奪にはなじまないものです。再生可能エネルギーを利用しながら進める地域づくりは、長い目で見ると世界平和に寄与しうるものです。

2. 明日の「再エネ社会」

再生可能エネルギーが、新しい生活の質を希求し、世界平和を実現させるエネルギーとして利用される「持続可能な社会」とはどんなものなのでしょうか。私の願いを紹介します。

(1) 自律・分散型の社会

「自律・分散型の社会」についてはさまざまな角度から議論されていますが、ここでは国土構造のあり方として提起します。それは、前出のハワード『明日の田園都市』が描いたような都市と農村が一体となった地域のまとまりがネットワークを形成するものです。その経済も、地域の特産品を求心力としながら、世界とつながりを持つものとして運営されます。自治体も、道州制の方向ではなく、むしろ、基礎的自治体により近い政治経済の単位に再編していくものです。

日本は、戦前からの中央集権的なシステムが根強く、国民や企業も中央への依存が強いため、政党も保革を問わず「中央—地方」の位置づけの中で、政治を動かしています。近年では、ミュニシパリズム（自治体主義）の運動もありますが、政治的な力はまだ期待できません。むしろ、閉塞感のある政治状況を打破するヒーローまたはヒロインを待望する世論の大きさに、新たな「独裁者」の台頭を懸念します。

今、必要なことは、政治への関心や働きかけ、監視と抗議を続けつつ、地域から「新しい生活の質」をめざす経済活動を創造し、広げていくことではないかと考えます。ハワードのいう「真の仕事」（第３部扉）が、再生可能エネルギーの利用を力に地方から起こることを期待します。

なお、環境省においても「自立・分散型地域エネルギーシステムの構築」

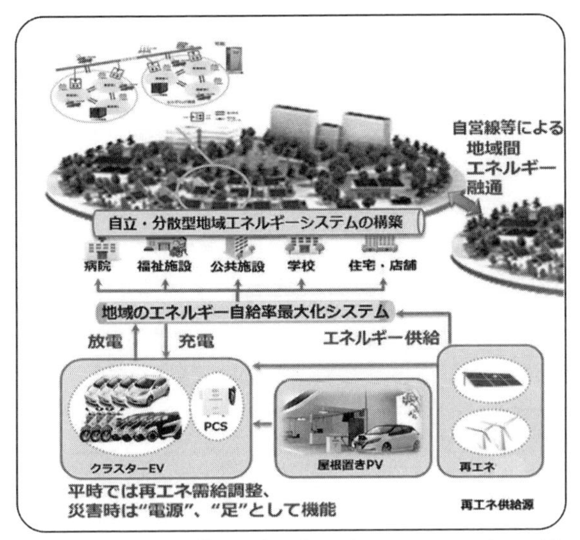

図3－8 自立・分散型地域エネルギーシステムのイメージ
環境省資料

を政策課題に掲げ、補助事業も立ち上げています（図3－8)。そうした地域運営を担う主体が地域社会に育つ必要があることと、自治体の役割が重要であることを踏まえて、私は「自律」という用語を使っています。

(2) 人間のためのエネルギー

「省エネ」という言葉が私にはどうもしっくりしません。

一つには、主に電力について、私たちは「消費させられている」のであって、他の選択肢があるわけではありません。「省エネ」は、耳障りはいいのですが、エネルギー供給側の都合で消費側が踊らされているのが実態です。

私が学生生活を過ごした1980年代前半は、アパートにコンセント差し込み口は一カ所で、電話機にもコンセントは付いていませんでした。今は、パソコン一つ買っても、あれこれの付属品で電源ケーブルがタコの足のように必要となります。第一次オイルショック（1973年）を受けて、当時の田中角栄首相が「原子力を重大な決意をもって促進いたしたい」と立地地域への交付金制度も整備され（1974年)、1980年代より原子力発電の商用利用が順次拡

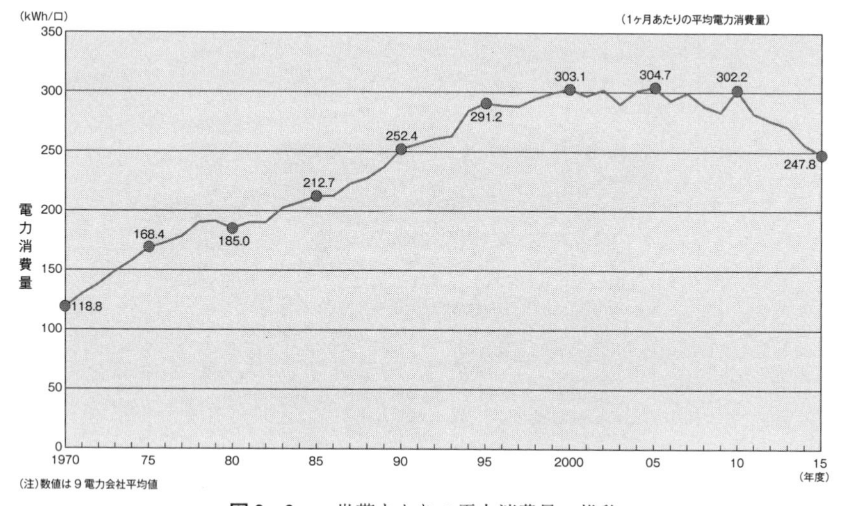

図3－9　一世帯あたりの電力消費量の推移

原子力・エネルギー図面集より

大していきました。それとともに、膨大な電力を消費することが求められてきました（図3－9）。

今、各大手電力会社（旧一電）は、猛暑や寒波などで需要ひっ迫警報が出されて節電を呼びかけたかと思えば、電気が余ってバランスが崩れて停電の恐れがあるからと再生可能エネルギーの買い取りをやめる（出力制御）というふうに、「電力自由化」とは名ばかりで、再生可能エネルギーを供給する側は旧一電の都合に合わせざるを得ません。しかも、出力制御の原因の一つには「省エネ」が進んだこともあげられています。消費側の努力で需要が減ると、火力や原子力を優先するために再生可能エネルギーを切り捨てるというのであれば、本末転倒です。

もう一つは、エネルギーは、人間が健康で文化的な生活を営む権利を支えるものとしてあり、これを人間発達や自己実現のために使うことは基本的人権の一部をなしていると考えるからです。

もちろん、浪費は良くありませんが、節電のために熱中症になったり、電気代やガス代が払えなくて凍死したりすることはあってはならないし、電気や火などを使った独創的な活動の機会も奪われてはならないと思います。

エネルギーの生産・配分・利用などのあらゆる局面で人びとが関わる仕組みは、自律・分散型の社会をめざす再生可能エネルギーにおいてこそ可能になります。

大量生産・大量消費型の社会を支えるエネルギーから、人間のためのエネルギーに変えることが、今世紀の課題ではないかと考えます。

(3) 環境・景観と調和しうる技術とデザイン

FIT以前の風力発電機は、自家消費目的の小型で、デザイン面も独創的なものも見られ、新たなランドマークを予感させました。また、屋根置き型の太陽光発電パネルも、地域に広がるときに、新たな景色になるかもしれないと思いました。私たちが地元で実践しているミニ水力発電も開放型水車なので見て楽しいものです。私は、再生可能エネルギーの普及が「持続可能な社会の景観資源」となることを思い描いていました。

しかし、FIT後の効率を最優先させた大規模開発は、そうした淡い期待を裏切るものでした。

自律・分散型社会をめざす再生可能エネルギーは、技術の力で小型ながら効率的なものとして、デザインの力で地域の景観や風土に見合ったものとして、転換に力を与えるものであってほしいと思います。

(4) 電気に偏らない

本書では、再生エネルギーによる乱開発が著しい電力分野に焦点をあてています。再生可能エネルギー開発が電力に偏っているのは、電気の使いやすさもありますが、中央に集中させるために移動させやすいという側面もあります。

再生可能エネルギーは、電気だけではなく、多様な種類があります。私たちが地元で実践してきた風穴小屋やバイオ軽油をはじめ、地域で調達できる範囲でエネルギーを使うのであれば、利用可能性は無限にあります。

しかし、私たちがミニ水力発電の水利申請やバイオ軽油の生産・販売（コラム⑧）などで経験してきたように、大量生産・大量消費を前提にした社会では小規模なエネルギーの生産や流通にも煩雑な手続きを求めて、立ち上げや維持を難しくしています。

自律・分散型の社会を支える再生可能エネルギーは、諸手続きを含め、地域社会の自治により進められ、地域の人びとの独創性が生かされるものであることを期待します。

コラム⑪ 『ユートピアだより』

2022年より全国各地で「アーツ・アンド・クラフツとデザイン～ウィリアム・モリスからフランク・ロイド・ライトまで～」が開催され、私も松本市美術館で鑑賞しました。モリス（1834-1896）の実践は、日本の柳宗悦（1889-1961）らの民藝運動にも影響を与えたと言われています。

モリスは、大量生産により人間らしい労働から疎外されている労働者階級を解放し、生活を芸術化するために社会を変えることを志した思想家・革命家でもありました。

モリスの『ユートピアだより』（1890年）は、主人公がある日目覚めるとタイムスリップして、共産主義革命を実現したロンドン郊外におり、そこでの人びとのくらしや価値観、革命についての古老の話などが綴られています。そこで出会う男女は素朴ながら美しく、生き生きとして、友との語らいや額に汗することを楽しんでいます。私が興味深かったのは、誤って仲間を殺し

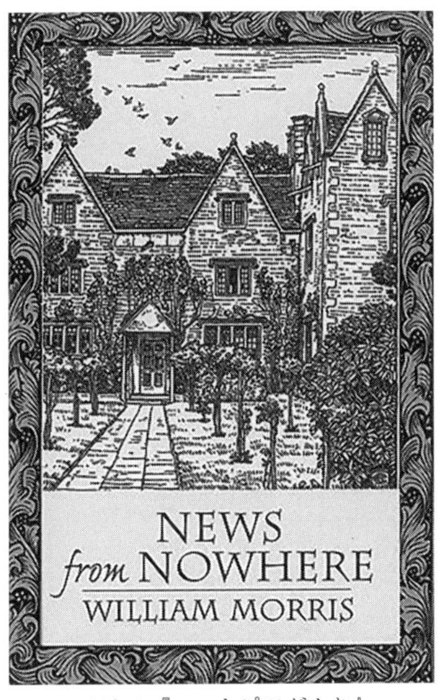

モリス『ユートピアだより』

てしまった男に対するまわりの対応でした。さまざまなことが、現代に生きる私たちが読んでも新鮮な驚きがあります。

再生可能エネルギーや新技術についてもおもしろい記述があります。

各所にある工場にも煙が立たず、テムズ川を高速で移動する船のエンジンも煙や騒音もなく、主人公には想像できない新しい技術が使われていました。「ここではすべての仕事が美しく、楽しいもの」として主人公の目に映るのでした。

モリスは、「新しい生活の質」が実現される社会の科学技術は、人の健康や自然環境に脅威を与えるものではなく、その存在や利用も美しいものとして想起しました。そうした科学技術の進展の中に位置付けられたときに、再生可能エネルギーも本来の力を発揮するのかもしれません。

モリスに対して、エンゲルスは「センチメンタル・コミュニスト」と評して、「科学的ではない」と断じました。しかし、モリスの工芸は今日も力強いメッセージを持ち続けています。再生可能エネルギー技術が切り拓く未来にもモリスの思想が生きていくかもしれません。

第12章　国政への提言

本書の最後に、ここまでの記述との重複もありますが、「再エネ乱開発」の是正に必要と思われる国の政策について、提言します。

第9章との重複もありますが、本章では今すぐ着手してほしいことに絞ります。ハードルの高い内容ですが世論と政治の力があれば実現可能だと思っています。

1. 自律・分散型エネルギー社会のために

(1)「地域循環共生圏」の主流化

第五次環境基本計画（2018年4月閣議決定）は、地域資源を持続可能な形で活用し、自立・分散型の社会を形成しつつ、地域間で支え合う「地域循環共生圏」の創造をめざす方針を打ち出しました（図3－10）。

第六次環境基本計画（2024年4月閣議決定）では、「循環共生圏」の基本を踏襲しつつ、その発展形として「環境収容力を守り環境の質を上げることによって経済社会が成長・発展できる」文明社会の構築を掲げ、Well-being（高い生活の質）を導く「新たな成長」をめざすとしています。

こうした政策理念と計画の枠組みを私は全面的に支持します。

しかし、第五次から第六次に至る経過は、再生可能エネルギーに関して言えば、その理念とは全くかけ離れた方向に事態が進みました。今後具体化される洋上風力発電分野では、環境省が環境アセスを担うことで乱開発にお墨付きを与えかねない事態となっています。

開発官庁（国土交通省、経済産業省、農林水産省など）に比べて、圧倒的に権限も財源も少ない環境省には、閣議決定による計画であるとは言え、国の政

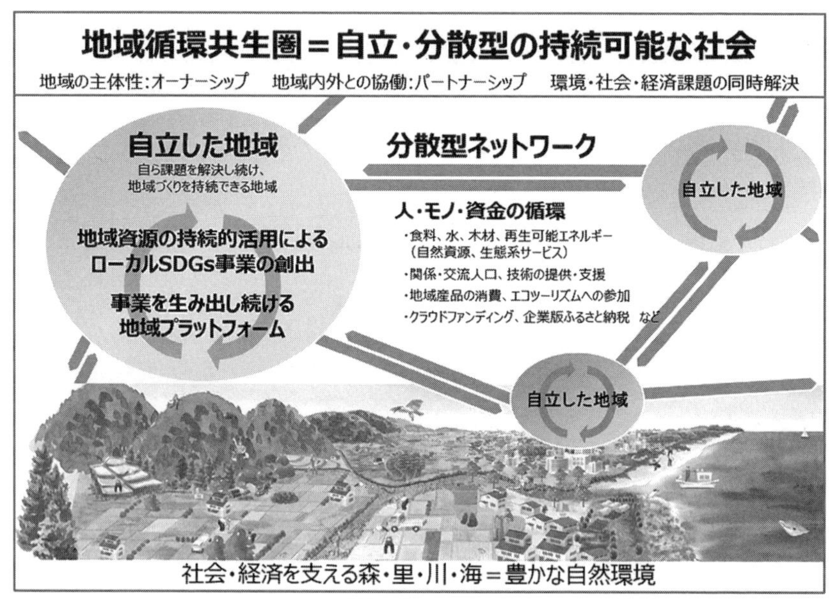

図3－10　地域循環共生圏のイメージ

環境省ローカル SDGs より

策の主柱に据える力量は期待できません。

中央政界を担う方々に、再生可能エネルギー開発の現場に出かけ、異を唱える人たちの声にも耳を傾けて、政策の見直しを検討してほしいと思います。その拠り所が国の環境基本計画であり、「循環共生圏」をあらゆる政策の中心に据える「主流化」をはかっていただきたいと願います。

(2) 分散型エネルギーシステム構築を促す施策の拡充

環境省では、地域の再生可能エネルギーを活用した地産地消の分散型エネルギーシステムとして、自営線により地域内の需要設備や再生可能エネルギー設備、蓄電設備などをつないで構築する取り組み（図3－11）を推奨し、自治体への補助事業にも位置付け、実践例の紹介などにも努めています。

エネルギー分野から「循環共生圏」を構築する上で重要な取り組みですが、環境省資料（2023年3月）に紹介された事例は9件（3自治体、5公民連携、1

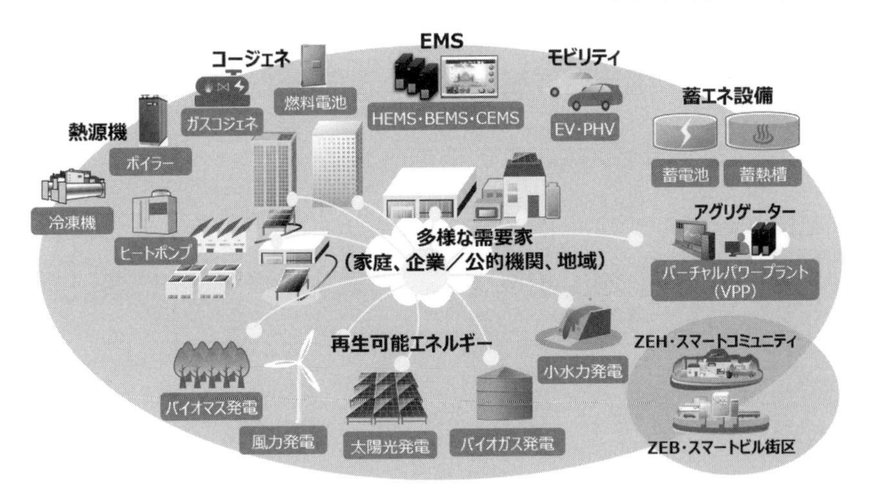

図3－11 分散型エネルギーシステムの主な構成要素
分散型エネルギープラットフォーム事務局、2021年2月

民間事業）と多くなく、広がりはまだこれからと言えます。

こうした政策が力を発揮する上では、補助金や事例情報などを活用しながら、自分たちの地域づくりに活かそうと主体的に活動する自治体職員や事業者、住民の存在が決定的に重要です。そのような地域の動きを促す政治家の役割にも期待したいものです。

(3) 送電距離に比例した課金制度の導入

2024年4月より、電力・ガス取引監視等委員会の整理を踏まえて、発電側課金（系統連系受電サービス料金）制度が始まります。これは、人口減少や省エネの進展などにより電力需要が伸び悩む一方で、再生可能エネルギーによる系統連系ニーズの拡大や、送配電設備の高経年化に伴う修繕・取替などの対応が増えて、送配電関連費用を押し上げていることが背景にあります。こうした費用は、託送料金として、電気料金を通じて回収されていて、電気料金の約30%を占めています。

発電側課金は、これまで小売事業者（いわゆる新電力）が負担してきた送配電設備の維持・拡充に必要な費用について、系統連系する発電事業者にも負

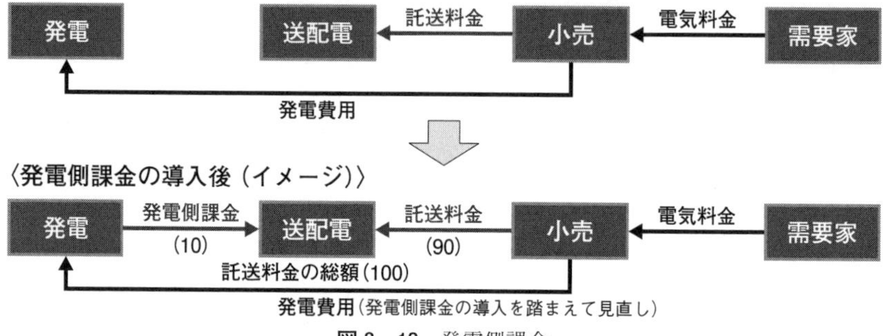

図3－12　発電側課金

電力・ガス取引監視等委員会・制度設計専門会合「中間とりまとめ」2023年4月より

担してもらうものです。もちろん、需要家（消費側）は電気料金の中で送配電にかかる費用を負担しています（図3－12）。社会資本としての送配電設備とそのネットワークを支えるための見直しは必要なことです。

一方で、送配電ネットワークは、地域の固有の資源を中央に集中させて、地方を中央にエネルギー的に従属させ、その費用を地方が負担している構造でもあります。

そこで、自律・分散型エネルギーを支える自営線の整備を進める財源として、送電距離に応じて発電事業者が託送料金を負担する制度を導入することを提案します。地方で地産地消型の事業を行うことの方がメリットが高くなれば、企業の立地や移住者の動向にも影響を与えるかもしれません。

2.　再生可能エネルギーの種類別における当面の対応

それぞれの電力種について当面実施すべきと考える政策を提案します。

私の原則的な立場は、持続可能は社会とは「将来の世代に選択の余地を残す」ことであって、再生可能エネルギー開発を必要以上に急がせる必要はないと考えています。

(1) 太陽光発電

①里山等での開発の停止・再審査

すべての着工前の開発計画について、生物多様性国家戦略や防災上の観点から、森林や田畑を改変したり、里山の景観に支障を与えたりするおそれのある開発計画は、いったんすべて停止すべきです。そして、自治体と協議の上、再点検項目を設定して、公的な機関により開発の継続の適否を審査し直すことを提案します。

②公共施設での普及にシフトさせる

国は、温暖化防止政府実行計画において、2030年までに設置可能な建築物（敷地を含む）の約50％以上に太陽光発電設備を設置する目標を掲げ、自治体保有の建築物や土地での率先的な取り組みを促しています。

しかし、公共部門等の脱炭素化に関する関係省庁連絡会議（2023年9月27日）によると、2022年度の施行状況調査（建築物）の回答率は35.8％と低率で、敷地については調査も行われていません。国や自治体の本気度が疑われます。なお、低い回答率ながら、この調査で把握した自治体の建築物に新規設置が可能とみられる導入量は4.1GWでした。これは、東京電力柏崎刈羽原子力発電所6・7号基（1.36GW）の約3倍にあたります。

一方、自治体の多くは、人口減少や平成大合併などで、公共施設の維持管理に苦慮しています。そういう中で、地域循環共生圏形成の観点から、公共施設を再生可能エネルギーの供給地を兼ねた自治体新電力の拠点として活用する取り組みを、国として推し進めてほしいと思います。

(2) 風力発電

①陸上風力：稜線部での開発の停止・再審査

太陽光と同様、すべての着工前の開発計画について見直すことを提案します。特に稜線部を開発するものはいったんすべて停止すべきです。そして、関係自治体と協議の上、再点検項目を設定して、公的な機関により開発の継続の適否を審査しなおすことを提案します。

②洋上風力：全着工前計画の一時停止とエリア別の立地規制の導入

着床型洋上風力発電機の設置は、現時点で着工しているものにとどめ、それらの中長期における環境や安全面での影響をモニタリングする中で、洋上開発のあり方について検討しなおすことを提案します。特に、離岸距離のあり方について、知見を集積する必要があります。

また、国では排他的経済水域（EEZ）での洋上風力発電整備も検討しています。しかし、〈陸域―沿岸―EEZ〉と連続したエリアで整備される場合は、渡り鳥への影響はより深刻化することは必至です。モニタリングを通して、海域毎に立地規制を設定することを提案します。

(3) 地 熱 発 電

温泉利用の歴史と地域のなりわいを第一義的に尊重し、各温泉地における利用状況や経済状況を踏まえ、資源確保や環境保全の可能性を慎重に確認しながら、合意形成の上に事業を進められるように諸手続きの体系化を図ることを提案します。

また、熊本県小国町をはじめいくつかの自治体で整備されている条例を参考に、国として統一したルールを整備し、モニタリングや損害が生じた場合の補償などに、事業者が円滑に対応できる仕組みを創設すべきです。

(4) バイオマス発電

①総量規制の導入

国内でエネルギー用に調達しうるバイオマス資源の賦存量を踏まえて、各種資源物について総量規制を設定して、開発を調整することを提案します。これにより、国外に依存した資源調達を抑制し、地産地消型の開発に誘導する効果が期待されます。

②既存設備の全国一斉点検

各地でバイオマス発電所での火災などの事故が発生しています。これを受けて、経済産業省は「安全確保の徹底及び事故発生時の報告のお願い」（2024年２月）を全国のバイオマス発電設備設置者に通知しています。しかし、事業者への「お願いベース」になっていることが、住民等にとっては、行政の監督責任に対する不信感につながっています。地元自治体とともに、早急に既存設備の一斉点検を全国的に実施することが、今後の新設を進める上でも欠かせません。

3. 再生可能エネルギー開発共済制度の創設

小国郷の自然を守る会（熊本県小国町）が主催した第2回「地域と温泉と地熱開発の共生を図るシンポジウム」で、森田憲右さん（弁護士）が提起された「地熱開発事業者共済制度」をヒントに、再生可能エネルギー開発に伴う事前配慮や事後対策などを円滑に行うための制度として提案します。

森田さんの提案は、鉱業法109条を参考に、開発に伴うなんらかの被害が生じた場合、因果関係の立証能力や訴訟費用の捻出において不利な温泉事業者や農業従事者、住民等の法的保護を盛り込んだものです。

私は、加えて、公害健康被害補償予防法（コラム⑫）の制定過程と枠組みを参考に、補償と予防を両輪で進める制度として考えてみました。実現には、法制度としての妥当性はもとより、こうした制度を要求する住民や自治体の運動が欠かせません。

以下、制度案の概要を記します。

(1) 目　　的

再生可能エネルギー開発に伴う事前配慮・事後調査・被害発生に伴う補償等について、事業者による基金の拠出と、公的関与により、公正かつ円滑に対策が図られるようにする。

(2) 財　　源

エネルギー供給強靭化法の対象となる再生可能エネルギー電気を発電する事業者がその出力量と事業による周囲へのリスクの度合いに応じて基金への拠出金を義務化する。

(3) 使　　途

①事前配慮に関するもの

イ）近接するエリアにおいて累積（同種の開発）または複合（異種の開発であるが影響が重なるものと）による環境影響や災害リスクが生じる可能性がある場合、公的関与による影響評価を行う。

ロ）公海上または陸域において都道府県境をまたがって開発するものについて、公的関与による影響評価を行う。

②事後調査に関するもの

イ）上記①で影響評価を行ったものの事後調査を公的関与により行う。

ロ）過去の開発により、開発が集中したエリアにつういて、累積または複合の影響を含めて、事後調査を公的関与により行う。

③研究・研修に関するもの

イ）上記①と②において蓄積された情報の蓄積と分析、公開を公的関与により行う。

ロ）事前配慮及び事後調査に必要な技術の習得に関する研修等を行う。

④被害補償等に関するもの

イ）住民等からの申請に基づき、一定の要件を満たした事案について、被害補償を行う。

ロ）上記②の事後調査により、生物多様性に関するものも含め、追加的な対策が必要となった場合に、その費用の一部について補助を行う。

(4) 返　　金

FITによる固定価格買取が終了するまでの間に、周囲への被害対策などの特段の支出が生じなかった場合は、一定額が返金される。事業者はそれを撤去費用等に充てることができる。

(5) 審　査　会

各分野の有識者、法律家などからなる審査会を設置し、基金で行う事業の選定、被害補償の認定などを行う。

(6) 基金の所管事務局

基金は独立行政法人環境再生保全機構が管理し、審査会の事務局を担う。

コラム⑫ 公害健康被害補償予防法

公害問題が深刻になっていた1960年代後半、国に先駆けて自治体による公害患者の救済制度が創設され、国の「公害に係る健康被害の救済に関する法律」(1969年) へと導きました。この制度は、健康保険の自己負担分を補填するものでしたが、尼崎市、倉敷市、川崎市などでは、企業が拠出した資金をもとに、公害患者のために独自の転地療養事業も行いました。

1971年から相次いで原告・公害患者が勝訴した四大公害裁判 (イタイイタイ病、四日市大気汚染、水俣病、新潟水俣病) の流れは、各地で類似の訴訟が起こされる不安を産業界にあたえました。そこで政府は、公害による健康被害の紛争を、個別の因果関係の立証が困難であるとか、原因者が不特定多数であるとかの公害被害の特殊性に鑑み、基本的には民事責任をふまえつつ、公害健康被害者を迅速かつ公正に保護する制度として、公害健康被害補償法が制定されました (1973年)。

この制度は、「2つの割り切り」があることが特徴です。

ひとつは、大気汚染と疾病との疫学的な因果関係を前提とし、個別の因果

公害健康被害補償法の第一種指定地域 (大気汚染)
独立行政法人環境再生保全機構ホームページより

関係は問わないこととし、指定地域に存する汚染の曝露を受け、一定の症状があれば、公害病患者として認定することです（個別の患者に係わる因果関係の割り切り）。イタイイタイ病や水俣病は特異性疾患といわれ、原因物質と症状の因果関係が特定されます。大気汚染公害病の場合、その症状である喘息や肺気腫などの閉そく性慢性気管支炎は大気汚染以外にも原因がありうるので、非特異性疾患といいます。

公害健康被害補償予防制度の概要

<table>
<tr><td>発　足</td><td colspan="3">1974年9月（1988年3月改定法施行）</td></tr>
<tr><td>趣　旨</td><td colspan="3">本来当事者間で民事上の解決が図られるべき公害健康被害について補償を行い、被害者の迅速・公正な保護を図るもの。1988年改定により旧第一種地域（41地域）の指定を解除し、新たな患者認定は行っていない</td></tr>
<tr><td>仕組み</td><td colspan="3">補償給付及び公害保健福祉事業に必要な費用の相当分（汚染負荷量賦課金、特定賦課金）をばい煙発生施設設置者又は特定施設設置者から徴収し、公害健康被害発生地域の都道府県等（46県市区）に納付する</td></tr>
<tr><td rowspan="8">被害補償</td><td rowspan="4">第1種地域</td><td>指定地域</td><td>著しい大気の汚染が生じ、その影響により気管支ぜん息等の疾病が多発している地域（41地域）</td></tr>
<tr><td>指定疾患</td><td>慢性気管支炎、気管支ぜん息、ぜん息性気管支炎及び肺気しゅ、これらの続発症（非特異疾患）</td></tr>
<tr><td>費用負担</td><td>汚染負荷量負担金（事業者）8：2自動車重量税</td></tr>
<tr><td>補償内容</td><td>療養給付・療養費、障害補償費、遺族補償費、遺族補償一時金、児童補償手当、療養手当、葬祭料</td></tr>
<tr><td rowspan="4">第2種地域</td><td>指定地域</td><td>汚染原因物質との関係が明らかな疾病（特異疾患）が多発している地域</td></tr>
<tr><td>指定疾患</td><td>水俣病、イタイイタイ病、慢性ヒ素中毒症</td></tr>
<tr><td>費用負担</td><td>原因となる物質を排出した事業者による全額負担</td></tr>
<tr><td>補償内容</td><td>第1種地域と同様</td></tr>
<tr><td rowspan="2">公害保健福祉事業</td><td colspan="2">費用負担
第1種地域</td><td>2/4　汚染負荷量負担金（事業者）8：2自動車重量税
2/4　国1/4＋県又は市1/4</td></tr>
<tr><td colspan="2">事業内容</td><td>リハビリテーション事業、転地療養事業、療養用具支給事業、家庭療養指導事業、インフルエンザ予防接種費用助成事業</td></tr>
</table>

独立行政法人環境再生保全機構ホームページより傘木作成

もうひとつは、補償給付に要する費用を負担する者は、原因物質を排出した大気汚染防止法上の一定の施設を設置していた者に限定されること（原因者の範囲に係る割り切り）。なお、大気汚染の特性をふまえて、一定規模の大気汚染物質を排出しているすべての事業者は、国内のどの地域で操業していても、賦課金を支払う義務があります。そのうち、特に大気汚染が深刻な第一種指定地域で操業する事業者の負担割合は高く設定されています。

賦課金制度は、事業者側の大気汚染物質削減の努力を引き出し、公害対策技術の飛躍的な進展を促したと言われています。

1987年、大気汚染がある程度改善されたとして、大気汚染公害患者の新規認定を打ち切り、第一種指定地域を解除し、既存患者の救済と環境保健事業（環境改善や予防、リハビリ等）事業の推進を柱とする公害健康被害補償予防法に変更されました。

環境保健事業は、大気汚染にかかる産業界から拠出金と、国からの財政措置を加えて基金としたものにより推進されています。

この制度の創設に携わった橋本道夫さん（故人・元環境庁大気保全局長）は、四日市公害裁判の結果を踏まえて、このままで各地で訴訟が起きて経済成長に大きな痛手になることを恐れる産業界を抑え込むために、緊急避難的な措置だったとふりかえっています。

結果的に、この制度は、公害被害者の救済のみならず、経済成長を維持しつつ日本の公害対策を飛躍的に向上させる役割を果たしました。

再生可能エネルギーの普及を持続的に進めていく上では、環境配慮を促しつつ、発生しうる問題にも対処できる仕組みを併せ持つことが重要なのではないかと考えます。

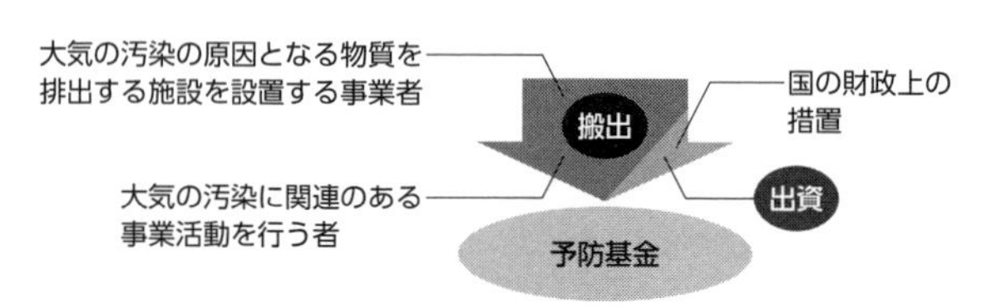

公害健康被害予防基金
独立行政法人環境再生保全機構ホームページより

巻末資料

巻末資料 1 長野県内市町村における

市町村名	条例名称	対象規模等
長 野 市	太陽光発電設備の設置と地域環境との調和に関する条例	太陽光発電設備、野立式、20kW 以上
松 本 市	松本市の豊かな環境を守り適正な太陽光発電事業を推進する条例	太陽光発電設備、野立式、10kW 以上
上 田 市	太陽光発電設備の適正な設置に関する条例	太陽光発電設備、野立式、開発面積 1,000m² 以上かつ 50kW 以上
諏 訪 市	環境と再生可能エネルギー発電等設備設置事業との調和に関する条例	①10kW 以上の再生可能エネルギー設備（屋根置型太陽光発電は除く）、②太陽熱の集熱器の面積が 100m² 以上、③熱利用の出力が 100kW 以上
小 諸 市	環境条例	対象行為：敷地面積が 500㎡ を超える太陽光発電設備の設置 対象地域：市長が指定する開発規制地区
伊 那 市	太陽光発電設備の設置等に関する条例	野立て太陽光発電で、①発電出力 10kW 以上、②面積 1,000m² 超、③土地の高低差 13m 超のいずれかに該当するもの
茅 野 市	生活環境保全条例	10kW 以上の太陽光発電設備（3,000m² 以上の設備は許可申請が必要）
塩 尻 市	太陽光発電設備の適正な設置及び管理に関する条例	太陽光発電設備、野立式、10kW 以上
安曇野市	太陽光発電設備の設置等に関する条例	太陽光発電設備、野立式、以下のいずれかに該当（10kW 以上、1,000m² 以上、土地の高低差 13m 以上）
東 御 市	環境をよくする条例	太陽光発電設備、野立式、10kW 以上（一般住宅敷地内は除く）
小 海 町	自然保護条例	太陽光発電設備、野立式 10kW 以上（面積は加味しない）
佐久穂町	環境保全条例	太陽光発電設備、野立式、面積 500m² を超える場合（改修・増設を含む）
御代田町	環境保全条例	太陽光発電設備、野立式、面積 1,000m² 以上
青 木 村	太陽光発電設備の適正な設置及び維持管理に関する条例	太陽光発電設備、野立式、敷地面積・発電出力を問わない
富士見町	太陽光発電設備の設置及び維持管理に関する条例	太陽光発電設備、野立式、10kW 以上
原 村	太陽光発電設備の適正な設置に関する条例	太陽光発電設備、野立式、10kW 以上
辰 野 町	再生可能エネルギー発電施設の設置及び維持管理に関する条例	発電出力の合計が 30kW 以上の施設の設置、増設、維持管理及び運用
飯 島 町	地域自然エネルギー基本条例	10kW 以上の太陽光・小水力・風力・バイオマス・その他自然エネルギーによる発電施設
中 川 村	太陽光発電施設の設置等に関する条例	10kW 以上（同一又は共同の関係にある設置者が同時期もしくは近接した時期又は近接した場所に設置するものの合算が 10kW 以上になる場合を含む）

再生可能エネルギー導入に関する条例

施行年月	備　考	許可	届出	住民説明	事前協議	協定締結	温対計画区域施策
2021/ 4/ 1	保全地域内に設置する場合は許可が必要	○	○	○	○	×	○
2024/ 4/ 1	禁止区域、抑制区域を設定。抑制区域では環境影響調査や近隣住民以外の意見を申し出た者とも協議	○		○	×	×	○
2022/ 1/ 4	市との協定締結前までに住民との協議を整える（説明会開催必須）		○	○	○	○	○
2022/ 7/ 1			○	○	○	×	○
2019/ 1/ 3			○	○	×	×	○
2022/ 4/ 1		○		○	○	×	○
2020/ 1/ 1	説明対象範囲を規定：抑制区域外は50m 以内の住民等、抑制区域内は 100m 以内の住民等		○	○	○	×	○
2020/12/ 4			○	○	○	○	○
2023/ 6/20	禁止区域、抑制区域を設定。地域住民等（30m 以内居住者や影響を受ける者）の同意と市長の許可が必要	○		○	○	×	○
2014/ 4/ 1	「立地を避けるべきエリア」の明示		○	○	×	○	○
2023/10/ 1	説明会の参集範囲：水平距離 50m 以内		○	○	○	×	
2014/ 4/ 1		○		○	○	○	
2020/11/20		○		○	○	×	
2022/ 4/ 1	近隣住民（50m 以内）の 3 分の 2 以上の同意の取り付けが義務		○	○	○	○	
2019/10/ 1	近隣住民（50m 以内）の 3 分の 3 以上の同意が必要。100m 以内の区及び集落組合の同意が必要	○		○	○	×	
2022/ 4/ 1	設置を自粛要請できる抑制区域の指定	○	○	○	○	×	
2020/ 9/17	事業区域 5,000m² 以上は町環境審議会に諮問	○		○	○	○	
2014/ 2/14	100m 以内（風力発電は 600m 以内）の区、自治会及び隣接の区、自治会の住民等に十分な事業説明を行う	○		○	○	○	
2020/10/ 1	事業者は周辺関係者から協定書の求めがあった場合、協定書を締結しなければならない		○	○	○	×	

市町村名	条例名称	対象規模等
阿智村	太陽光発電施設の設置等に関する条例	太陽光発電設備、野立式、10kW以上または300m²以上（これら以下の事業も届出が必要）
売木村	地域の健全な発展と調和のとれた再生可能エネルギー事業の促進に関する条例	①太陽光発電50m²以上（屋根部分を除く）、②50kW以上の発電目的の再エネ設備、③50kW以上の熱利用目的の再エネ設備
喬木村	太陽光発電設備の規制等に関する条例	太陽光発電設備、300m²以上かつ10kW以上
上松町	自然環境等と再生可能エネルギー発電設備設置事業との調和に関する条例	太陽光（屋根を含む）・太陽熱、風力、水力、地熱、バイオマスの発電設備、10kW以上
南木曽町	自然環境等と再生可能エネルギー設備設置事業との調和に関する条例	太陽光（屋根は除外）・太陽熱、風力、水力、地熱、バイオマスの発電設備、500m²以上
木祖村	自然環境等と再生可能エネルギー設備設置事業との調和に関する条例	太陽光（屋根は除外）・太陽熱、風力、水力、地熱、バイオマスの発電設備、1,000m²以上かつ10kW以上
王滝村	自然環境等と再生可能エネルギー設備設置事業との調和に関する条例	太陽光（屋根は除外）・太陽熱、風力、水力、地熱、バイオマスの発電設備、500m²以上
大桑村	自然環境等と再生可能エネルギー発電設備設置事業との調和に関する条例	再生可能エネルギー設備全般（屋根または屋上に設置する太陽光発電は除外）
木曽町	地域の環境等と再生可能エネルギー発電設備設置事業との調和に関する条例	太陽光（屋根設置を除く）、抑制地域での事業区域100m²及び高さ10m以上の風力
麻績村	再生可能エネルギー発電設備設置事業と環境等との調和に関する条例	再エネ（太陽光・風力・地熱等）事業者は事前に村長の同意を得なければならない（屋根または屋上に設置する太陽光発電は除外）
生坂村	再生可能エネルギー発電設備設置事業と環境等との調和に関する条例	再エネ（太陽光・風力・地熱等）事業者は事前に村長の同意を得なければならない（屋根または屋上に設置する太陽光発電は除外）
山形村	太陽光発電施設の設置及び維持管理等に関する条例	太陽光発電設備、野立式、10kW以上
朝日村	再生可能エネルギー発電設備設置事業と環境等との調和に関する条例	太陽光発電設備、野立式、10kW以上
筑北村	自然環境等と再生可能エネルギー関連事業との調和に関する条例	太陽光発電設備、野立式、10kW以上
白馬村	太陽光発電施設の設置管理等に関する条例	太陽光発電設備、野立式、10kW以上
信濃町	太陽光発電設備の設置と地域環境との調和に関する条例	太陽光発電設備、野立式、20kW以上または400m²以上
35市町村（10市10町15村）		太陽光のみ：22市町村、 再エネ全般：13市町村

調査方法：長野県「太陽光発電施設設置に係る県内市町村取組状況等調査結果（2022年4月1日現
もありうるので詳細は各市町村に問合せ願いたい。

NPO地域づくり工房作成（2024年1月15日時点）

施行年月	備　考	許可	届出	住民説明	事前協議	協定締結	温対計画区域施策
2023/ 4/ 1	事業者は周辺住民（50m 以内）から協定書の求めがあった場合、協定書を締結しなければならない	○	○	○	○	○	
2016/ 9/15	土砂災害区域など生活環境に重大な影響を及ぼすおそれがあると村長が認める区域も対象	○		○	×	×	
2021/ 9/17	村との事前協議を行ったうえで、地元説明会を実施しなければならない	○		○	○	×	
2018/ 9/21	事業者は当該事業に着手しようとする60日前までに町長に届け出て、協議しなければならない		○	○	○	×	
2017/12/15			○	○	○	×	
2017/12/20			○	○	×	×	
2018/ 6/14	事業区域の近隣地で一体的な事業を施行する場合はその面積を合算する		○	○	×	×	
2016/12/22	村長は抑制地域内の設置には同意しない（面積 100m² 以下及び発電設備の高さ 10 m以下の事業は除く）	○	○	○	○	○	
2019/10/ 1	抑制区域に位置するときは同意しないものとする（適用除外あり）		○	○	○	×	
2017/ 9/ 6	抑制区域に位置するときは同意しないものとする（適用除外あり）	○		○	○	×	
2018/ 6/21	抑制区域に位置するときは同意しないものとする（適用除外あり）	○		○	○	×	
2021/ 4/ 1	設置抑制区域の指定。土砂災害警戒区域等への設置の場合、周辺自治会の同意の義務付け等	○		○	○	×	
2019/12/18	村長は事業が抑制区域に位置するときは同意しないものとする		○	○	○	×	○
2022/ 4/ 1	2018 年条例では 50kW 未満であったが対象外設備の設置が繰り返されて大規模になった事案を踏まえて改正		○	○	○	○	
2023/ 7/ 1	禁止区域は村面積の約 9 割にあたる。景観育成重点地区の沿道の両端から 3km 以内などが禁止区域	○		○	○	○	○
2022/ 6/15	抑制区域での開発について自粛を要請。事業区域から 100m 以内の住民等及び利害関係者		○	○	○	×	
		18	21	35	29	9	12

在)」に最新情報などを各市町村ホームページから補った。条文等の読み込み不足による記載漏れ等

巻末資料2　表1－14　太陽光発電所の

都道府県	発電所数	最大出力計	1カ所当たり出力	(エリア別)
北海道	187	856,586	4,581	4,581
青森県	41	450,941	10,999	8,700
岩手県	53	503,899	9,508	
宮城県	141	989,995	7,021	
秋田県	25	131,868	5,275	
山形県	9	102,493	11,388	
福島県	165	1,596,626	9,677	
茨城県	316	1,063,494	3,365	3,527
栃木県	139	986,980	7,101	
群馬県	106	416,333	3,928	
埼玉県	66	89,465	1,356	
千葉県	243	662,994	2,728	
東京都	13	7,550	581	
神奈川県	50	64,088	1,282	
新潟県	24	171,372	7,141	5,485
富山県	19	34,765	1,830	
石川県	25	229,639	9,186	
福井県	20	46,905	2,345	
山梨県	29	73,725	2,542	3,558
長野県	50	207,320	4,146	
岐阜県	100	146,323	1,463	3,378
静岡県	104	356,622	3,429	
愛知県	87	305,142	3,507	
三重県	198	843,894	4,262	

資源エネルギー庁ホームページ：統計一覧表より傘木作成

都道府県別件数及び出力量（2023 年 9 月）

都道府県	発電所数	最大出力計	1 カ所当たり出力	（エリア別）
滋賀県	28	46,551	1,663	3,756
京都府	20	104,645	5,232	
大阪府	58	123,312	2,126	
兵庫県	149	677,584	4,548	
奈良県	23	80,550	3,502	
和歌山県	76	296,894	3,907	
鳥取県	34	130,316	3,833	1,664
島根県	85	67,660	796	
岡山県	139	1,006,303	7,240	2,655
広島県	244	356,391	1,461	
山口県	336	546,252	1,626	
徳島県	23	48,323	2,101	3,255
香川県	71	107,863	1,519	
愛媛県	33	133,090	4,033	
高知県	16	176,196	11,012	
福岡県	167	513,019	3,072	3,596
佐賀県	61	85,749	1,406	
長崎県	68	174,173	2,561	
熊本県	117	494,818	4,229	
大分県	54	476,265	8,820	
宮崎県	65	385,714	5,934	
鹿児島県	259	707,803	2,733	
沖縄県	2	13,990	6,995	
合　計	4,338	17,092,473	3,940	3,940

巻末資料2　表1－15　風力発電所の

<table>
<tr><th>都道府県</th><th>発電所数</th><th>最大出力計</th><th>1カ所当たり出力</th><th>（エリア別）</th></tr>
<tr><td>北海道</td><td>75</td><td>789,280</td><td>10,524</td><td>10,524</td></tr>
<tr><td>青森県</td><td>50</td><td>697,360</td><td>13,947</td><td rowspan="7">17,117</td></tr>
<tr><td>岩手県</td><td>8</td><td>259,420</td><td>32,428</td></tr>
<tr><td>宮城県</td><td>2</td><td>63,300</td><td>31,650</td></tr>
<tr><td>秋田県</td><td>28</td><td>464,028</td><td>16,572</td></tr>
<tr><td>山形県</td><td>8</td><td>63,380</td><td>7,923</td></tr>
<tr><td>福島県</td><td>6</td><td>198,400</td><td>33,067</td></tr>
<tr><td>茨城県</td><td>7</td><td>82,290</td><td>11,756</td><td rowspan="7">7,333</td></tr>
<tr><td>栃木県</td><td></td><td></td><td></td></tr>
<tr><td>群馬県</td><td></td><td></td><td></td></tr>
<tr><td>埼玉県</td><td></td><td></td><td></td></tr>
<tr><td>千葉県</td><td>10</td><td>53,340</td><td>5,334</td></tr>
<tr><td>東京都</td><td>1</td><td>1,700</td><td>1,700</td></tr>
<tr><td>神奈川県</td><td>1</td><td>1,990</td><td>1,990</td></tr>
<tr><td>新潟県</td><td>3</td><td>23,910</td><td>7,970</td><td rowspan="4">12,339</td></tr>
<tr><td>富山県</td><td>1</td><td>1,800</td><td>1,800</td></tr>
<tr><td>石川県</td><td>8</td><td>119,030</td><td>14,879</td></tr>
<tr><td>福井県</td><td>2</td><td>28,000</td><td>14,000</td></tr>
<tr><td>山梨県</td><td></td><td></td><td></td><td rowspan="2"></td></tr>
<tr><td>長野県</td><td></td><td></td><td></td></tr>
<tr><td>岐阜県</td><td>1</td><td>9,200</td><td>9,200</td><td rowspan="4">11,077</td></tr>
<tr><td>静岡県</td><td>26</td><td>170,840</td><td>6,571</td></tr>
<tr><td>愛知県</td><td>6</td><td>53,880</td><td>8,980</td></tr>
<tr><td>三重県</td><td>5</td><td>187,000</td><td>37,400</td></tr>
</table>

資源エネルギー庁ホームページ：統計一覧表より傘木作成

都道府県別件数及び出力量（2023年9月）

都道府県	発電所数	最大出力計	1カ所当たり出力	（エリア別）
滋賀県				8,670
京都府				
大阪府				
兵庫県	17	51,500	3,029	
奈良県				
和歌山県	8	165,240	20,655	
鳥取県	6	55,500	9,250	20,601
島根県	5	171,120	34,224	
岡山県				9,969
広島県				
山口県	16	159,500	9,969	
徳島県	2	54,000	27,000	18,336
香川県				
愛媛県	6	99,500	16,583	
高知県	5	84,870	16,974	
福岡県				10,965
佐賀県	3	57,200	19,067	
長崎県	7	91,700	13,100	
熊本県	2	26,000	13,000	
大分県	2	25,000	12,500	
宮崎県	2	80,800	40,400	
鹿児島県	20	229,460	11,473	
沖縄県	12	16,180	1,348	
合　計	361	4,635,718	12,841	12,841

巻末資料2　表1－16　地熱発電所の

都道府県	発電所数	最大出力計	1カ所当たり出力	（エリア別）
北海道	1	25,000	25,000	25,000
青森県				27,200
岩手県	1	30,000	30,000	
宮城県	1	14,900	14,900	
秋田県	3	88,300	29,433	
山形県				
福島県	1	30,000	30,000	
茨城県				
栃木県				
群馬県				
埼玉県				
千葉県				
東京都				
神奈川県				
新潟県				
富山県				
石川県				
福井県				
山梨県				
長野県				
岐阜県				
静岡県				
愛知県				
三重県				

資源エネルギー庁ホームページ：統計一覧表より傘木作成

都道府県別件数及び出力量（2023年9月）

都道府県	発電所数	最大出力計	1カ所当たり出力	（エリア別）
滋賀県				
京都府				
大阪府				
兵庫県				
奈良県				
和歌山県				
鳥取県				
島根県				
岡山県				
広島県				
山口県				
徳島県				
香川県				
愛媛県				
高知県				
福岡県				
佐賀県				
長崎県				
熊本県				
大分県	4	157,000	39,250	31,713
宮崎県				
鹿児島県	3	64,990	21,663	
沖縄県				
合　計	14	410,190	29,299	29,299

巻末資料2　表1－17　バイオマス発電所の

都道府県	発電所数	最大出力計	1カ所当たり出力	(エリア別)
北海道	6	298,000	49,667	49,667
青森県	4	134,850	33,713	49,411
岩手県	2	89,000	44,500	
宮城県	3	202,500	67,500	
秋田県				
山形県	1	50,000	50,000	
福島県	4	215,400	53,850	
茨城県	4	75,040	18,760	30,048
栃木県	2	43,000	21,500	
群馬県	2	25,423	12,712	
埼玉県				
千葉県	4	249,800	62,450	
東京都				
神奈川県	4	87,498	21,875	
新潟県				23,769
富山県	1	47,500	47,500	
石川県				
福井県	1	37	37	
山梨県				14,500
長野県	1	14,500	14,500	
岐阜県				46,883
静岡県	4	242,100	60,525	
愛知県	4	157,630	39,408	
三重県	2	69,100	34,550	

資源エネルギー庁ホームページ：統計一覧表より傘木作成

都道府県別件数及び出力量（2023年9月）

都道府県	発電所数	最大出力計	1カ所当たり出力	（エリア別）
滋賀県				
京都府	1	1,000	1,000	
大阪府				18,785
兵庫県	6	131,280	21,880	
奈良県				
和歌山県	1	18,000	18,000	
鳥取県	4	214,900	53,725	45,520
島根県	1	12,700	12,700	
岡山県				
広島県	7	191,300	27,329	45,889
山口県	4	313,480	78,370	
徳島県	3	243,750	81,250	
香川県				92,128
愛媛県	2	279,520	139,760	
高知県	1	29,500	29,500	
福岡県	15	488,320	32,555	
佐賀県	1	9,850	9,850	
長崎県				
熊本県	1	76,780	76,780	30,039
大分県	4	98,600	24,650	
宮崎県	4	91,200	22,800	
鹿児島県	4	87,415	21,854	
沖縄県	1	49,000	49,000	
合　計	108	4,337,973	40,166	40,166

参 考 文 献

本書の執筆にあたり以下の文献を参考にしました。なお、本文中に出所が示されている行政文書については省略しました。

第1部

01　日本総合研究所『岐路にある再生可能エネルギー』（エネルギーフォーラム、2023年3月）

02　一般財団法人地方自治研究機構ホームページ「法制執務支援・再生可能エネルギーの利用促進に関する条例」（2023年12月1日更新）

03　傘木宏夫「県内市町村の再生可能エネルギー開発の事前配慮に関する対策の動向」（長野県住民と自治研究所『研究所だより』NO.195、2024年1月）

第2部

04　傘木宏夫「山間地へのメガソーラー開発における自主簡易アセスの取組みから」（環境技術学会『環境技術』49巻3号、128-132頁、2020年3月）

05　傘木宏夫「太陽光発電所の自主簡易アセスと住民意見の動向」（環境アセスメント学会『環境アセスメント学会誌』16（1）、33-38頁、2018年2月）

06　風の半島TANGO丹後半島の野山を守る会『アワーTANGO歴史・自然・暮らしと大型風力開発』（2023年4月）

07　風力発電競争力強化研究会『風力発電競争力強化研究会報告書』（2016年10月、事務局：資源エネルギー庁）

08　環境省『よくわかる低周波音』（2019年3月）

09　日本弁護士連合会「低周波音被害について医学的な調査・研究と十分な規制基準を求める意見書」（2013年12月）

10　風間健太郎「洋上風力発電が海鳥におよぼす影響とその評価における課題」（日本風力エネルギー学会『Journal of JWEA』45（3）、384-387頁、2021年）

11　日本風力発電協会『小規模風力発電事業のための環境アセスメントガイドブック』（Ver.2、2020年11月）

12　電力中央研究所「再エネ海域利用法を利用した洋上風力発電の利用対象海域に関する考察」（2019年11月）

13　日本地熱協会「主力電源としての地熱発電導入の展望」（2023年10月）

14　上地成就他「地熱発電開発を巡る紛争の要因分析」（計画行政学会『計画行政』39（3）、2016年）

15　まち再生事例データベース：事例番号140「スモール・イズ・ビューティフルのまちづくり（熊本県小国町）」（国土交通省都市・地域整備局）

16　吉凱文他「木質バイオマス発電施設の環境影響に係る地域住民の受容性に関する研究」（環境アセスメント学会『環境アセスメント学会誌』18（2）、33-41頁、2020年）

17　菅原良「バイオマス活用施設と悪臭問題」（におい・かおり環境協会『におい・かおり環境学会誌』46（1）、2015年）

18　佐藤純一・小西和也「食品系廃棄物バイオガス化施設の脱臭設備」（におい・かおり環境協会『におい・かおり環境学会誌』46（1）、2015年）

19　笹内謙一「バイオマスの熱分解ガス化による発電利用」（日本燃焼学会『日本燃焼学会

誌』47（139）、31-39 頁、2005 年）
20　芦田邦彦「バイオマス発電所の火災事故およびリクス対策」（SOMPO リスクマネジメント『損保ジャパン RM レポート』NO.249、2023 年 12 月）

第 3 部
21　環境と開発に関する世界委員会「われら共有の未来」（1987 年、環境省訳）
22　国際影響評価学会「Fastips」（環境アセスメント学会ホームページ「IAIA 基本文献」、浦郷昭子訳）
23　環境アセスメント学会「環境アセスメント図書の制度的公開について（提言）」（環境アセスメント学会『環境アセスメント学会誌』21（2）、2023 年）
24　岡田知弘『地域づくりの経済学入門（増補改訂版）〜地域内再投資力論〜』（自治体研究社、2020 年）
25　JICA 報告書「アフリカ未電化地域での再生可能エネルギーの活用と普及に係るプロジェクト研究報告書」（PDF 版サイト、2008 年）
26　吉野稔「バイオ燃料の利用拡大とその発展途上国に及ぼす影響について〜食料供給および生活・労働環境面を中心に〜」（日本福祉大学経済学会『日本福祉大学経済論集』39 号、2009 年）
27　日本学術会議工学委員会記録「分散型再生可能エネルギーのガバナンス」（2017 年）
28　日本生態学会・再生可能エネルギータスクフォース「再生可能エネルギーの推進と生態系・生物多様性保全におけるガイドライン」（第 1 版、2022 年）
29　淡路剛久「日本における公害防止協定の法的性質と効力」（早稲田大学比較法研究所、早稲田大学比較法研究所叢書 42『環境と契約』2014 年）
30　西須磨まちづくり懇談会『住民主体への挑戦〜被災地須磨のまちづくり〜』（エピック、1997 年）
31　傘木宏夫・垣井清澄「準備書への首長意見を根拠とした住民監査請求の取組」（環境アセスメント学会『環境アセスメント学会誌』21（1）、2023 年、査読付）
32　傘木宏夫『環境アセス＆VR クラウド〜環境コミュニケーションの新展開〜』（フォーラムエイトパブリッシング、2015 年）
33　熊谷香菜子「気候変動問題および省エネへの意識〜世界市民会議“気候変動とエネルギー”」の結果をもとに〜」（2017 年）
34　ロバート・ウォーエン『ラナーク州への報告』（初刊 1821 年、未来社、1970 年）
35　ウィリアム・モリス『ユートピアだより』（初刊 1890 年、中公クラシックス W35、2004 年）
36　手塚宏之「ウクライナ紛争の背景にあるエネルギー事情（その 2）〜天然ガスを巡るウクライナとロシの確執〜」（国際環境経済研究所、2022 年）
37　Michel Chossudovsky「戦争と天然ガス：イスラエル侵略とガザ沖ガス田」（『Global Research』、2009 年）

各部扉
第 1 部扉　エンゲルス『猿が人間になるにあたっての労働の役割』（初刊 1876 年、新日本出版社『自然の弁証法〈抄〉』63 頁）
第 2 部扉　リリエンソール『TVA〜民主主義は進展する〜』（初刊 1949 年、岩波書店 91 頁）
第 3 部扉　ハワード『明日の田園都市』（初刊 1898 年、鹿島出版会 SD 選書 175 頁）

あとがき

前著『再生可能エネルギーと環境問題』(2021年)を出版した後、問題点の指摘だけではなく、再生可能エネルギーと環境保全の両立をめざす地域づくりの実践を掘り起こして、未来につなげるような発信をしたいと、私は考えていました。

再生可能エネルギーは本来、地球という生命体がもたらしてくれる恵みです。その恵みに感謝し、特定の利益のために独占したり、大量に消費したりするのではなく、人びとが慎みの思いをもって、それぞれの暮らしや生業の中で生かせるように助け合いながら利用すべきものだと思います。そして、それが持続可能な社会の姿であってほしいと願います。

しかし、現実には、本書の表題としたように「乱開発」と言べき状況が全国各地で見られます。私は、これに立ち向かう地域住民のたたかいに正義を見出し、これを発信することに微力を添えたいと思うようになりました。

このたびの各地への取材、取材先のみなさんとのオンライン交流会(2023年12月22日開催)などの活動は、真如苑「環境保全・生物保護 市民活動助成“地球・自然・いのちへ”」(2023年度)の助成を受けました。国の政策に批判的とならざるを得ない内容であっても、その意義を認めて支えていただいたことで、この活動が可能になりました。心より感謝申し上げます。

また、取材先のみなさまをはじめ、オンライン交流会で助言を下さった岡田知弘先生(京都大学名誉教授)と藤田八暉先生(久留米大学名誉教授)など、多くの方々より情報提供をいただきました。NPO地域づくり工房の仲間たちは、取材や資料収集や図表の作成、校正などに協力してくれました。自治体研究社の高橋さんには本書出版の意義を見出していただき、出版にこぎつけて下さりました。ここにあらためてお礼を申し上げます。

2024年3月22日

傘木宏夫

著者紹介
傘木宏夫（かさぎひろお）
1960年2月、長野県大町市生まれ
NPO地域づくり工房代表理事
他に、環境アセスメント学会常務理事、自治体問題研究所理事、筑波大学大学院非常勤講師、長野大学非常勤講師など

主な著書
『表現技術検定公式ガイドブック「1日で学べるまちづくり～表現技術検定認定～」』（2024年、フォーラムエイトパブリッシング）
『再生可能エネルギーと環境問題～ためされる地域の力～』（2021年、自治体研究社）
『環境アセス ＆ VRクラウド』（2015年、フォーラムエイトパブリッシング）
『仕事おこしワークショップ』（2012年、自治体研究社）
『つくってみよう！まちの安全・安心マップ』（2008年、自治体研究社）
『地域づくりワークショップ入門～対話を楽しむ計画づくり～』（2004年、自治体研究社）

共著
『環境アセスメント学入門』（「藤前干潟（第10章）」「環境に係る情報基盤の強化、情報共有の推進（第14章4）」2019年2月、環境アセスメント学会編、恒星社厚生閣）
『日本の風穴』（2015年、古今書院）
『BeSeCu～緊急時、災害時の人間行動と欧州文化相互調査～（増補・日本版）』（2014年、フォーラムエイトパブリッシング）
『環境アセスメント学の基礎』（「環境アセスメントにおけるNPO活動の役割（第7章3）」2013年2月、環境アセスメント学会編、恒星社厚生閣）
『公民の協働とその政策課題』（2005年、自治体研究社）
『都市に自然をとりもどす～市民参加ですすめる環境再生のまちづくり～』（2000年、学芸出版社）
『大阪発・公園SOS～私たちのコモンセンス～』（1994年、都市文化社）他

再エネ乱開発
——環境破壊と住民のたたかい——

2024年6月28日　初版第1刷発行

著　者　傘木宏夫
発行者　長平　弘
発行所　株式会社　自治体研究社
〒162-8512 東京都新宿区矢来町123　矢来ビル4F
電話　03-3235-5941　ファックス　03-3235-5933
https://www.jichiken.jp/　E-mail : info@jichiken.jp

印刷・製本　モリモト印刷株式会社　　DTP組版　赤塚　修

ISBN978-4-88037-768-1 C0036